\いちばんわかりやすい/

家事のきほん大事典

この一冊に
全部
おまかせ!

成美堂出版

目次

2章 洗濯の基本

3章 料理の基本

4章 収納・片づけの基本

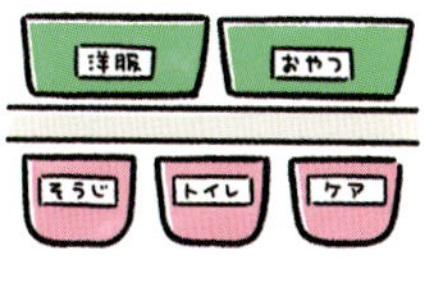

5章 住まいの修繕の基本

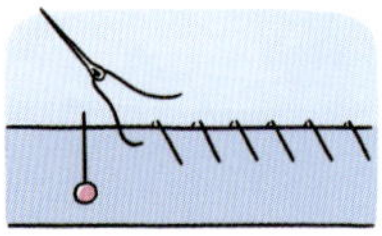

6章 安全に、健康に暮らす基本

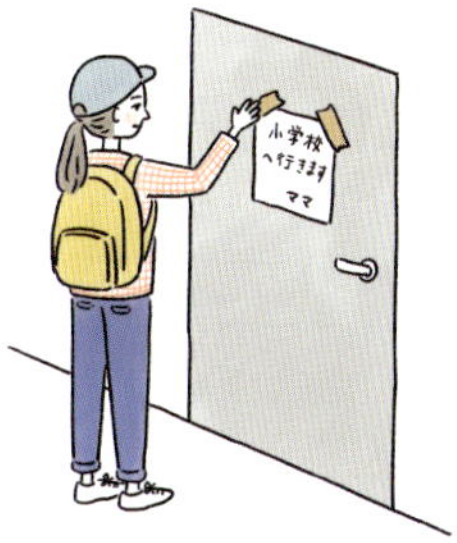

7章 おつきあいの基本

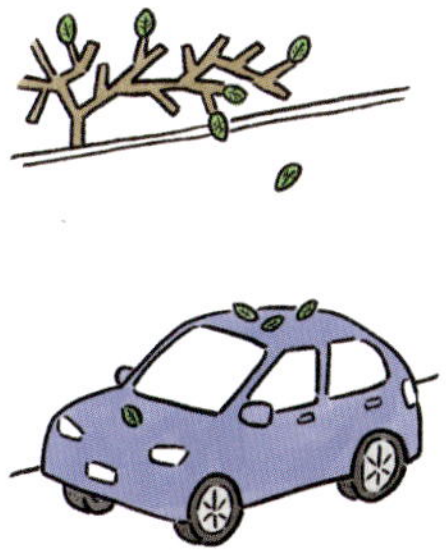

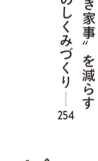

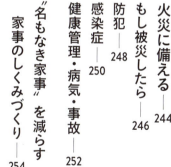

家事の基本

家事は、暮らしを快適にするためのもの。自分や家族が健康に、楽しい毎日を送るために必要なことです。負担になりすぎないように、次のポイントを押さえながら上手にまわしていきましょう。

1 自分に合ったスケジュールをつくる

毎日する家事以外に、週1回、月1回、なかには年1回でいい家事もあります。家族構成や自分の都合に合わせて、家事のスケジュールをつくっておくと便利。もちろん、すべて計画通りにできるわけではありませんが、よりどころになるスケジュールがあると、安心です。

2 ルーティンをつくり、習慣化する

洗濯機を回しながら朝ごはんの支度をする、夜は最後に入浴した人が出る前に浴槽を洗うなど、順番や手順を「ルーティン化」するとラクです。考えなくても自然に体が動くようになると、おっくうに感じたり、やり忘れることがなくなります。

3 時間・スペース・お金の枠を決める

家事には正解がなく、完璧にやろうとするとキリがありません。掃除や片づけは朝の5分だけ、本はこの棚に収まるだけ、食費は1週間で1万円以内、など自分なりの枠を決め、そこに収まるように工夫しながら暮らすことで、うまくまわっていきます。

4 「後でまとめて」より「その場で少しずつ」やる

汚れは、時間がたつと落ちにくくなります。散らかった部屋も、放っておくとどこから手をつけていいかわからなくなります。家事はためずに、そのときそのときで処理していくのが、結局は一番ラク。今、少しだけ頑張ることで、全体の負担を減らすことができます。

5 効率的にできる方法を工夫する

「こうでなくては」と思い込んでいるやり方をちょっと変えるだけで、時短になったり効果が上がることがあります。掃除道具の置き場所を変えたり、便利な家電や道具を導入するだけで、家事がグンとはかどることも。情報を取り入れながら、効率的な方法に変えていきましょう。

6 わかりやすく「見える化」する

何がどこにしまってあるかわかりやすい収納だと、家族が自分で出し入れできます。家事がどこまで終わっているのか、足りないものは何なのかも、「見える化」することで、家族の協力を得られやすくなり、自分の「うっかり」を防ぐことにもつながります。

家事のスケジュール

必要な家事は、家族構成やライフスタイルによっても異なりますが、一般的にはこのような内容があります。やるべきことを毎日、週1回、月1回などに分けて整理してみると、スッキリします。

毎日の家事

毎日のことなので、効率的に、短時間で終わらせることを考えます。
家事の順番ややり方を決めておけば、自然に体が動くように。
一日の終わりには、家の中をリセットして翌朝に備えます。

朝

床のモップがけ	皆が行動を始める前に、床に落ちているホコリを掃除。
ゴミ出し	夜のうちにまとめておくとすぐ出せる。
洗濯	朝食の間に洗濯機を回しておく。
朝食・弁当作り	朝食は毎日同じメニューでもOK。弁当は作りおきなども利用して簡単に。
後片づけ	食器を洗い、シンク、コンロまわりをサッとひと拭き。
洗面所・トイレ掃除	サッと取れる場所に道具を置き、使ったついでに掃除するのを習慣に。

夕～夜

買い物	冷蔵庫にあるものを思い浮かべながら。新鮮な食材を選んで。
洗濯物の片づけ	洗濯物を取り込んで、たたんで家族ごとに分ける。
夕食作り	汁物＋二品の「一汁二菜」が基本。野菜をたっぷりとることも大切。
後片づけ	食器は時間をおかずに洗うと汚れが落ちやすい。
キッチンの掃除	シンクやコンロのまわりをサッとひと拭き。
浴槽の掃除	お湯を流して、浴槽の中をサッとスポンジで掃除。
部屋のリセット	テーブルの上やソファに出しっ放しになっているものを片づける。
翌日の準備	お弁当の下ごしらえや、持って行くものの確認、ゴミをまとめるなど。

週1回する家事

いつもより少していねいな家事で、平日に取りきれない汚れを落としたり、やり残したことを片づけます。

料理の作りおきなど、平日がラクになるような家事をするのもおすすめです。

洗濯

- シーツ、マット類などの大物洗い
- おしゃれ着洗い
- アイロンがけ

掃除

- ホコリ取りや拭き掃除
- ていねいな掃除機がけ
- ていねいなコンロまわりの掃除
- 浴室全体の掃除
- ていねいなトイレ掃除
- 玄関の掃除

その他

- 書類の整理
- 靴のお手入れ
- 資源ゴミの分別
- 引き出しの中の整理
- 消耗品の残りチェック

料理

- 冷蔵庫の整理
- まな板などの漂白
- 下ごしらえ、作りおき
- 一週間の献立を考える

季節ごとの家事

場所を決めて徹底的に掃除したり、収納の中のものを全部出してチェックしたり。

「いつかやらないと」と思っていた面倒なことを片づけます。一度にやらずに、日程を分散させるのがコツ。

洗濯

- 帽子やスカーフなどの小物洗い
- カーテンの洗濯
- クリーニングに出す
- 衣替え

掃除

- 照明・家電のお手入れ
- 窓まわりの掃除
- 換気扇掃除
- ベランダの掃除

その他

- 季節家電の入れ替え
- 救急箱の中身の補充
- 収納場所の見直し
- 靴やバッグの補修
- 家具や建具の修繕

料理

- 冷蔵庫の中身を出して整理
- パントリーの整理
- 常備食材の補充

12カ月の家事カレンダー

心地よく暮らすために必要な家事を、月ごとにまとめました。どんな一年を過ごすのか見通しを立てておけば、時間やお金の使い方も計画できて安心です。

1月

行事　正月　七草がゆ　鏡開き　成人の日

家事
- 正月用品の片づけ
- 客用寝具をしまう
- 暖房器具のお手入れ
- 年賀状・住所録の整理

2月

行事　節分　立春　バレンタインデー

家事
- 窓の結露対策
- 花粉症対策
- 確定申告の準備
- ひな人形の準備

3月

行事　ひな祭り　卒園・卒業式　お彼岸（春分）

家事
- 非常食の点検・補充
- 進学・進級の準備
- 書類の整理
- 衣替え（春の衣類の準備）
- レジャー用品の手入れ
- 確定申告

4月

行事　入園・入学式　新学期・新年度　お花見

家事
- 暖房器具の片づけ
- 入学・就職祝いを贈る
- 衣替え（冬の衣類を洗濯、収納）
- 寝具の入れ替え
- こいのぼり・五月人形の準備
- 庭の手入れ

5月

行事　ゴールデンウィーク　子どもの日　母の日

家事
- 雨どいやベランダ、雨具の点検
- カーテンの洗濯
- 押し入れ収納の見直し
- 網戸の修繕
- 扇風機を出す

6月

行事　父の日　夏至　梅雨入り

家事
- 梅しごと
- キッチンの掃除
- 調理道具や食器の漂白
- 浴室のカビ退治
- 衣替え（夏の衣類の準備）
- 下駄箱の掃除

7月

行事　七夕　お盆（東京など）
夏休み　梅雨明け

家事

- 家計上半期まとめ
- コンロまわりの掃除
- 冷蔵庫の掃除
- お中元、暑中見舞い
- 衣類、寝具の虫干し

8月

行事　お盆

家事

- 窓まわりの掃除
- 台風対策
- 食器棚の掃除、食器の点検
- 残暑見舞い

9月

行事　防災の日　お月見
敬老の日　お彼岸（秋分）

家事

- 防災用品の点検
- 避難方法の確認
- 墓参り
- 夏小物（帽子、サンダル、日傘など）のお手入れ
- 納戸・押し入れの整理

10月

行事　スポーツの日
ハロウィーン

家事

- 床のワックスがけ
- 扇風機をしまう
- 衣替え（冬の衣類の準備）
- 冬の寝具の準備
- 本の整理、処分
- 障子、ふすまの張り替え

11月

行事　文化の日
七五三
勤労感謝の日

家事

- 喪中はがきの準備
- 暖房器具のお手入れ
- 大掃除の準備
- 模様替え

12月

行事　冬至
クリスマス
大晦日

家事

- 大掃除　お歳暮
- 年賀状
- クリスマス飾り
- 家計簿の締め、予算立て
- 正月の準備
- おせちづくり

この本の使い方

本書では、家事の種類ごとに作業の進め方やコツを紹介しています。
参考にしながら、自分の家に合った方法を工夫しましょう。

手順がわかりやすい

大きな写真と解説で、初めての人にもわかりやすく紹介しています。

使う道具の紹介

作業に必要な道具がわかります。

洗濯

シミの落とし方

シミはその種類によって、使う洗剤や落とし方が違います。適切な処置の方法を知っておきましょう。

できるだけ早く適した洗剤で落とす

シミがついたときには、時間を置かずに落とすこと。そして、汚れの種類に応じた洗剤や漂白剤を使うことが大事です。表示を見て、家で洗えるか、洗剤や漂白剤はどの種類かを確認しましょう。

基本の洗剤・道具

食器用洗剤
中性のものを選んで。衣類を傷めにくいので安心して使える

漂白剤
酸素系漂白剤なら、色柄ものにも使える

タオル

歯ブラシ

【シミの種類と落とし方】

シミの種類		特徴	落とし方
しょうゆ コーヒー うどん、そば ケチャップ カラーリング剤	果汁 紅茶 みそ汁 血液	水溶性	まずは水で試してみて、落ちない場合は洗剤溶液や漂白剤などを利用
食用油 チョコレート ボールペン ファンデーション 接着剤	バター クレヨン 口紅 朱肉	油性	洗剤の原液を塗布する。汚れによっては、ベンジンやアルコールを使用
乳製品 カレー ミートソース ラーメン	卵 ドレッシング マヨネーズ	混合	洗剤溶液につけて落ちない場合は、漂白剤またはアルコールを使用
カビ サビ 墨汁 鉛筆	泥 ガム 修正液	不溶性	汚れによって落とし方が異なる（P.104を参照）

check!
血液や牛乳のシミに湯は使わない
血液や牛乳、卵などのシミはタンパク成分を含んでいるので、高い温度で固まる性質がある。シミ抜きは湯ではなく水を使って。

NG
MILK

102

2章 洗濯

基本の落とし方

やさしくたたいて、タオルにシミを移していきます。まずは水で、落ちないなら中性洗剤で試してみて。

1 タオルの上に置く
乾いたタオルの上に、シミのついた側を下に（タオルに接するように）して、衣類を広げる。

2 ぬらした歯ブラシでたたく
水をつけた歯ブラシでシミをたたき、タオルにシミを移していく。タオルの位置を変えながら、シミがタオルにつかなくなるまで続ける。

check!
シミのまわりから中心へ向かって円を描く
歯ブラシはシミのまわりから中心に向かって、円を描くようにポンポンとたたくのがコツ。

3 落ちないなら洗剤でたたく
水で落ちない場合は、コップ半分の水に食器用洗剤を1～2滴たらして溶かし、歯ブラシにつけてシミの部分をたたく。

check!
タオルの位置を変えながらたたく
1カ所でずっとたたくのではなく、ときどき衣類をずらしながら、タオルにシミを移していく。

4 乾いたタオルで水分を取る
シミが消えたら、今度は水でぬらした歯ブラシでたたいて、洗剤分を取り除く。乾いたタオルで水分をよく吸い取り、自然乾燥させる。

+more
落ちない場合は、漂白剤を使用する
中性洗剤で落ちない場合は、酸素系漂白剤を使う。スプレー式と液体のものがあるので、使い方は表示を確認して。長時間放置せず、水ですすぐか洗濯機で洗うこと。

外出先の応急処置
ティッシュやハンカチを濡らしてたたく
油分のシミはティッシュでやさしくはさみ、移し取る。水性のシミなら、ぬれたハンカチで押さえてからティッシュなどで水分を取る。家に帰ったらすぐにシミ抜きを。

103

+more で知識が深まる

知っておくと役に立つ、家事の豆知識や裏ワザがわかります。

check! でコツがわかる

作業をするうえで、失敗しないために押さえておきたいコツを紹介します。

- 洗剤や道具などを初めて使うときには、目立たない場所で試しましょう。素材によっては、変色したり傷がつくことがあります。
- 本書に紹介している商品は、特定の商品を推奨するものではありません。
- 本書で紹介している方法が、すべての家庭にあてはまるとは限りません。
- 掲載している情報は、2020年10月現在のものです。

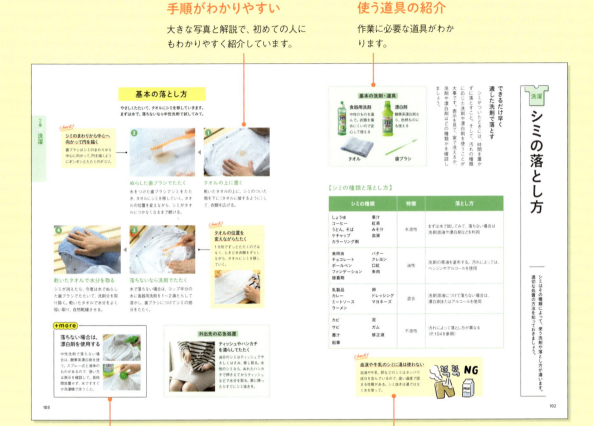

1章

掃除の基本

監修　高橋恵子

NPO法人日本ハウスクリーニング協会理事、一般社団法人日本家事代行協会代表理事、ピュアレディス・ライフ代表取締役。書籍、雑誌、テレビなどで掃除、片づけの指導でも活躍。
https://kaji-school.com

掃除の基本

掃除は毎日のことなので、手間をかけずに効率よく進めたいものです。
掃除を始める前に、覚えておきたい基本を紹介します。

1 汚れはためずに早めに落とす

掃除は週末にまとめてするよりも、短い時間で毎日するほうがおすすめ。汚れは軽いうちなら、強い洗剤を使わず短時間で落とせます。1日10分でもいいので、掃除を習慣に。

2 温度と時間を味方につける

取れない汚れはゴシゴシこすらずに、湯を使ったりして温度を上げると落ちやすくなります。また、洗剤液に浸すなど時間を置き、洗剤を汚れに浸透させるのも有効な方法です。

効率よくラクに掃除をするコツ

「上から下」「奥から手前」に掃除する

ホコリは上から下へ落ちるので、掃除の順番も「上から下へ」。さらに「奥から手前」に移動しながら掃除すると、きれいになった部分を踏まなくてすむ。

掃除のスケジュール

家の汚れの状況に合わせて、場所別に
掃除スケジュールを決めておくと、
家の中をいつもきれいに保てます。

毎日

毎日の小掃除でラクにキレイをキープ

リビングの床、キッチンのシンクやコンロなど、よく使う場所は毎日掃除を。朝や夜のルーティンにすると、無理なく続く。

週1回

汚れがたまりやすい場所は週末プラス掃除

浴室やトイレなどの水まわりなど、毎日掃除をしても汚れがたまりやすい場所は、週1回のプラス掃除でリセットを。

月1回

汚れの状況に合わせて頻度を変えて

窓まわりや家電などは、汚れが気になったら掃除を。汚れが軽いうちに、早めに掃除すると手間がかからない。

半年に1回

年1回よりも年2回で汚れをためない

年1回大掃除だと、汚れがたまってなかなか落ちないことも。水が冷たい冬ではなく、春と秋に、年2回するのがおすすめ。

3

汚れに合った道具と洗剤を使う

頑固な油汚れにはアルカリ性洗剤など、汚れの種類に合った洗剤を選ぶと、ラクに落とせます。すき間には汚れにしっかり届くブラシを使うなど、道具も汚れた場所に合ったものを選ぶと効率的。

時間を決めて頑張りすぎない

朝晩10分、週末30分など時間を意識すると、集中できて効率アップ。短時間掃除なら習慣化もしやすい。長時間頑張りすぎる掃除は続かない。

「大掃除より小掃除」を習慣にする

年1回年末の大掃除よりも、毎日、週1回、月1回などの掃除を習慣に。汚れを早めにリセットすれば、大掃除は短時間で終わってラクチン。

場所別掃除リスト

場所別にどんな掃除をするのかをまとめました。気になる場所の掃除法を確認しましょう。

リビング

網戸・窓 / ブラインド・カーテン

月1回　ホコリを取る　→P.40・41・42
月1回　水拭きする　→P.40・41

壁

週1回　ホコリを取る　→P.34

照明

週1回　ホコリを取る　→P.34
月1回　水拭きする　→P.35

ソファ

週1回　掃除機をかける　→P.36

エアコン

月1回　ホコリを取る　→P.39

床・カーペット

毎日　モップがけ　→P.30
毎日　掃除機をかける　→P.30
汚れたら　洗剤で拭く　→P.31
年1回　ワックスがけ　→P.32

扇風機

月1回　ホコリを取る　→P.38

和室なら

畳

毎日　モップをかける　→P.44
毎日　掃除機をかける　→P.44
汚れたら　湿り雑巾で拭く　→P.44

テレビ

週1回　ホコリを取る　→P.37

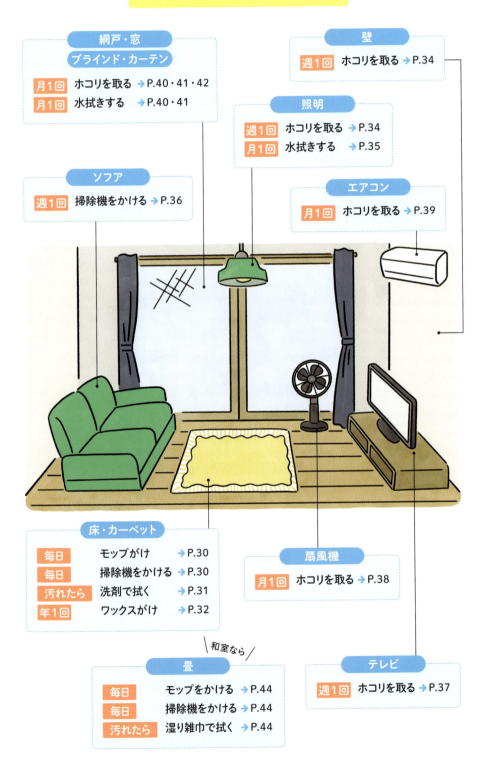

キッチン

換気扇

半年に1回	つけ置き用洗剤で洗う	→ P.52
半年に1回	つけ置き用洗剤で拭く	→ P.53

壁

半年に1回	洗剤で拭く	→ P.54

コンロ

毎日	水拭きする	→ P.48
週1回	洗剤で洗う	→ P.48
汚れたら	つけ置き用洗剤で洗う	→ P.49
汚れたら	焦げつきを取る	→ P.49

食器棚

年1回	汚れに合わせて拭く	→ P.55
年1回	アルコール除菌剤で拭く	→ P.55

テーブル

毎日	アルコール除菌剤で拭く	→ P.55

シンク

毎日	スポンジで洗う	→ P.46
汚れたら	クレンザー・重曹で洗う	→ P.46
毎日	排水口を洗う	→ P.47
汚れたら	蛇口の水アカを取る	→ P.47

魚焼きグリル

使うたび	洗剤で洗う	→ P.50
使うたび	内部は水拭きする	→ P.50
汚れたら	焦げつきを取る	→ P.50

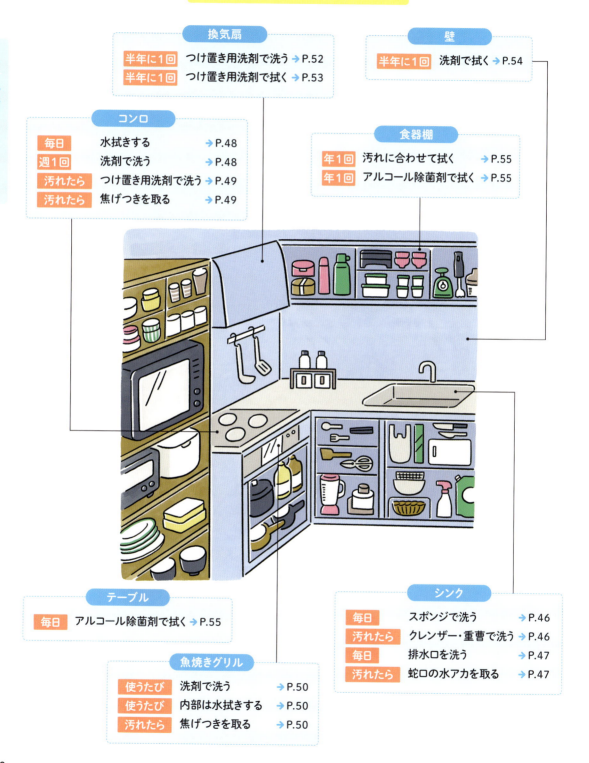

浴室

換気扇
- 月1回 ブラシで洗う → P.60

天井
- 月1回 モップで拭く → P.60
- 汚れたら カビを取る → P.60

壁・鏡・蛇口
- 週1回 洗剤で洗う → P.57
- 週1回 ブラシで洗う → P.57
- 汚れたら クエン酸水で湿布する → P.57
- 汚れたら カビを取る → P.61

ドア
- 週1回 ブラシで洗う → P.58

浴槽
- 毎日 洗剤で洗う → P.56
- 週1回 排水口・循環口の掃除 → P.59

床
- 週1回 ブラシで洗う → P.58
- 汚れたら クエン酸水で洗う → P.58

排水口
- 週1回 ブラシで洗う → P.59
- 汚れたら ニオイを取る → P.59

洗面器・椅子
- 週1回 スポンジで洗う → P.58
- 汚れたら クエン酸水で湿布する → P.58

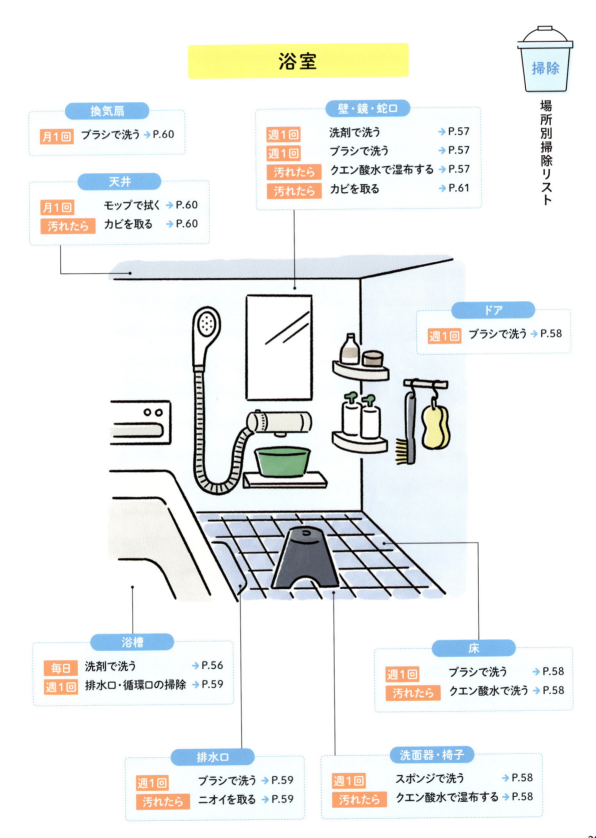

トイレ

換気扇

月1回	掃除機でホコリを取る	→ P.64

タンク

毎日	トイレ用シートで拭く	→ P.63
汚れたら	水アカを落とす	→ P.65
汚れたら	黒ずみを落とす	→ P.65

便器・便座

毎日	洗剤で洗う	→ P.62
毎日	トイレ用掃除シートで拭く	→ P.62
週1回	境目やノズルなどを拭く	→ P.64
週1回	脱臭フィルターのホコリを取る	→ P.64

床

毎日	トイレ用シートで拭く	→ P.62

洗面所

収納

年1回	水拭きする	→ P.66

洗面台

毎日	洗剤で洗う	→ P.66
毎日	排水口をこする	→ P.66
毎日	から拭きする	→ P.66

洗濯機

月1回	カビを取る	→ P.67

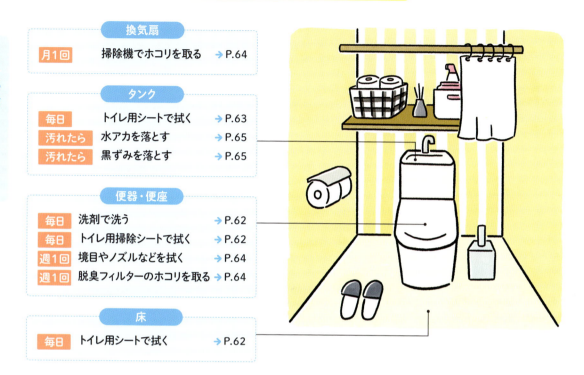

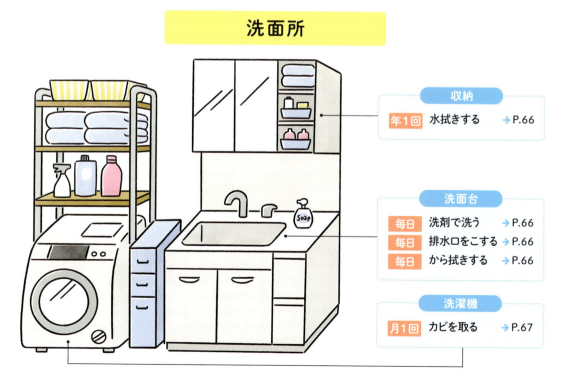

掃除

掃除の道具と掃除機

掃除を手際よく終わらせるには、場所や汚れに合った道具を選ぶことが大切。掃除機の特徴もチェックして。

6つの道具と掃除機をそろえよう

掃除の道具はたくさんあるので、どれを選んだらいいか迷いますが、まずは、「そろえておきたい道具」と掃除機を準備します。汚れが落ちないときは道具選びを間違えているのかも。強い洗剤を使う前に、道具を替えると落ちることがあるので試してみて。

選び方のポイント

1 スポンジとブラシは適材適所

スポンジとブラシは、サイズ、形などを場所と汚れに合わせてセレクト。

2 モップは大小2個あると便利

床や壁など広い面に使う大きめのものと、家具や家電に使えるハンディなものを。

3 掃除機は暮らしに合わせて選ぶ

掃除機はタイプ別に使い方やメンテナンス方法が違うのでよく確認して選んで。

そろえておきたい道具

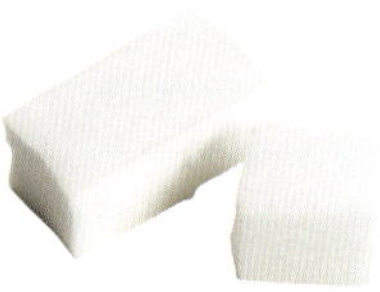

メラミンスポンジ

頑固な汚れを洗剤なしで落とす

水でぬらしてこするだけで汚れを削り取る。使用後にカスが残るので、それも掃除を。使いすぎると素材の光沢がなくなることもある

スポンジ

平らな面の掃除に大小あると便利

キッチンや洗面所には小さめ、浴室や窓には大きめと2種類そろえたい。ナイロンの面があるものはこびりついた汚れを落とせる

モップ

床や高いところのホコリを取る必需品

シートをつけて、床や壁、天井などの掃除ができる（写真右）。ハンディなものは家電や家具のすき間などを効率的にきれいに（写真左）

ブラシ

形や大きさは用途によって使い分けを

すき間用なら毛先が細いもの（写真上）、凹凸のある広い面（浴室の床など）には平らなもの（写真下）を使う。用途に合わせて選ぶ

掃除用クロス

マイクロファイバーで汚れが落ちる

超極細繊維（マイクロファイバー）で作られ、洗剤なしで掃除できる。吸水性にすぐれ、水まわりに使うとピカピカになる

雑巾・ウエス

使いやすいものを掃除場所に常備

古タオルで手作りしてもいいし、100円ショップで購入してもOK。古Tシャツをカットしたウエスなら、使い捨てできて便利

あれば便利な道具

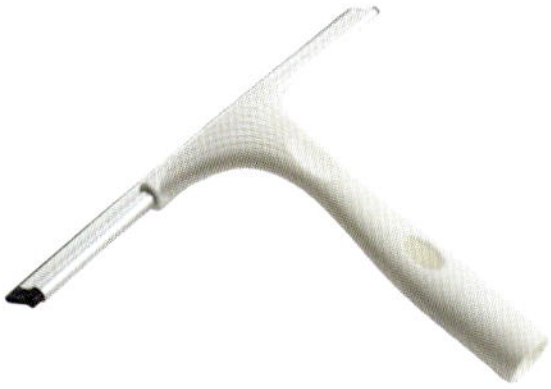

スクイージー

平らな面の水分がどんどん取れる

窓ガラス、浴室の壁や床などの水分があっという間に切れる。浴室に常備して毎日使えば、カビ予防になる

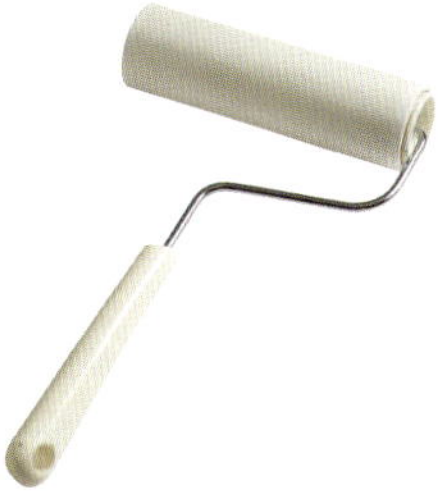

粘着ローラー

カーペットのホコリや髪の毛が取れる

カーペットに潜り込んだゴミや髪の毛を取るのに便利。掃除機をかけられないときは、これだけでもOK

ゴム手袋

洗剤から手を保護&掃除道具にもなる

漂白剤など手荒れしやすい強い洗剤を使うときは必ず着用。カーペットにからまったゴミを取る掃除道具としても使える

洗車ブラシ

大きめのブラシは外まわりの掃除に

窓や網戸、ベランダ、玄関のドアなど外まわりの広い部分に重宝。水拭きをする前に、ホコリをブラシで取ると効率がいい

掃除機

サイクロン掃除機

こまめなゴミ捨てで吸引力は維持

ダストボックスのゴミをこまめに捨てる必要があるが、そのおかげで吸引力を維持できる。紙パックの費用や買い置きする手間が必要ない

紙パック掃除機

ゴミ捨てが簡単で衛生的にも安心

ゴミがたまったら紙パックを捨てるだけなので、ホコリが舞わずに衛生的なうえ、ラク。紙パックにゴミがたまりすぎると吸引力が弱まる特徴がある

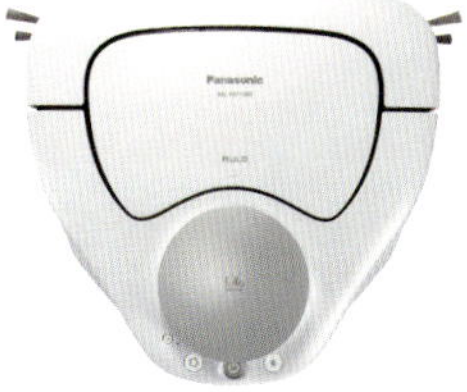

ロボット掃除機

自動運転で外出中でもきれいにしてくれる

掃除機がゴミを検知して、自動で家中を掃除してくれる。外出している間に、掃除ができるので便利。スムーズに稼働させるには、床にものを置かないようにする

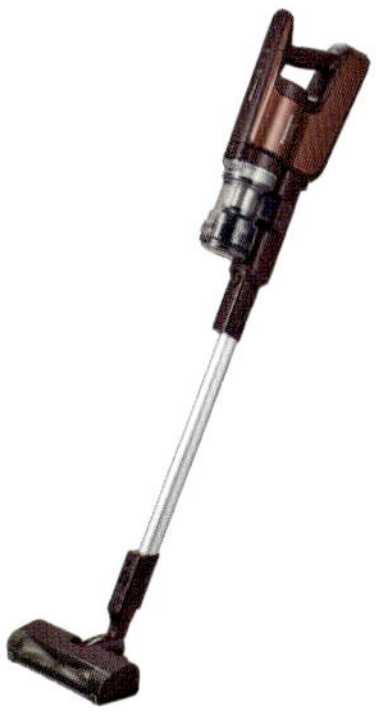

スティック掃除機

持ち運びがラクで手軽に掃除ができる

コードレスでハンディタイプなので、手軽に家中の掃除ができる。1回の充電でどのくらいの時間を稼働するか確認をし、家の広さに合ったものを選んで。

掃除

洗剤の選び方

似たような洗剤をたくさん揃える必要はありません。それぞれの特徴を知って、必要なものを選びましょう。

何を選んだらいいか迷ったら「液性」に注目しよう

洗剤の容器のラベルを見ると、「液性」という欄があり、酸性、中性、アルカリ性と表示されています。家中の汚れの大部分は酸性なので、アルカリ性洗剤が。水アカや尿など水まわりの汚れはアルカリ性なので、酸性の洗剤が効果的。中性洗剤は酸やアルカリで汚れを分解するのではなく、界面活性剤で汚れを落とします。手肌や素材にやさしいので、毎日の掃除に適しています。

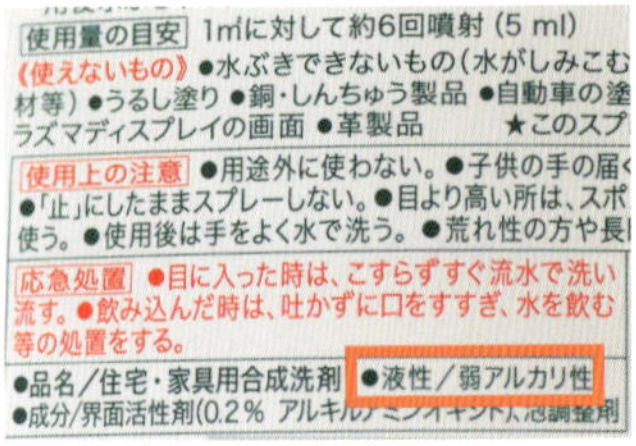

容器のラベルを確認する

容器のラベルの「液性」を見てみよう。3つの液性のほか、洗浄力がやや弱くなる弱アルカリ性、弱酸性もある。

汚れに合わせて液性を選ぶ

油汚れ、手アカなど家中の汚れに

アルカリ性

落ちにくい頑固な汚れもスッキリ

キッチンの換気扇やコンロの頑固な油汚れなどは、アルカリ性洗剤で落とす。洗浄力は強いが、塗装がはがれるなど材質を傷めることもあるので、目立たない部分で試してから使用を。弱アルカリ性は、洗浄力は弱くなるが素材を傷めにくい。

毎日掃除する軽い汚れに

中性

手肌や素材にやさしくて安心

アルカリ性と酸性の中間にあるのが中性洗剤で、台所用洗剤がその代表。シンク、トイレ、浴室など、こまめに掃除をする場所は、中性洗剤で十分落ちる。手荒れしにくく(アルカリ、酸が強い洗剤は手肌が荒れることがある)、掃除する素材にもやさしい。

水アカや尿など水まわりの汚れに

酸性

蛇口、浴室、トイレなどのこびりつきに

蛇口や浴室の鏡の水アカ、トイレの尿の汚れなどはアルカリ性なので、酸性洗剤で落とす。代表的なものは、クエン酸やトイレ用洗剤など。こびりついて固まった汚れは、ペーパーやラップで湿布をして洗剤を浸透させる。

+more

洗剤に含まれている界面活性剤って何？

多くの洗剤に含まれている界面活性剤は、本来は混ざり合わない水と油などの物質を混ざりやすくするもの。例えば、水だけでは落ちにくい油汚れが、界面活性剤の働きによって水の中に溶解して落ちる。場所別の洗剤には、その場所特有の汚れに適した界面活性剤が含まれている。

液性別の洗剤

酸性洗剤

トイレ用洗剤

便器の黄ばみの原因になる尿石を落とす。掃除しにくい便器の縁裏などの汚れにも効果がある

クエン酸

酢の仲間のクエン酸は、手肌や環境にもやさしい。水に溶いてクエン酸水にするか粉末で使用する

+more

洗剤と道具が一体になったシートタイプ

洗剤がしみ込んだシートは、すぐに掃除ができて便利。弱酸性で手荒れしにくく、使用後はトイレに流せる。

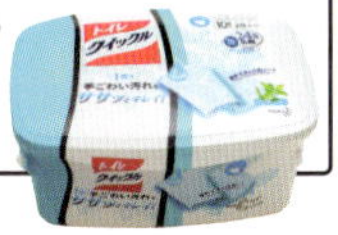

アルカリ性洗剤

住居用洗剤

家中の床、家具、家電、窓などの、水では落ちない油分を含んだ汚れに使用

油汚れ用洗剤

コンロや換気扇の頑固な油汚れを落とす強力な洗剤。ゴム手袋をして使用する

つけ置き用洗剤

コンロや換気扇のこびりついた油汚れはつけ置きして、汚れをゆるませる

重曹

水に溶いて重曹水にしたり、粉末をかけたり、いろいろな用途で使える

中性洗剤

台所用洗剤

食器、シンクなどキッチンまわりに幅広く使える。毎日使うものなので、手肌にやさしいものがよい

浴室用洗剤

入浴後にすぐ掃除ができるように、浴室に常備を。ゴム手袋なしの掃除でも手荒れしにくい

トイレ用洗剤

便器や便座、床などの毎日の掃除は、中性洗剤で十分。汚れに気がついたら、スプレーしてペーパーで拭いておく

カビ取りや除菌用に

アルコール

アルコール除菌剤

手軽に除菌ができ、2度拭きがいらない。キッチン用は、食器にかかっても大丈夫なので安心

消毒用エタノール

カビ取り、カビ予防に効果的だが漂白はできない。ドアノブ、スイッチなどの除菌にも使える

塩素系漂白剤

カビ用洗剤

黒くなったカビを除去し、漂白する。使用時はゴム手袋を着用し、換気をするなど安全に注意して

キッチン用漂白剤

排水口や調理器具の漂白には、スプレーするだけで汚れに密着する泡タイプの漂白剤が便利

こびりつきに

研磨剤

クリームクレンザー

細かい研磨剤が、焦げつきなどのこびりついた汚れを粒子でこそげ落とす

check!

塩素系漂白剤と酸性洗剤は混ぜると危険

塩素系漂白剤と酸性のクエン酸やトイレ用洗剤などを同時に使うと、有毒ガスが発生する。水アカをクエン酸で、カビを塩素系漂白剤で取る掃除は同時に行わない。

掃除

汚れの種類と落とし方

汚れの種類とそれに合った落とし方を知っておくと、洗剤をたくさんそろえる必要がなく、掃除もラクです。

場所が違っても同じ汚れなら落とし方は同じ

家の中の汚れは、いろいろな種類が混在しています。主な汚れは、左ページにあげた7種類。家のどこについた汚れでも基本の落とし方は同じです。

例えば、キッチンの水アカにはクエン酸を使いますが、それは浴室、洗面台でも同じ。こびりついたときに湿布をして汚れに浸透させる方法も、どこでも応用できます。

また、洗剤は「〇〇用」と場所別に分かれていて、その場所特有の汚れに対応しています。とはいえすべてをそろえるのは大変です。同じ種類の汚れには同じ洗剤を使ってみるとよいでしょう。例えば、排水口に使う塩素系漂白剤は家中で共用できます。効果が感じられなかったときに、その場所専用のものを買うようします。

家の中にあるのはこんな汚れ

浴室

蛇口まわり 水アカ、石けんカス
床・浴槽・排水口
水アカ、石けんカス、皮脂、カビ、菌

リビング

窓 ホコリ、排気ガスの油、手アカ
ソファ
ホコリ、食べカス
床 ホコリ、足についた皮脂

トイレ

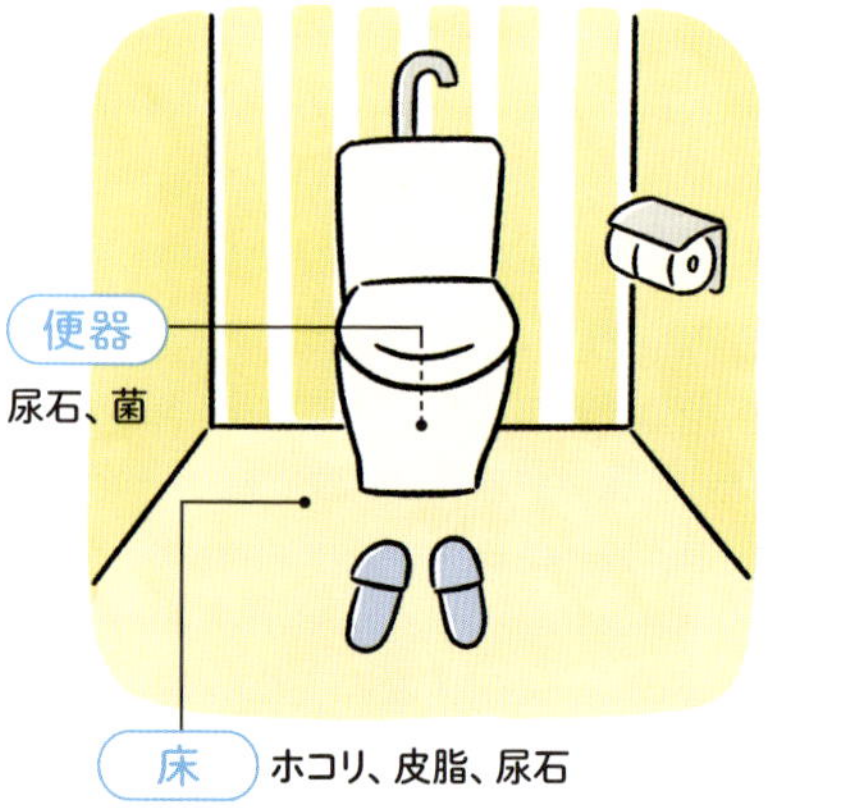
便器
尿石、菌
床 ホコリ、皮脂、尿石

キッチン

シンクまわり 油、水アカ
換気扇・コンロ 油
排水口 油、菌

汚れに合った落とし方

汚れの種類	特徴	落とし方
ホコリ	• 家中のあらゆる平面の部分にたまる。洋服から出る糸くず、髪の毛、食べカス、砂、花粉、ダニなどが混ざったもの。 • 人が動くと舞い上がる。人が寝ている夜の間、外出している昼間は床に落ちてくる。	• モップや掃除機で取る。最初に掃除機をかけると排気でホコリが舞い上がるので、モップ→掃除機の順番にかける。 • 掃除のタイミングは人が動く前。家族が朝、起きる前か、夕方、外出から帰る前がベター。
油	• 人が行き来する場所、触った場所などにたまる。手アカ、皮脂、料理のときに飛び散った油、食べこぼしなどは酸性の汚れ。 • すぐに落とさないと固まる。時間がたつとなかなか落ちない頑固な汚れになる。	• ついたばかりの汚れは、洗剤を使わずに、水や湯だけでも落ちる。 • こびりついた汚れは、温度を上げる、つけ置きするなどして汚れをゆるめて落とす。または、洗浄力が強いアルカリ性洗剤を使う。
水アカ	• 蛇口や鏡についた白っぽく固まったアルカリ性の汚れで、水に含まれるミネラル分が残って乾いたもの。	• 酸性のクエン酸で落とす。水に溶いてクエン酸水にしてスプレーするか、粉末のまま汚れにかけてもよい。
石けんカス	• 人の皮脂やアカ（酸性）と水アカ（アルカリ性）が混ざった汚れ。浴室の床、洗面器などにこびりついて取りづらくなる。	• 酸性のクエン酸水をスプレーした後、クリームクレンザーでこすると効果的。
尿石	• アルカリ性の汚れで、トイレの便器の黄ばみ。尿に含まれる物質が固まってしまい、さらに雑菌が繁殖して悪臭を放つようになる。	• 酸性のクエン酸で落とす。固まって取りにくいときは、クエン酸をペーパーで湿布して、汚れをゆるませてから、ブラシでこする。
カビ	• 高温多湿の環境で、ホコリ、皮脂やアカ、石けんカス、食品などがエサになって増殖する。 • カビが生えやすい場所は、浴室、下駄箱、押入れ、エアコンの吹き出し口、結露が起こる窓のゴムパッキン部分など。	• 生えたばかりのカビなら、ブラシでこするだけで落とせる。 • 黒カビは塩素系のカビ用洗剤を使う。塩素系漂白剤を使いたくない場所には、酸素系漂白剤、消毒用エタノールを使う。
ヌメリ・ニオイ	• キッチンや浴室の排水口、三角コーナーなどのヌメリや嫌なニオイは、高温多湿な環境で食べ物、皮脂、アカなどによって繁殖した細菌が原因。	• 塩素系漂白剤が入った専用洗剤で除菌する。 • 強い洗剤を使いたくないときは、酸素系漂白剤を湯で溶かしたものを使用してもよい。

掃除

毎日の掃除

汚れが軽いうちだとすぐ落ちるので、毎日掃除が実は一番ラクな方法です。無理なく続けるコツを紹介します。

一日の流れの中に掃除を組み込むと毎日できる

「毎日掃除なんて面倒」と思いがちですが、習慣にすれば意外にラク。朝、家族が起きてくる前にさっと床掃除、朝食後、歯を磨いた後に洗面台まわりもついでに掃除など、一日の流れの中に組み込むのがおすすめです。毎日掃除をすれば、汚れが軽いうちに落とせるので、労力が最小限ですみ、短時間で終了。「毎日掃除＝一番ラクな方法」なのです。それに、よく使う場所が常にきれいだと、気分がいいものです。

　家族の人数、仕事の時間など、ライフスタイルによって生活時間はさまざまですが、左ページの例を参考に、自分なりのタイムスケジュールを作ってみてください。週末まとめ掃除派でも、少しでも平日に掃除ができると、週末の時間が有効に使えるはずです。

毎日掃除が続くコツ

すぐ掃除ができるように道具は近くに用意

ついで＆ながら掃除ができるように、道具は使う場所の近くに収納。やる気になったとき、すぐできる。道具を取りに行く無駄な時間がなくなり、時短にもなる。

無理なく続けられる「ながら掃除」

テレビを見ながら粘着ローラーでカーペットのゴミを取ったり、電話をしながらハンディモップで家電のホコリを取ったりと、ラクにできるので無理なく続けられる。

「ついで掃除」なら汚れが軽いうちにサッと落とせる

歯を磨いたついでに洗面台掃除、トイレに入ったついでに便座掃除など、ついで掃除なら短時間で終了。毎日ついで掃除→汚れがたまらない→サッと終わる、といういい循環になる。

+more

換気をするには窓を２カ所開ける

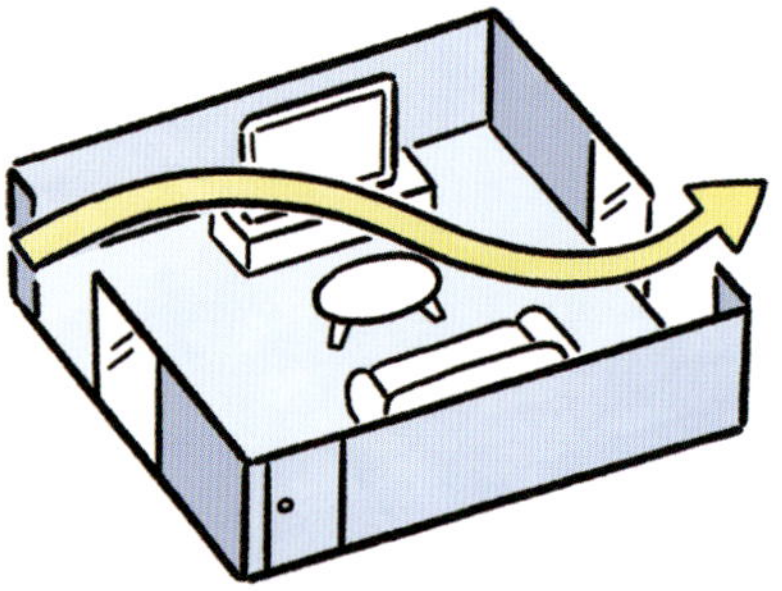

窓は１カ所ではなく２カ所開ける。空気の入り口と出口を作るために対角線に開け、空気の入り口を小さめに、出口を大きめに開けるとスムーズに流れる。窓が１カ所しかないときは、室内ドアを開けたり扇風機を窓のほうに向けて置き、汚れた空気が出ていくようにする。換気はホコリが舞わないよう、掃除が終わったあとに。

＼トータル35分／

毎日の掃除のタイムスケジュール

朝

家族が起きる前に床掃除をする　10分

ホコリは人が動くと舞い上がり、動かないと下に降りてくる。寝ている間に床にたまったホコリを、家族が起きてくる前にモップで掃除するのが効率的。

場所 ▶ リビング・和室・廊下・洗面所
道具・洗剤 ▶ モップ

身支度のついでに水まわり掃除をする　10分

歯磨きをしたあとに、洗面台の洗面ボウルをスポンジでこすり、掃除用クロスで飛び散った水けを拭く。トイレを使用後、トイレ用掃除シートで便座や床などを拭き、便器はトイレ用洗剤をかけてブラシでこする。

場所 ▶ 洗面台・トイレ
道具・洗剤 ▶ スポンジ・掃除用クロス・
トイレ用掃除シート・
トイレ用洗剤・トイレ用ブラシ

夜

夕食の後片づけのあとにキッチン掃除をする　10分

夕食の食器洗い後、シンクもスポンジと洗剤でこする。そして、コンロまわりは水か湯で絞った布巾で拭く。ついたばかりの油汚れは、水や湯だけでOK。頑固な油汚れには油汚れ用洗剤を使う。

場所 ▶ シンク・コンロ
道具・洗剤 ▶ スポンジ・布巾・台所用洗剤
油汚れ用洗剤

入浴のあとに浴室掃除をする　5分

入浴したあとに、浴槽をスポンジと洗剤でサッと洗い、壁や床に湯をかけて髪の毛や石けんカスを流しておく。体を拭いたタオルやスクイージーで水分を取り、換気扇を回してカビを予防。

場所 ▶ 浴室
道具・洗剤 ▶ スポンジ　浴室用洗剤
スクイージー

【リビング】床・カーペット

掃除機をいきなりかけると、ホコリが舞ってしまいます。まずはモップをかけて、その後、掃除機をかけましょう。

毎日　モップ・掃除機をかける

道具：モップ・掃除機

1　フローリングにモップをかける

フローリングの板目に沿ってモップをかける。モップにつけるシートは乾いたホコリを取るドライシートが基本だが、ベタベタが気になるときはウェットでもよい。

2　時間があれば掃除機をかける

フローリングの板目に沿って、掃除機のヘッドをゆっくり押し引きする。毎日が難しいときは、2～3日に1回でもOK。家具の下、部屋の隅もかけるとサッパリする。

check!

掃除機の効果的なかけ方

ヘッドにからんだゴミは取っておく

吸引力がアップするので、ヘッドのブラシにからんだゴミを取る。絡まった髪の毛ははさみで切ると取りやすい。

フローリングや畳は目に沿ってかける

フローリングは板目に、畳は畳の目に沿ってかける。カーペットは縦横、さらに斜めからもかける。

背筋は伸ばして、力を入れすぎない

力を入れてもゴミは吸い取れないので、ラクに持つ。1回に押し引きする距離は自分の身長の半分くらいに。

ヘッドは密着させてゆっくり動かす

ヘッド部分は床面にしっかり密着させる。一般的には押すときより引くときのほうが、吸引力が強い。

汚れたら

洗剤で拭く

道具：ウェットシート、雑巾、住居用洗剤

フローリングはウェットシートで拭く

足跡、食べこぼしなどでベタベタしていたら、モップにウェットシートをつけて拭く。

カーペットは洗剤で拭く

住居用洗剤をつけた雑巾でたたくように拭く。汚れが広がらないように、雑巾を外から内へ動かす。

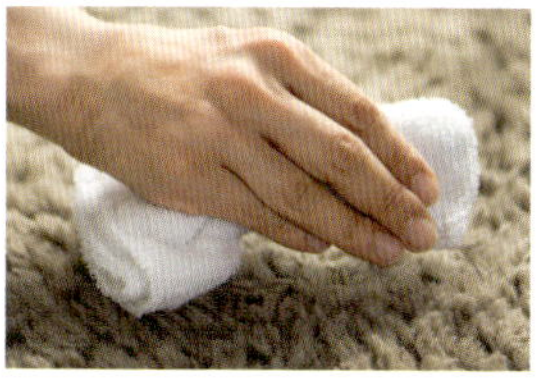

汚れたら

汚れをかき出す

道具：ゴム手袋

カーペットのホコリや髪の毛をかき出す

カーペットをゴム手袋でこするように手を動かす。奥にからんだホコリや髪の毛が取れやすい。

Check!

時間がないときは粘着ローラーでもOK

時間がないときは、カーペット掃除に粘着ローラーを使っても。これならテレビを見ながらでもできる。

3 カーペットに掃除機をかける

カーペットは、できれば毎日掃除機がけをする。まずは、縦方向にゆっくり押し引きをする。掃除機のヘッドが浮かないようにゆっくり動かすと、しっかりゴミを吸引できる。

4 方向を変えて掃除機をかける

縦の次は横方向にかけ、さらに斜めの方向にかける。いろいろな方向からかけてゴミやホコリを取る。時間がなくて一方向しかかけられないときは、翌日は違う方向にかける。

便利なロボット掃除機は安全に使おう

自動で掃除をしてくれるお掃除ロボットは便利だが、使い方に注意。ロボット掃除機が稼働中に、電気ストーブのコードを引っぱって移動させて家具に接触。火災を引き起こした事例が発生した（2019年東京消防庁の資料より）。ロボット掃除機の稼働中は床置き電気ストーブのコードは抜いておく。

年1回

ワックスがけ

道具：マスキングテープ・モップ・掃除機・住居用洗剤・雑巾・ワックス・シート

マスキングテープで区分けする

1 床に印をつける

ワックスを塗った部分を歩かないように、床を区分けする。床が半分くらいになるように、マスキングテープで印をつける。まず、半分塗って、残りは後日でもよい。

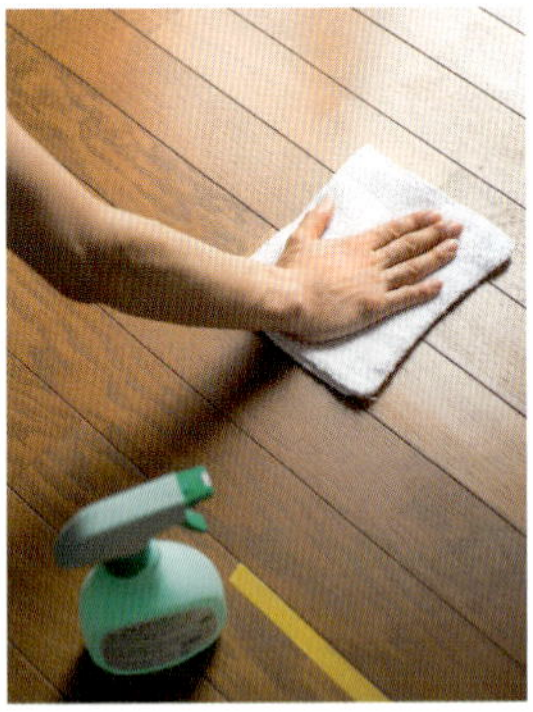

2 ワックス前に掃除をする

汚れをワックスに閉じ込めないように、事前にしっかり掃除をする。モップ、掃除機をかけたあとに、住居用洗剤で拭き掃除を。ワックスを5～6回塗り重ねた場合などは専用洗剤ではがす（P.33+more参照）。

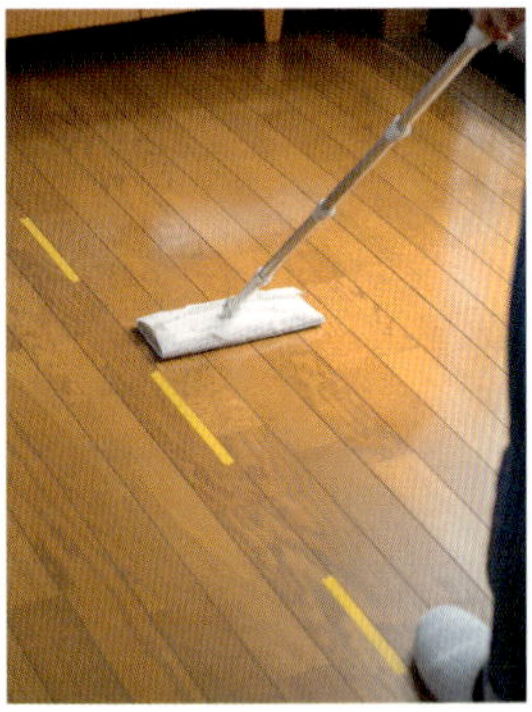

3 床にワックスを伸ばす

ワックスは専用シートにつけて伸ばす。手持ちのモップにシートをつけ、まずは印をつけた半面に、ワックスを伸ばす。塗った部分を歩かないように、奥から手前に塗る。

check!

塗り残しがないようにモップをかける

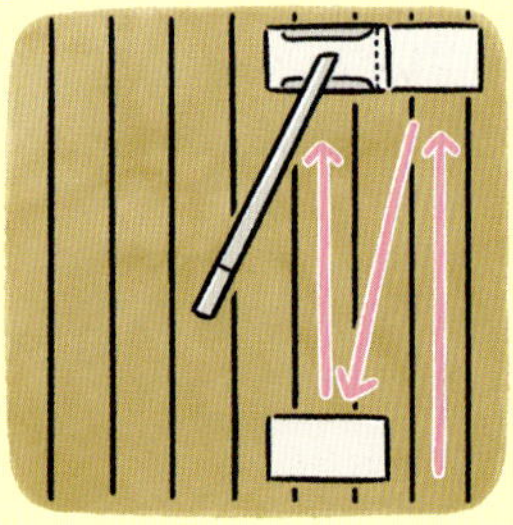

モップはまっすぐに押して、斜めに引く。これを繰り返し、重なるように塗ると、塗り残しがない。力を入れすぎず、床に軽くすべらせるように動かすことがポイント。

check!

ワックスはシートタイプがラクチン

本書では、手持ちのモップに専用のシートをつけ、ワックスに浸すタイプのものを使用。立ったまま作業できるのでラク。

ワックスをつける専用シート

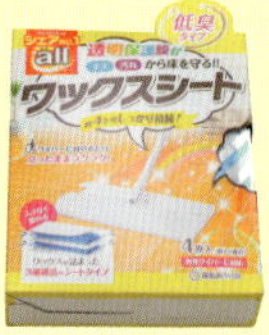

ワックス＋シートが一体になったものも

column 1

花粉症対策になる掃除法

入ってきた花粉をしっかり除去することと
花粉を家に入れない工夫をしましょう。

フローリングは拭き掃除をする

フローリングはウェットシートを使ってモップをかける。カーペットは花粉が入り込みやすいので、いろいろな方向から掃除機をかけるとよい。また、花粉は夜の間に床に落ちるので、家族が動いて再び舞ってしまう前、できれば朝一番に掃除をすると効果的。

花粉がたまりやすい場所は要チェック

花粉は洋服につくので、脱ぎ着をする玄関、トイレ、脱衣場の床は忘れずに。花粉が入ってくる窓まわりの床にも溜まりやすいので、ていねいに掃除を。

家電まわりにも花粉がたまりやすい

テレビやパソコンなどの静電気が起こりやすい家電まわりには花粉がたまる。ハンディモップやパソコン用専用シートで、こまめに掃除をする。

換気は早朝と夜がおすすめ

花粉がたくさん飛ぶのは、昼間の11〜14時、夕方の17〜19時。この時間帯を避けて換気を。昼間や夕方に換気をするときは、窓を開ける幅を10cm程度にし、レースのカーテンを閉めると花粉が入ってくるのを多少は防げる。

加湿器で花粉を床に落とす

湿度がある程度高いと花粉が床に落ちるので、加湿器を使うことが効果的。花粉がまた舞い上がってしまう前に、床をウェットシートをつけたモップで掃除する。

4

ワックスを乾燥させる

ワックスの説明書の乾燥時間を参考にし、しっかり乾かす。扇風機の風を床にあてるようにすると、乾きが早い。

+more

古いワックスは専用洗剤で落とす

ワックスを塗り重ねると、汚れを閉じ込めてしまったり、古い層が白く濁ることがある。5〜6回塗り重ねたあとや、汚れがひどいときは、専用洗剤でワックスを全部はがしてフローリングを元の状態に戻す。その後、新たにワックスを塗る。

掃除

【リビング】壁・スイッチプレート・ドアノブ・照明

毎日掃除しなくてもいいけれど、定期的に行いましょう。便利な道具を使えば、手軽に掃除できます。

週1回　壁・照明のホコリを取る

道具：ハンディモップ

1 照明のホコリをモップで取る

照明器具のホコリは、柄の長いハンディモップで取る。柄の長さやヘッドの向きを調整できるものが便利。

2 壁面のホコリをモップで取る

壁や壁についている額縁、時計などのホコリを取る。上から下へモップを動かすと効率がよい。

週1回　スイッチプレートやドアノブを拭く

道具：掃除用クロス・雑巾・消毒用エタノール・消しゴム

1 スイッチプレートを掃除用クロスで拭く

ホコリは掃除用クロスでから拭きする。手アカには、消毒用エタノールをスプレーした雑巾（アルコール除菌シートでも）で拭く。除菌効果もある。

2 ドアノブを掃除用クロスで拭く

1と同様に掃除用クロスで拭く。除菌の方法も同じ。

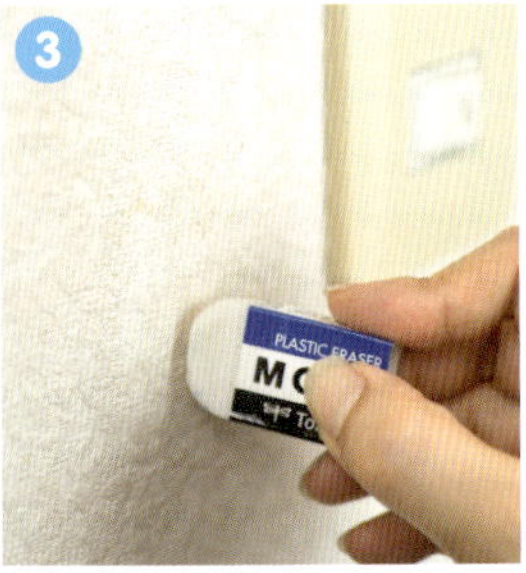

3 壁の黒ずみは消しゴムを使う

鉛筆の跡や、ホコリが家具などに引きずられてついた黒ずみは、消しゴムで消す。広がらないよう、汚れの部分だけに、消しゴムを動かす。

月1回 照明の内側の汚れを取る

道具：掃除機・掃除用クロス

部屋が明るくなる！

① カサの内側のホコリを取る

電源をオフにしてカサを外す。内側のホコリを掃除機で取る。軽い汚れなら、これだけでよい。

② 汚れは掃除用クロスで拭く

ホコリがこびりついて取れないときは、水でぬらして固く絞った掃除用クロスで拭き、から拭きする。

③ 蛍光灯は掃除用クロスで拭く

蛍光灯は外して、水でぬらして固く絞った掃除用クロスで拭く。から拭きをして乾燥させ、元に戻す。

check!

取れない壁の汚れはこれで解決

はがれないシールは温める

ドライヤーで温風をあて、シールののりをゆるめてはがす。残ってしまったときは、再度温める。取りきれない部分は、歯ブラシでやさしくこすって取る。

壁用の塗料を塗って隠す

壁の汚れをきれいに取るのは難しく、色が抜けてしまうこともある。無理に取ろうとしないで、汚れに塗って隠すタイプの専用塗料を使ってもよい。

年1回 壁の高い部分のホコリを取る

道具：モップ

モップでホコリを取る

壁の高い場所のホコリは、ドライシートをつけたモップでから拭きする。天井と壁の境目や四隅、エアコンまわりが特にホコリがたまりやすいので、忘れずに。

高い部分もラク！

掃除

【リビング】ソファ・テレビ

ソファやテレビにはホコリがたまりがち。心地よいリビングにするために、週1回は掃除しましょう。

週1回

ソファに掃除機をかける

道具：掃除機

ホコリは掃除機で取る

ソファは張地の素材に関わらず、ホコリやゴミを掃除機で取る。クッションを外し、すき間用ノズルで隅まで掃除をする。洗える布のカバーは定期的に洗濯を。

check!

布ソファの気になる汚れは早めに掃除

ニオイは重曹を使う

重曹を振って2～3時間置く。掃除機で重曹を吸う。

シミは洗剤で拭く

住居用洗剤をつけた雑巾で、シミが広がらないように外から内へたたくように拭く。最後は水拭きをする。

+more

張地別の汚れの落とし方

合成皮革

住居用洗剤で落とす

ホコリやゴミを掃除機で取る。汚れが気になるときは、住居用洗剤をつけた雑巾で拭く。洗剤分が残らないように水拭きする。目立たないところで試してから洗剤を使うと安心。

革

専用クリーナーで落とす

ホコリやゴミを掃除機で取る。革素材は水に弱いので、汚れが気になるときは、専用クリーナーで落とす。仕上げに、専用のオイルやクリームを塗ると汚れがつきにくくなる。

週1回 テレビのホコリを取る

道具：ハンディモップ・掃除用クロス・雑巾・消毒用エタノール

画面のホコリをモップで取る

テレビまわりは静電気でホコリが集まりやすいので、ハンディモップで取る。画面だけでなく、脚の部分も忘れずに。

テレビ台まわりのホコリを取る

テレビ台まわりのホコリをハンディモップで取る。ビデオなどのオーディオ機器は、すき間ができるように配置すると掃除がしやすい。

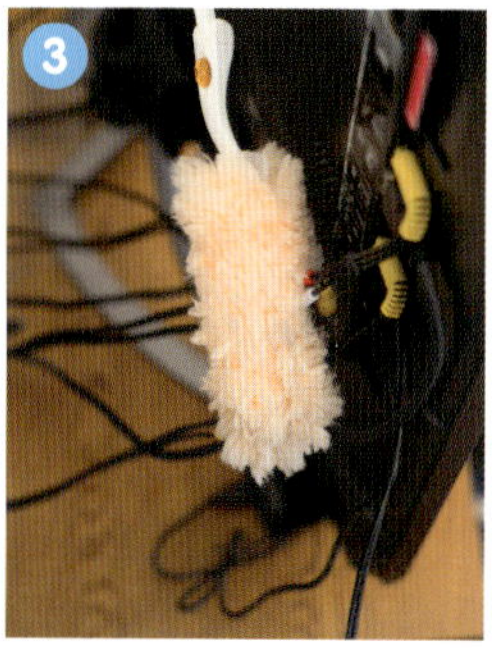

裏面のホコリを取る

テレビの裏は凹凸があってホコリがたまりやすく、掃除しにくい。ハンディモップのようにやわらかいものだと、ラクに掃除できる。

リモコンはから拭きする

ホコリは掃除用クロスでから拭きする。手アカには、消毒用エタノールをスプレーした雑巾（アルコール除菌シートでも）で拭く。除菌効果もある。

+more

プラグのホコリは火事の原因になるので要注意

なぜホコリがたまると火事に？

コンセントにプラグを差し込んだままにしておくと、すき間にホコリがたまりがち。そこに湿気が加わると、発火することがある。これを「トラッキング現象」と呼び、火事の原因になる。冷蔵庫、テレビなど、長い期間プラグを差し込んだままにしている家電は、ときどきプラグを抜いてから拭きする。洗面所など湿気の多い場所、家具の裏などホコリが多い場所にある家電のプラグも同様に。

掃除用クロスでから拭きする

家電のプラグを抜いて、プラグやコンセントまわりのホコリを掃除用クロスでから拭きする。ホコリがたまると火事の原因になることもあるので、見落とさないで。

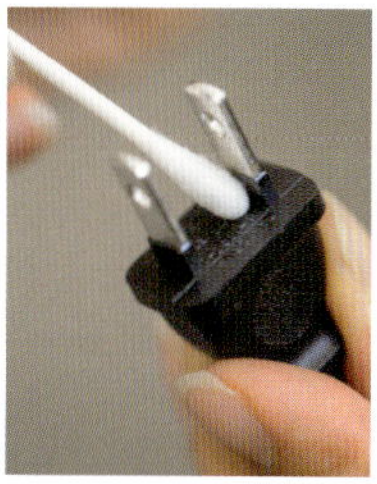

細かい部分は綿棒でホコリを取る

掃除

【リビング】家電

季節性のある家電は、よく使う時期はこまめに掃除をしましょう。性能がアップし、電気代の節約にもなります。

月1回　扇風機のホコリを取る

道具：ハンディモップ・住居用洗剤・雑巾

1 外側のホコリをモップで取る

プラグをコンセントから抜く。ハンディモップで外側全体のホコリを取る。

2 分解して内側のホコリを取る

ガードのクリップなどを外して、分解する。内側のホコリをハンディモップで取る。前ガードの裏面も忘れずに。

3 ファンのホコリを取る

分解したファンのホコリを、ハンディモップで取る。汚れがひどいときは、住居用洗剤をつけた雑巾で拭く。

月1回　加湿空気清浄機の掃除をする

道具：掃除機・クエン酸・ブラシ

掃除機はすき間用ノズルで!

1 フィルターのホコリを掃除機で取る

プラグをコンセントから抜く。分解してフィルターを外し、ホコリを掃除機で取る。

2 タンクの水洗いをする

タンクに水を入れて、左右に振り洗いする。水アカには、クエン酸水（P.51参照）を入れて10分ほど置いてゆすぐ。

3 内部はクエン酸水で洗う

加湿器部分の外せる部分はブラシで水洗いする。水アカがついているときはクエン酸水をスプレーしてブラシでこする。

月1回

エアコンのホコリを取る

道具：ハンディモップ・掃除機・消毒用エタノール・割り箸・ウエス・輪ゴム・掃除用クロス・雑巾

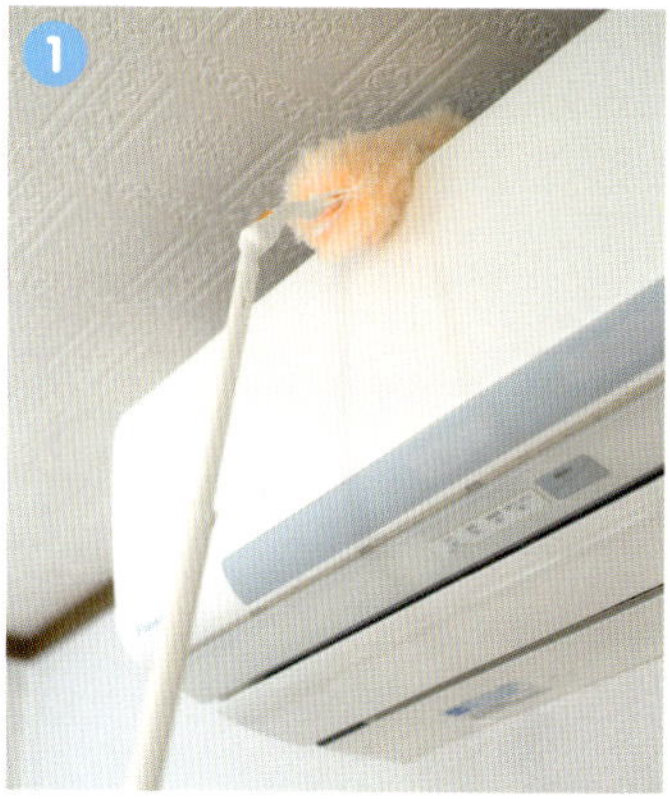

1

外側のホコリをモップで取る

プラグをコンセントから抜く。ホコリはハンディモップで取る。モップのヘッドの向きを変え、上部も掃除。

2

内側のホコリは掃除機で取る

フィルターなどは外し、内側のホコリを掃除機で取る。すき間用ノズルを使って細かい部分まで掃除する。

3

フィルターのホコリを取る

フィルターのホコリは、掃除機で取る。よく稼働する時期は汚れがたまるので、月1回は掃除する。

check!

汚れがひどいときは洗剤で洗う

フィルターの汚れがひどいときは、住居用洗剤とブラシで洗う。洗剤分を流し、乾燥させて元に戻す。

4

吹き出し口は除菌する

割り箸にウエスを巻きつけて、輪ゴムで留める。消毒用エタノールをつけ、吹き出し口を拭く。吹き出し口はカビが生えやすいので予防する。

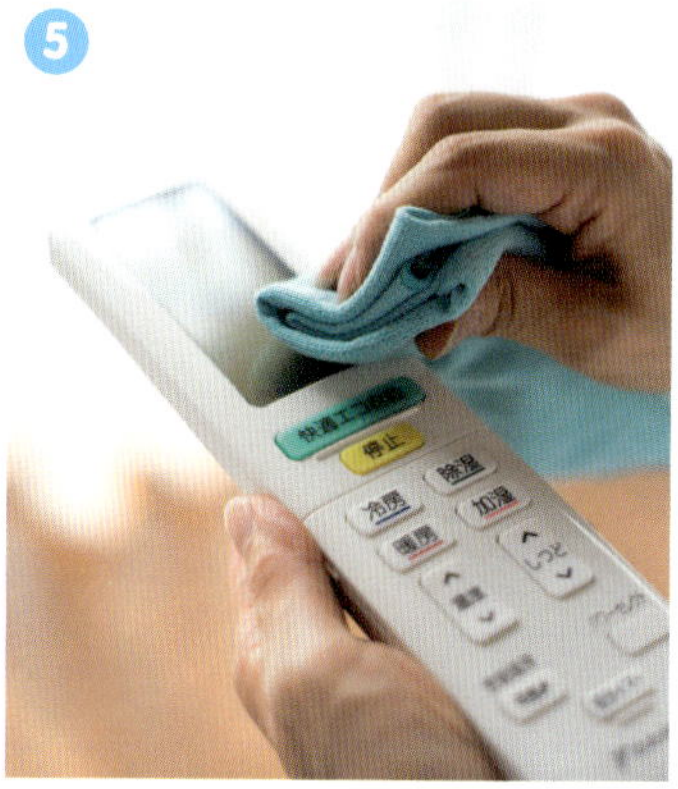

5

リモコンはから拭きする

ホコリは掃除用クロスでから拭きする。手アカには、消毒用エタノールをスプレーした雑巾（アルコール除菌シートでも）で拭く。除菌効果もある。

+more

冷房を使用後に送風にしてカビ予防

冷房中はエアコン内部に水滴がつき、カビが生えやすい状況になる。カビ予防のために、冷房を切るときに10～15分ほど「送風」にして内部を乾燥させる。エアコン独自のカビ予防機能がついていたらそれを使う。暖房は、内部が乾燥しているので必要ない。

掃除の順番は外から内へ。網戸、窓の外側、内側です。ホコリを取ってから水を使うと効率がいいです。

月1回　網戸のホコリを取る

道具：洗車ブラシ・スポンジ・住居用洗剤・雑巾

ホコリをブラシで取る

外側の網の目に詰まっているホコリを、洗車ブラシで上から下へ取る。汚れのひどい外側だけでよい。

スポンジで水を含ませる

水を含ませたスポンジを、網目に水が均等に渡るように下から左右に動かす。洗剤を使うときも同様に動かすと洗剤のたれジミになりにくい。

雑巾2枚で拭く

雑巾2枚で網戸をはさんで、上から水拭きする。最後に、下枠にたまった汚れや水けを拭く。

check!
バケツに水をくんでおくとスムーズ

バケツの水を近くに置くと効率的。洗剤を使うときは、水に住居用洗剤を少量たらす（約100倍に薄めるのが目安）。スポンジをひたし、ゆるめに絞る。

check!
外側と内側で落とし方が違う

網戸・窓の外側

汚れ ▶ 一般的には、ホコリや砂など油分を含まない乾燥した汚れが多い。大通り沿いの場合は、排気ガスなど油分を含んだ汚れがつくことも。

落とし方 ▶ ホコリや砂ならブラシで取ったあと、水で流す。油分を含んだ汚れは、住居用洗剤を薄めた水溶液にスポンジをひたして、網戸や窓をこする。

窓の内側

汚れ ▶ 手アカやペットがつけた汚れなど、油分を含んだ汚れも。

落とし方 ▶ 洗剤なしでも油汚れが落ちる掃除用クロスが便利。ぬらして固く絞ったクロスで拭けば、水けが床にたれない。

+more
高いところはモップを使う

手が届かない高い位置の窓は、モップを使う。ホコリや砂などの汚れならドライシート、油分を含んだ汚れならウェットシートがおすすめ。

月1回

窓の掃除をする

**道具：洗車用ブラシ・サッシブラシ・スポンジ・住居用洗剤
スクイージー・雑巾・割り箸・ウエス・掃除用クロス**

① 窓ガラスのホコリをブラシで取る

窓の外側はホコリや砂などの乾いた汚れなので、上から下へ洗車ブラシで取る。P.40①の網戸のホコリと一緒に取るとよい。ぬれる前のほうが効率的。

② レールのホコリを取る

ホコリは上から下に落ちるので、最後はレールをブラシで掃除する。すき間に入るサッシブラシが重宝する。隅のホコリもかき出す。

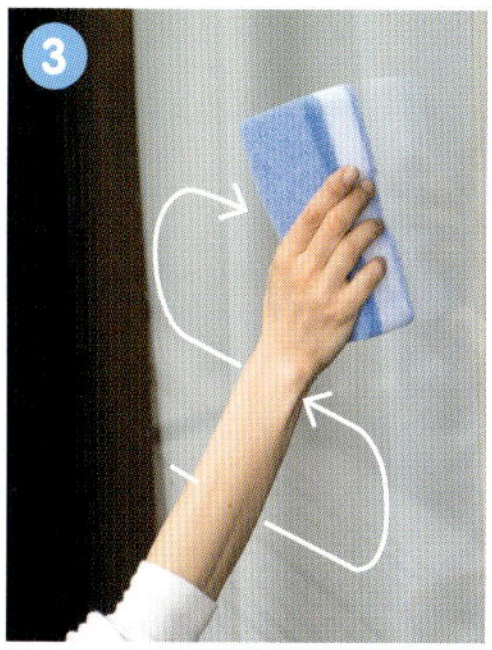

③ スポンジで水をつける

水を含ませたスポンジを、下から上へ左右に動かす。外側はホコリや砂なので、水だけでよいが、油分を含んだ汚れには住居用洗剤を使用（P.40②check!参照）。

④ スクイージーで水けを取る

スクイージーを一方向に動かして、水けを切る。雑巾よりも簡単にムラなくきれいになる。ときどき雑巾で水分をぬぐうと効率的。

⑤ 残った水分を雑巾で拭く

窓ガラスや枠などに残った水分を雑巾で拭く。窓のパッキン部分がぬれていると劣化の原因になるので、しっかり拭く。

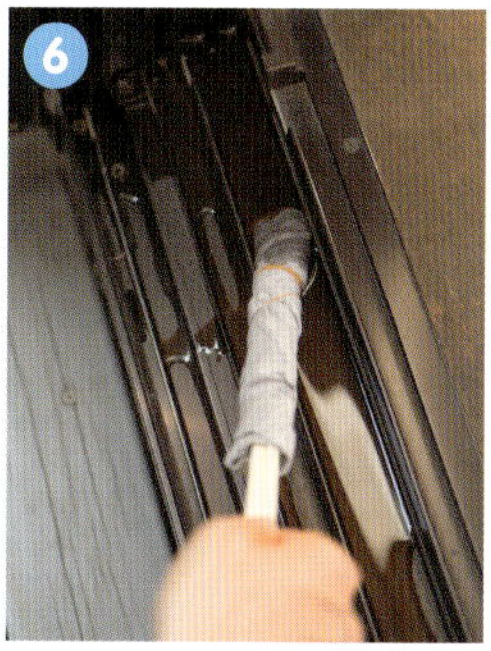

⑥ レールの汚れを取る

レール部分の汚れや水気は、ウエスを巻いた割り箸（P.39④参照）で拭く。すき間に入りやすく、隅の汚れも取りやすい。

⑦ 内側は掃除用クロスで拭く

内側は手アカや油分を含んだ汚れなので、ぬらして固く絞った掃除用クロスで拭く。上から下へコの字で動かすと、拭き残しがない。

check!

スクイージーの効果的な使い方

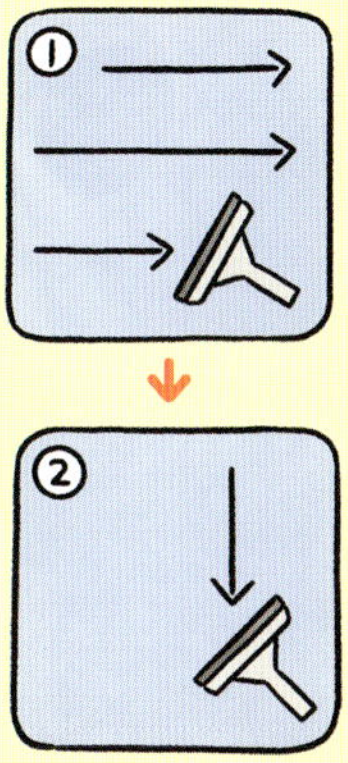

スクイージーを30度くらい右に傾け、上部から左から右へ（右利きの場合。左利きは逆に）、横に動かす。最後は右側を上から下へ縦に一気に動かす。

【リビング】ブラインド・カーテン

見落としがちだけれど、意外にホコリがたまっています。軽い汚れなら5分で終わるので、月1回掃除しましょう。

月1回　ブラインドを掃除する

道具：ハンディモップ・軍手・住居用洗剤

モップを上から下へ動かす

ブラインドを下ろした状態にする。ハンディモップを上から下に動かし、ホコリを取る。手で軽くおさえると作業しやすい。

モップを下から上へ動かす

ブラインドを反対に向ける。ハンディモップを下から上に動かし、ホコリを取る。ブラインドの裏表がきれいになる。

軍手で洗剤拭きする

取れない汚れは軍手をし、住居用洗剤をつけて拭く。軍手代わりに古靴下を使うと、汚れたら処分できる。

月1回　カーテンを掃除する

道具：ハンディモップ・掃除機

モップでスッキリ！

レールのホコリをモップで取る

レールにたまったホコリをハンディモップで取る。ヘッドが曲がるタイプなら、レールの上も掃除できる。

カーテンに掃除機をかける

掃除機のヘッドを、少し浮かしながらかける。古ストッキングやストッキングタイプの生ゴミネットをつけると、生地を吸い込みにくい。

+more

ニオイが気になるときは消臭スプレーを使う

市販の消臭スプレーを、少し湿るくらいにかけ、よく乾燥させる。定期的に洗濯することもおすすめ（P.98参照）。

column 2

覚えておきたい

感染症を予防する掃除

**ノロウイルス、新型コロナウイルスなどの気になる感染症。
家庭内での感染を予防する掃除法を紹介します。**

アルコールと塩素系漂白剤で消毒する

家の中で感染が広がる原因の一つは、感染した人が接触した部分を他の人が触ってしまうことです。家族に感染者がいる場合はもちろん、感染が疑われる（人混みに行くことが多いなど）家族がいる場合は、テーブル、ドアノブ、スイッチまわりなどよく触れる場所を、アルコール（消毒用エタノール）をスプレーした布で拭きましょう。アルコールの代わりに、薄めた塩素系漂白剤（次亜塩素酸ナトリウム）でも大丈夫です。トイレや洗面所、浴室など共用する場所も拭き掃除をします。どちらも、手肌が荒れたり、素材を傷めることがあるので、下記を参考に取り扱いには注意しましょう。

塩素系漂白剤

● 用途によって希釈の仕方に違いがある

新型コロナウイルスの拭き掃除での利用は、塩素系漂白剤を0.05％に（水500mℓに漂白剤5mℓ）。特に気になるトイレや洗面所の掃除には0.1％（水500mℓに漂白剤10mℓ）に。感染症ごとに目安があるので厚生労働省HPで確認。

● 換気をし、ゴム手袋をつける

使用するときは、必ず換気をする。手肌の弱い人はゴム手袋をする。酸性の洗剤、食酢、クエン酸と混ざると有毒ガスが発生するので要注意。

● 最後に必ず水拭きをする

水で薄めた液に雑巾を浸して、拭き掃除をしたあと、仕上げにしっかり水拭きをする。特に金属部分は漂白剤で傷む可能性があるので、十分に拭き取る。

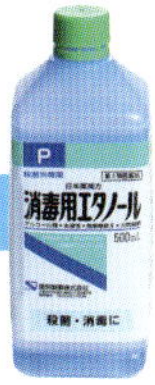

アルコール

● アルコール濃度70～95％のものを使う

アルコール濃度70～95％の消毒用エタノールを使う。70％以上のものが購入できないときは、60％台を使用してもよい（厚生労働省HPより）。

● 火気厳禁！慎重に使用して

引火しやすいので、キッチンのコンロまわりなど火のそばには置かない。また、塗料がはがれることがあるので、テーブルやドアノブを消毒するときは、目立たないところで試してから使う。

● 市販のアルコール除菌剤は表示を確認

キッチン用のアルコール除菌剤は、アルコールの濃度など感染症予防には効果がないことがあるので、パッケージやホームページでよく確認してから使用する。

【和室】畳・ふすま・障子・押入れ

畳はダニが潜り込みやすい場所なので、こまめに掃除します。ふすま、障子、押入れは定期的に。

毎日　畳にモップ・掃除機をかける

道具：モップ・掃除機

❶ まずはモップをかける

掃除機をかける前に、ホコリがたまりやすい畳の目に沿って、モップをかける。畳は水分を嫌うので、ドライシートがおすすめ。時間がないときは、これだけでもよい。

❷ 掃除機をかける

畳の目に沿って掃除機をかける。縁部分のホコリも見落とさずに。畳はフローリングよりもダニが発生しやすいので、エサになるホコリや髪の毛をしっかり取る。

❸ 敷居に掃除機をかける

掃除機のヘッドをすき間用に替えて、敷居のホコリを吸い取る。特に、隅はホコリがたまりやすいので、ていねいに。

check!

気になる汚れは見つけたらすぐに取る

カビ

消毒用エタノールで拭く

消毒用エタノールをスプレーした雑巾で、カビを取り除く。雑巾にカビを移すような感じで、軽く押さえる。窓を開けるなどして乾燥させる。

ベタベタ汚れ

湿り雑巾で拭く

畳は水けを嫌うのでから拭きが基本だが、足跡などのベタベタが気になるときは、湿り雑巾を使う。気になる部分を拭いたら、窓を開けるなどしてよく乾燥させる。

湿り雑巾の作り方

乾いた雑巾の上に水でぬらして固く絞った雑巾を置き、2枚合わせてぎゅっと絞る。どちらも適度な湿りけのある雑巾になる。

週1回 ふすま・障子のホコリを取る

道具：ハンディモップ

① なげしのホコリをモップで取る

ハンディモップでなげしのホコリを取る。柄の長さが調整でき、ヘッドの向きが変えられるモップは重宝する。

② ふすまのホコリをモップで取る

ふすまの表面のホコリを、ハンディモップで取る。上から下へ、力を入れずにやさしく動かす。

③ 障子のホコリをモップで取る

障子は、上から下へハンディモップをかける。特に桟の部分は、ホコリがたまりやすいので見落とさないで。

年1回 押入れの掃除をする

道具：掃除機

① ものを出して掃除機をかける

中に入っている布団などをすべて出して、上の段から掃除機をかける。隅のホコリもしっかり取っておく。

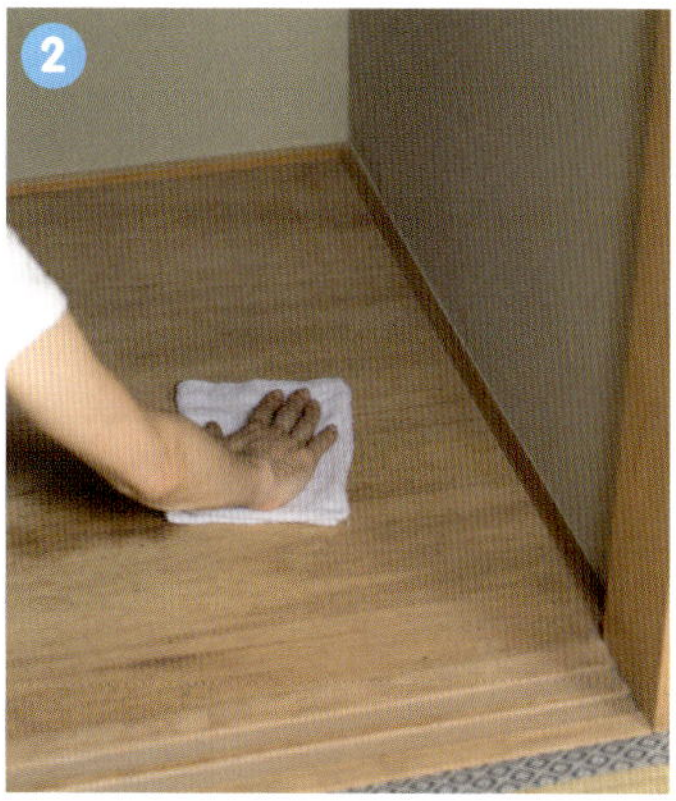

② カビは消毒用エタノールで拭く

カビを見つけたら、消毒用エタノールをスプレーした雑巾で取り除く。よく乾燥させて、ものを戻す。

check!

ときどき空気を循環させてカビを予防する

押入れのカビの原因は、閉めきって空気が滞りがちなこと。月1回、左右10cmほど戸を開け、片方から扇風機で風を入れ、カビを予防する。

【キッチン】シンク

夕食の食器洗いのあと、シンクも毎日掃除しましょう。最後に水けを拭けば、ピカピカになります。

毎日　スポンジで洗う

道具：スポンジ・台所用洗剤・掃除用クロス

1 スポンジでこする

食器を洗ったあと、スポンジと台所用洗剤でステンレスの目に沿ってシンクをこする。衛生面で気になるときは、食器を洗うスポンジとは別にする。

2 蛇口もスポンジでこする

蛇口は水アカがたまりくすみがちなので、毎日、スポンジと台所用洗剤でこすっておく。

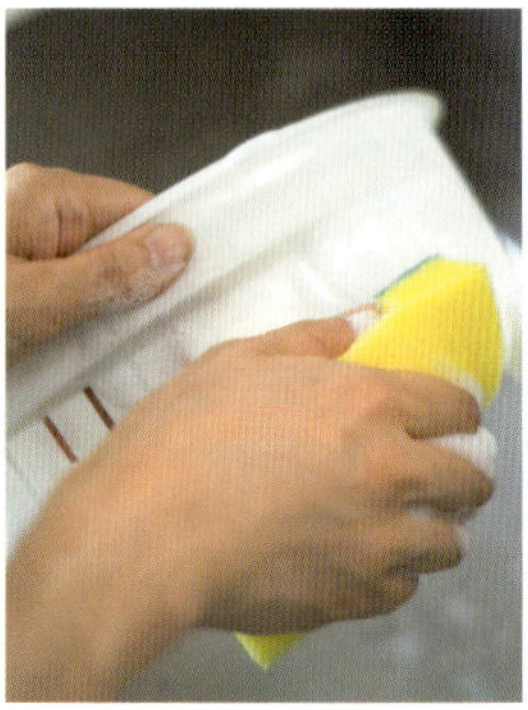

3 三角コーナーを洗う

生ゴミを取り除き、スポンジと台所用洗剤で洗う。三角コーナーは毎日洗う習慣をつけると、シンクが清潔に。

check! シンクのくすみはクレンザーか重曹で落とす

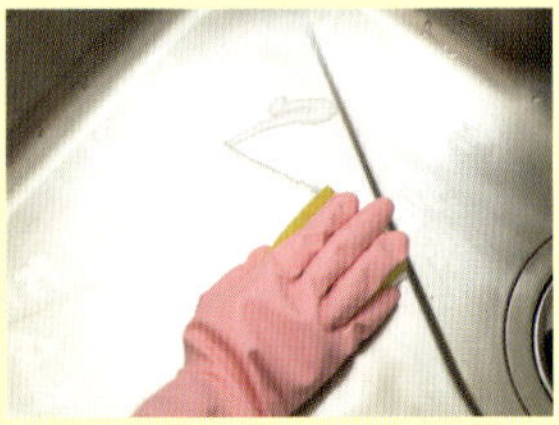

シンクは毎日掃除をしていても、くすむことがある。そんなときは、クリームクレンザーか重曹をかけ、ステンレスの目に沿ってスポンジでこする。くすみが取れて、ピカピカになる。

+more 三角コーナー代わりになる自立するネットも便利

三角コーナーを、市販の自立するネットに替えると、洗う手間がなく衛生的。100円ショップなどでも購入できる。

4 排水口を洗う

生ゴミを取り除き、スポンジと台所用洗剤で洗う。1日分の軽い汚れならこれできれいなる。ヌメリやニオイが気になるときは、下記の方法を試してみる。

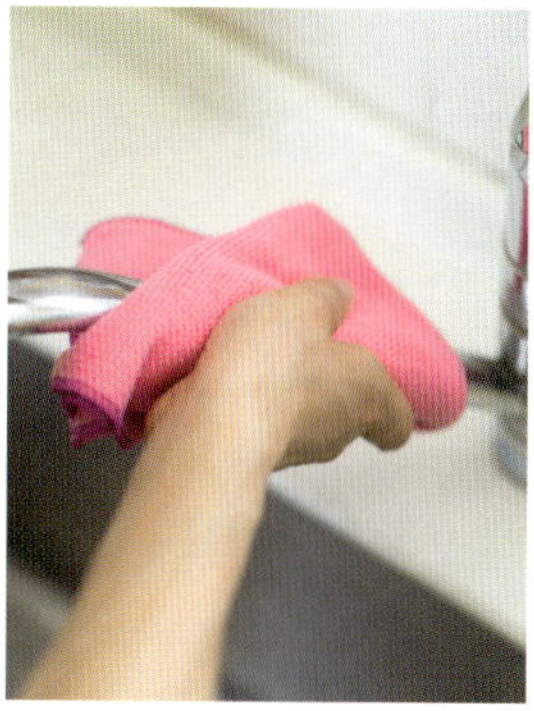

ピカピカになると気持ちいい!

5 全体の水けを拭く

洗剤分を水で流したら、シンク、蛇口など全体の水けを拭く。雑巾でもいいのだが、吸水性がすぐれている掃除用クロスを使うとピカピカになる。

+more 排水口のヌメリやニオイを取る方法

排水口のヌメリ予防にアルミホイルを使う

排水口にアルミホイルを軽く丸めて1～2個入れる。アルミホイルは水にぬれると金属イオンを発生し、細菌の繁殖を抑制。

ふだんは重曹とクエン酸をかける

排水口に重曹1カップ、クエン酸½カップを振りかけて、水1カップを注いで発泡させる。ひと晩置いて、水で流す。

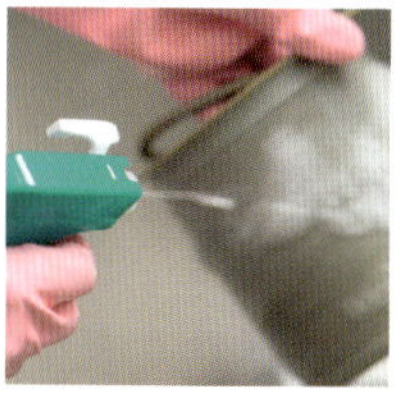

短時間でスッキリさせたいなら塩素系漂白剤で

泡タイプの漂白剤をスプレーし、30秒ほど置いて水でよく流す。泡タイプは汚れによく吸着し、短時間でスッキリする。

汚れたら

蛇口を掃除する

道具：クエン酸・歯ブラシ・メラミンスポンジ

水アカはクエン酸水で磨く

クエン酸水（P.51参照）を蛇口にスプレーし、歯ブラシでこする。クエン酸水はしばらく置いて浸透させるとより効果的。

くすみはメラミンスポンジでこする

くすみが取れないときは、水を含ませたメラミンスポンジでこする。最後に、メラミンスポンジのカスを取り除く。

汚れたら

排水口を掃除する

道具：歯ブラシ

歯ブラシ3本で奥まで洗う

歯ブラシ3本を用意し、毛が外側に向くように柄をテープで留める。回転させながら、排水口の奥まで洗う。

掃除

【キッチン】コンロ

調理後、温かさが残っているうちに掃除をすれば洗剤なしでOK。こびりつかないように早めに落としましょう。

毎日　水拭きする

道具：布巾

汚れたらすぐに水拭きする

調理後すぐなら、水拭きだけで汚れは落ちる。落ちにくいときは湯を使う。2度拭きもいらないので掃除がラク。

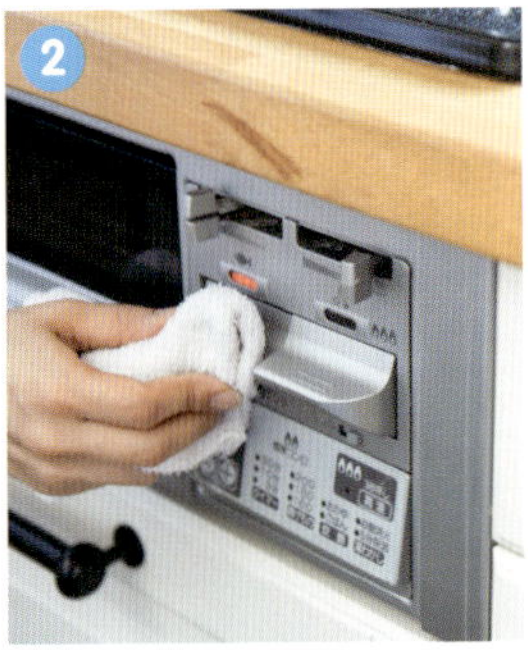

スイッチまわりも水拭きする

コンロ掃除のついでに、操作部分も水か湯で拭く。油が飛んでベタベタするので小まめに。

コンロまわりの壁を水拭きする

油が飛んでベタベタするので、水か湯で拭いておく。炒め物、揚げ物などの調理をしたときは、ていねいに。

週1回　洗剤で洗う

道具：スポンジ・台所用洗剤・油汚れ用洗剤

洗剤で洗うとスッキリ

五徳をスポンジで洗う

使うたびに拭いていてもたまってしまう汚れは、週1回リセット。取り外して、スポンジと台所用洗剤で洗う。

天板を洗剤で拭く

天板にこびりついた汚れは、油汚れ用洗剤をスプレーしてスポンジで汚れにいきわたるように伸ばす。5分ほど置いて水拭きする。

+more

ウエスはコンロ近くに常備すると掃除がラク

古Tシャツをカットしたウエスをコンロ近くの引き出しなどに常備。油汚れがさっと拭けて、洗わずに処分できて便利。

汚れたら

天板の焦げつきを取る

道具：クリームクレンザー・アルミホイル

クリームクレンザーとアルミホイルでこする

クリームクレンザーと丸めたアルミホイルでこする。洗剤分は水拭きする。IHクッキングヒーターのガラストップも同様に掃除する。

汚れたら

コンロの縁の汚れを取る

道具：竹串・油汚れ用洗剤・歯ブラシ

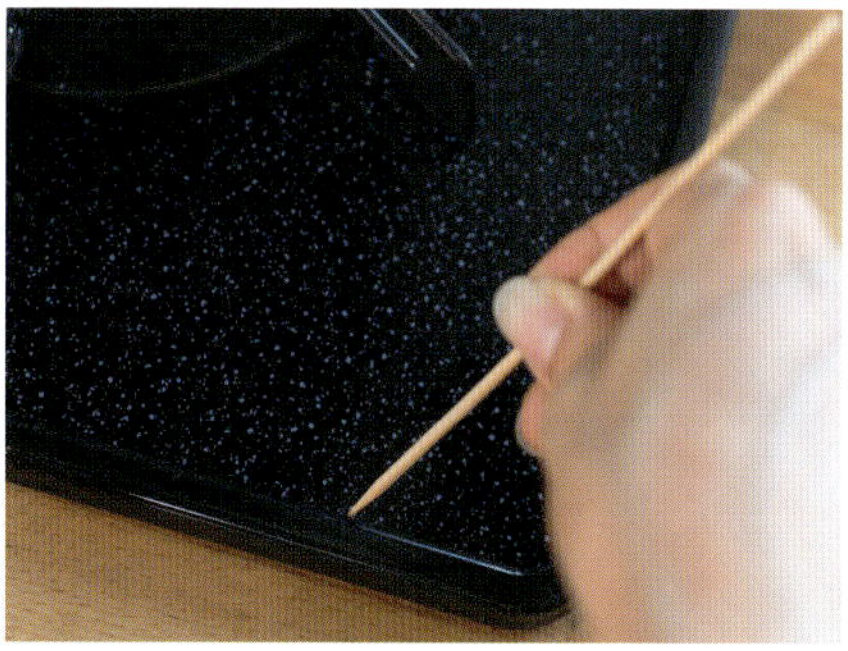

竹串で汚れをかき出す

コンロの縁にも汚れがたまっているので、竹串でかき出すように取る。同様に、天板と調理台の境目も竹串か、洗剤をつけた歯ブラシでかき出す。

汚れたら

五徳のこびりつきを取る

道具：つけ置き用洗剤・スポンジ・バーナーブラシ

つけ置き用洗剤につける

頑固な汚れは、つけ置きして汚れをゆるめる。つけ置き用洗剤を表示通りに溶き、五徳、バーナーをつける。汚れがゆるんだらスポンジでこする。

▼

バーナーをブラシでこする

バーナーの汚れがゆるんだら、ブラシでこする。固めのバーナーブラシは汚れが落ちやすい。

+more

セスキ炭酸ソーダ水は コンロの油汚れに効果的

セスキ炭酸ソーダと水をスプレー容器に入れ、コンロ近くに常備。調理後にスプレーし、水拭きする。重曹よりもセスキ炭酸ソーダのほうが、油汚れは落ちやすい。

＊セスキ炭酸ソーダ、重曹の使い方はP.51参照

掃除

【キッチン】魚焼きグリル

魚焼きグリルは、面倒でも使ったらすぐ掃除が鉄則！
1回分の汚れなら、サッと落とすことができます。

使うたび　洗剤で洗う

道具：台所用洗剤・スポンジ・布巾・油汚れ用洗剤

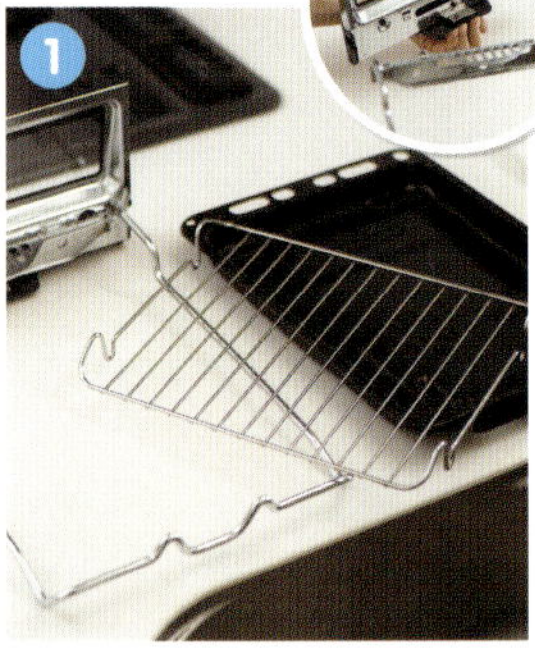

ここも外れる

❶ 器具を取り出す

魚焼きグリルは使うたびに洗う。器具を取り出し、分解できる部分は外す。扉部分は外すと（写真右上）洗いやすい。

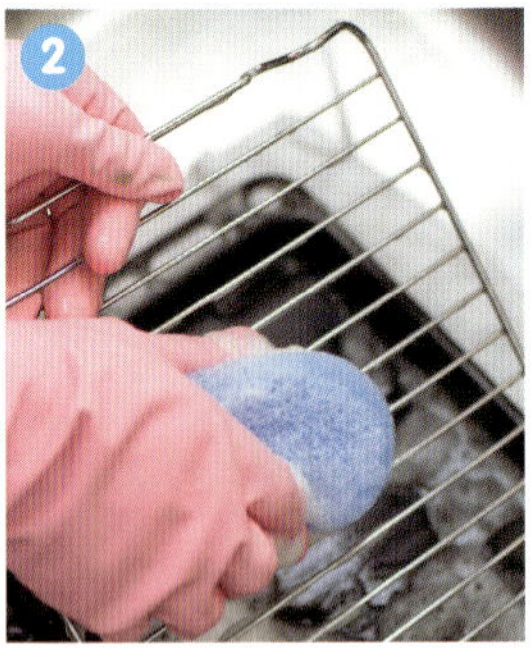

❷ 洗剤とスポンジで洗う

皿、網、扉などは台所用洗剤とスポンジで洗う。角がある器具を洗うときは、シンクにタオルを敷くと傷つかない。水けを拭いて、元に戻す。

❸ 内部は水拭きする

内部の汚れは水拭きする。こびりついて取れない汚れは、油汚れ用洗剤をスプレーして水拭きする。

汚れたら　焦げつき・こびりつきを取る

道具：クリームクレンザー・アルミホイル・油汚れ用洗剤・プラスチックカード

頑固な汚れに！

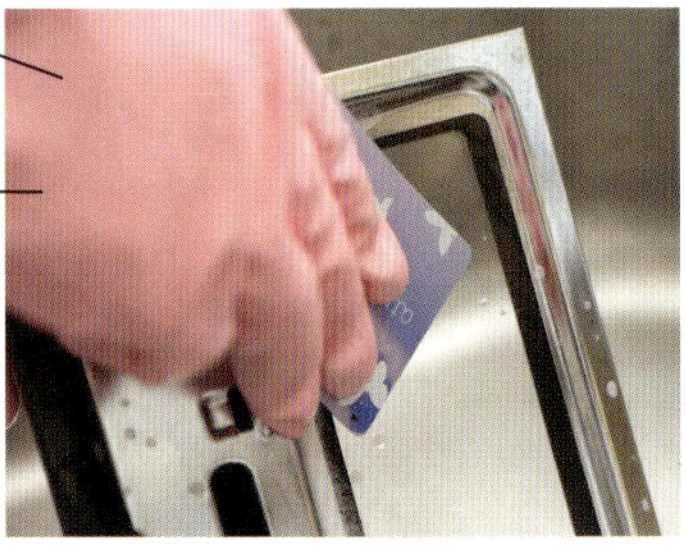

扉のこびりつきは プラスチックカードで取る

扉のガラス部分の取れない油汚れは、油汚れ用洗剤をスプレーして少し置き、汚れをゆるませる。不要なプラスチックカードで、汚れをこそげ落とす。

網の焦げつきは アルミホイルで取る

焦げついて取れないときは、アルミホイルとクリームクレンザーでこする。塗料がはがれることもあるので、焦げついた部分のみに使う。

column 3

キッチンから始めよう

環境にやさしい掃除

難しく考えないで、「いつも使っている洗剤は本当に必要？」と考えることから始めてみましょう。

必要以上に洗剤を使わないようにする

掃除には洗剤が必要と思われがちですが、軽い汚れなら水や湯だけでも大丈夫。洗剤を使わないと、環境にはもちろん、手肌にも素材にもやさしいのです。また、洗剤分を洗い流す手間がなく、時短掃除に。

水や湯だけで落ちないときは、汚れに合った洗剤を使いますが、まずは少量からスタート。温度や時間を味方にすると、洗剤が少量でも落ちることがあります。

また、重曹、セスキ炭酸ソーダ、クエン酸、酸素系漂白剤は環境にやさしい洗剤として定着してきました。粉のまま、水に溶くなど汚れに合わせて形状を変えて、家中に使えます。まずは、油汚れには重曹かセスキ炭酸ソーダ、水アカにはクエン酸と覚え、キッチンから使い始めしょう。

【環境にやさしい洗剤の使い方】

重曹

油汚れ、こびりつき、消臭など用途はたくさん

粉のまま茶わんの茶渋を取ったり、生ゴミに振りかけて消臭に。重曹水（水1カップに重曹小さじ2）にしてスプレー容器に入れて油汚れを落としたりと、用途広く使える。

セスキ炭酸ソーダ

重曹より油に強いので頑固な汚れに効果的

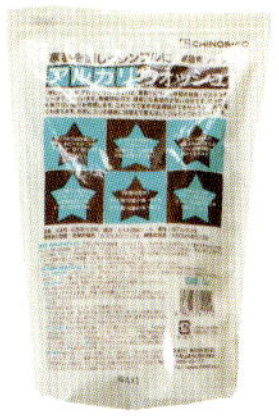

セスキ炭酸ソーダ水（水1カップにセスキ炭酸ソーダ小さじ½）をコンロまわりに常備すると便利。換気扇のつけ置き用洗剤として使っても（水500mℓにセスキ炭酸ソーダ小さじ1を目安に）。

クエン酸

重曹では落とせない水アカ、尿の汚れの必需品

酸性のクエン酸は、水アカや尿の汚れを落とす。クエン酸水（水1カップにクエン酸小さじ1）にすると使いやすい。汚れに浸透するように、ラップなどで湿布すると効果アップ。

酸素系漂白剤

ツンとしたニオイがなく、手肌や素材にやさしい

塩素系漂白剤に比べて効き目はゆるやかだが、手肌や素材にやさしい。漂白、除菌、消臭の効果があるので、表示に従ってぬるま湯に溶かして、つけ置きして使う。

【キッチン】換気扇

ファンなどをつけ置きしている間に、本体の掃除をして効率アップ。順番通りに進めれば、意外に簡単です。

半年に1回

外して洗剤で洗う

道具：新聞紙・段ボール箱・ゴミ袋・つけ置き用洗剤・スポンジ・キッチンペーパー・布巾・割り箸・歯ブラシ

1 準備する

プラグを抜き、新聞紙を敷く

取扱説明書を参考に、プラグを抜く。コンロが汚れないように、新聞紙を敷く。コンロに火がつかないように必ずロックしておく。

整流板やフィルターを外す

一番外側の整流板を外し、次にその中のフィルターを外す。

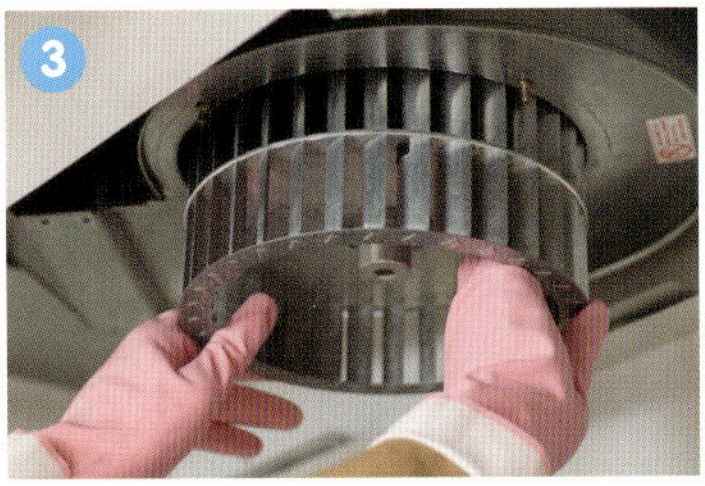

ファンを外す

周囲のネジを外して金具を取る。ファンの真ん中のネジを外し、ファンを引き出す。

2 つけ置きする

① 段ボールで容器を作る

シンクをふさがないように段ボールでつけ置き容器を作る。ゴミ袋をセットし、排水しやすいよう下の角からゴミ袋の端を出す。

外した部品をつけ置きする

容器に40～50℃の湯とつけ置き用洗剤を表示通りに入れる。外したファンやフィルターを入れ、表示通りの時間置く。

check!

小物は迷子にならないように別容器でつけ置きする

外したネジなどの小物は別の小さい容器に入れて、迷子になるのを予防。②のつけ置き用洗剤液を入れ、ファンと同様につけ置く。

3 つけ置きしている間に周囲を掃除する

整流板を洗剤で洗う

つけ置き用洗剤液を含ませたスポンジで整流板を洗う。頑固な汚れには、洗剤を塗って少し置く。角がある器具はシンクに傷がつかないようにタオルを敷く。

レンジフードの内側を拭く

つけ置き用洗剤を含ませたスポンジで、内側に洗剤分を伸ばす。汚れがひどいときは10分ほど置き、キッチンペーパーで拭き取る。最後は水拭きする。

check!

内側のくぼみは割り箸でこそげ取る

つけ置き用洗剤を含ませたスポンジで、洗剤分を伸ばす。汚れがひどいときは10分ほど置き、割り箸でゆるんだ汚れを取る。

外側の汚れを洗剤で落とす

つけ置き用洗剤を含ませたスポンジで、洗剤分を伸ばす。スイッチまわりなどに洗剤分がたれないように布巾でカバーする。最後は水拭きする。

4 つけ置きした部品を洗う

フィルターを歯ブラシでこする

つけ置きして汚れがゆるんだフィルターは、歯ブラシで汚れをかき出す。

ファンの汚れは割り箸で取る

ファンにこびりついた汚れは、割り箸でこそげ落とす。すき間に残った汚れは歯ブラシでかき出す。別の容器の小物も歯ブラシでこする。

洗剤分を流して乾かす

フィルターやファンの洗剤分をよく洗い流す。しっかり乾かしてから、元に戻す。

容器の水を抜く

容器を作ったときに段ボールの角から出したゴミ袋の端をハサミでカットし、排水する。

掃除

【キッチン】壁・食器棚

少しずつ汚れがたまる壁や食器棚は、半年に一度お掃除を。たまった汚れをしっかり落とす方法を紹介します。

半年に1回

壁を洗剤で拭く

道具：スポンジ・油汚れ用洗剤・ラップ・布巾

スポンジで水と洗剤を伸ばす

水を含ませたスポンジで、下から上へコの字にこする。油汚れ用洗剤をスプレーし、スポンジで同様に伸ばす。

ラップで湿布する

汚れに洗剤が浸透するように、ラップをして20～30分ほど置く。ドライヤーで温めるとさらに効果アップ。

check!

最初に水をつけるとタイルの目地が汚れにくい

壁のタイルの目地にゆるんだ汚れがつくと、シミになることがある。予防するために、洗剤をスプレーする前に水をつけておく。

スポンジで汚れを取る

汚れがゆるんだら、湯を含ませたスポンジで下から上へこすって、汚れをぬぐう。

布巾で水拭きする

湯で絞った布巾を上から下へコの字に動かして、汚れを取る。コの字拭きは、拭き残しが少ない。

年1回 食器棚の中を拭く

道具：布巾・アルコール除菌剤

❶ 中のものを全部出す

食器棚に入っている食器や調味料などを全部出す。ついでに賞味期限切れや使っていないものを処分する。

❷ 汚れに合った方法で拭く

下のcheck!を参照し、棚の中の汚れ別に拭く。中に入っていた調味料の容器の底も水拭きしておく。

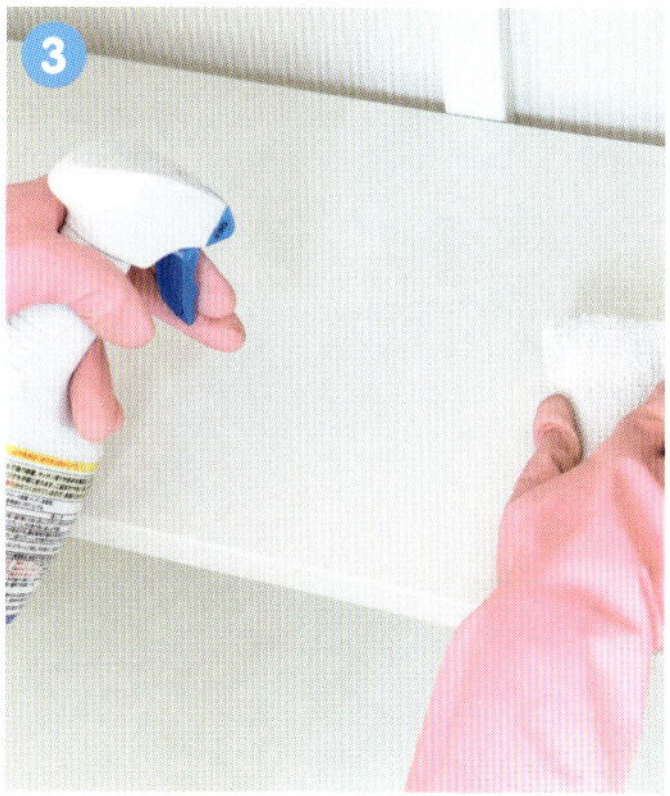

❸ アルコール除菌剤で拭く

アルコール除菌剤をスプレーして布巾で拭いて、除菌する。軽い油性の汚れやホコリも落とせる。2度拭きは不要なのでラクチン。

check!

汚れ別拭き取りのコツ

ホコリ キッチンペーパーで拭く

ホコリや食品のカスなど乾いた汚れは、キッチンペーパーなどで取っておく。

ベタベタの油汚れ 台所用洗剤で拭く

調味料やタレなど油性の汚れは、台所用洗剤をつけた布巾で拭いてから、水拭きする。しょうゆなどの油が入っていない水溶性の汚れなら、水拭きだけで取れる。

こびりついた汚れ クリームクレンザーで拭く

固まってこびりついた汚れは、クリームクレンザーをつけた布巾で拭き、水拭きする。クリームクレンザーなら、汚れをこそげ落とせる。

+more

アルコール除菌剤はキッチンまわりに便利

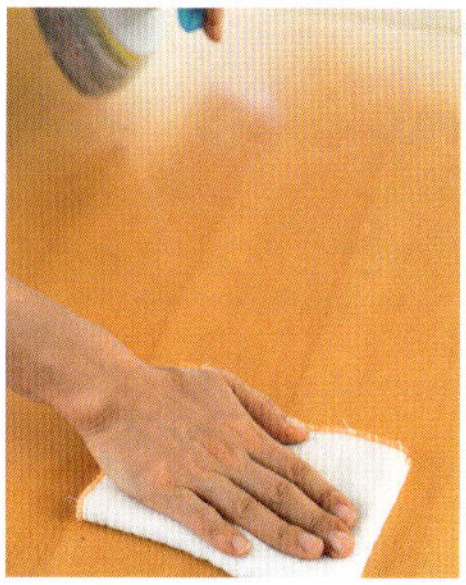

ダイニングテーブルのベタベタ汚れに

ダイニングテーブルは汚れを拭いたあとに、アルコール除菌剤をスプレーして布巾で拭く。ベタベタがスッキリして除菌にもなる。

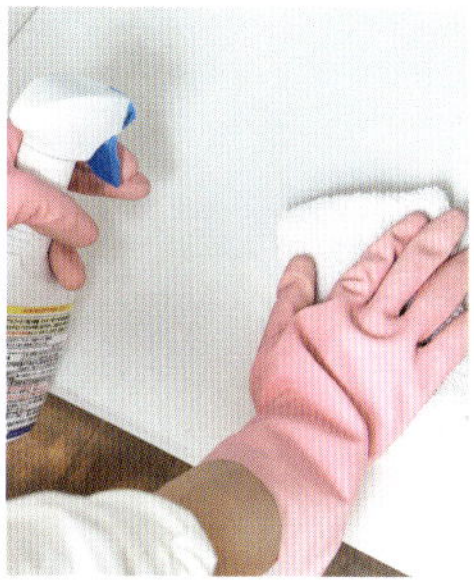

ニオイやカビが気になるシンク下の掃除に

シンク下は、食器棚と同じように掃除をする。最後に、アルコール除菌剤をスプレーして布巾で拭いておく。嫌なニオイやカビの予防になる。

掃除

【浴室】

浴槽・壁・床

お風呂から出るときサッとできる、毎日掃除がおすすめ。
これだけで週1全体掃除が、ぐっとラクになります。

毎日

浴槽・壁・床をざっと洗う

道具：スポンジ・浴室用洗剤

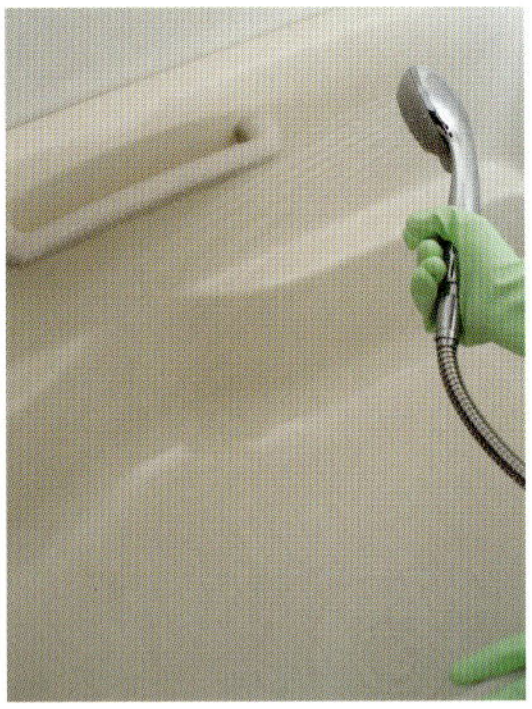

1

浴槽に水を流す

浴槽の栓を抜いて湯を流し、全体にシャワーをかけて、汚れや髪の毛を流す。毎日の入浴後の習慣にしておくのが、続けるコツ。

2

洗剤をつけてこする

浴室用洗剤をスプレーし、スポンジでこする。水位線のあたり、四隅など汚れがたまりやすい部分を中心にこすればよい。

3

壁や床に湯を流す

カビの原因になる石けんカスや皮脂などを、湯で流す。排水口の髪の毛を取る。使用済みのタオルでカビが生えやすい部分を拭き、換気扇を回して乾燥させる。

check!

湯を流して
カビを予防する

入浴後、40℃くらいの湯を床や壁にかけて、カビの栄養源になりやすい石けんカスや皮脂など汚れを流す。そして、浴室内の温度を下げるために水をかける。その後、使用済みのタオルやスクージーで水けを取る。

+more

カビ予防のために浴室を乾燥させよう

換気扇を回すときは窓、ドアを閉める

ドアの下に、空気を吸い込む通気口（ガラリ）がある。窓やドアを閉めておくとガラリから勢いよく空気が入ってきて、換気扇から出るので乾燥が早い。

スクイージーで水けを取る

窓の掃除で使うスクイージーを浴室に常備しておき、壁や床の水分を取る。手軽に水分がしっかり取れるので重宝。

週1回

浴室全体を掃除する

道具：スポンジ・浴室用洗剤・ブラシ・クエン酸・掃除用クロス

壁

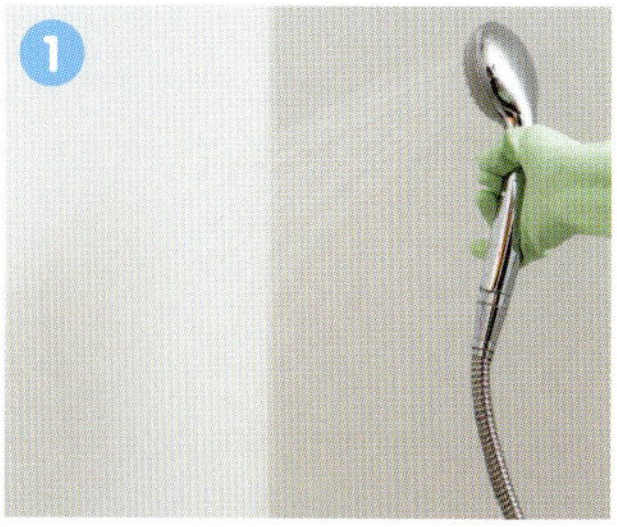

水で汚れを流す

シャワーをかけ、皮脂や石けんカスなどを流す。洗剤が壁にまんべんなくいきわたるようになる。

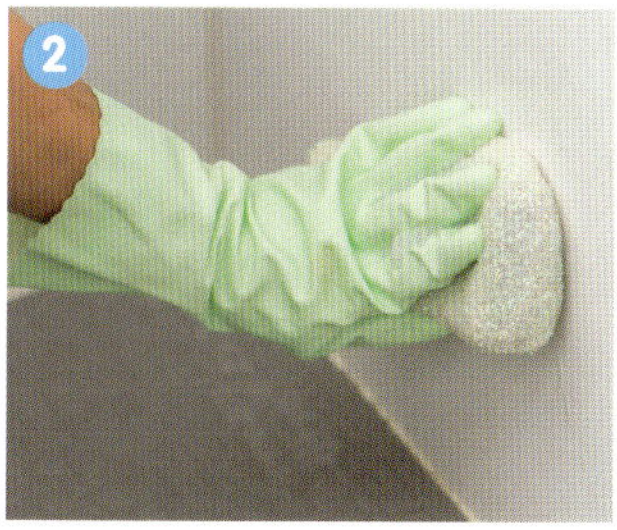

洗剤とスポンジでこする

洗剤をスプレーし、スポンジでこする。床から10㎝くらいの部分は汚れが飛び散るので、念入りに。

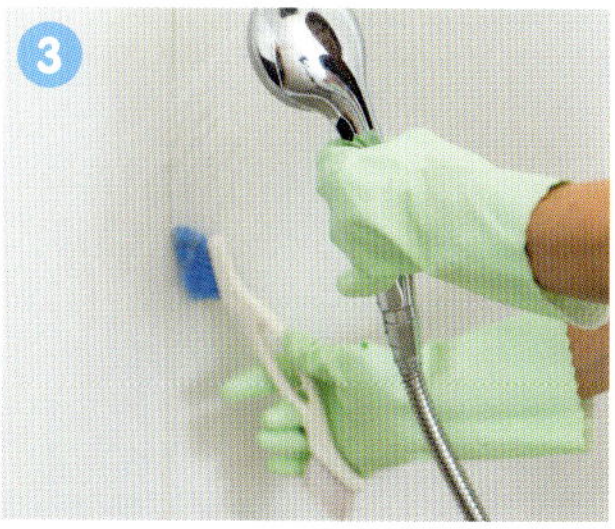

水で流しながらブラシでこする

洗剤分をシャワーで流しながら、汚れがたまりやすい目地やゴムパッキンをブラシでこする。

鏡まわり

水で流してスポンジでこする

シャワーをかけ、汚れを流す。浴室用洗剤をスプレーし、スポンジでこする。

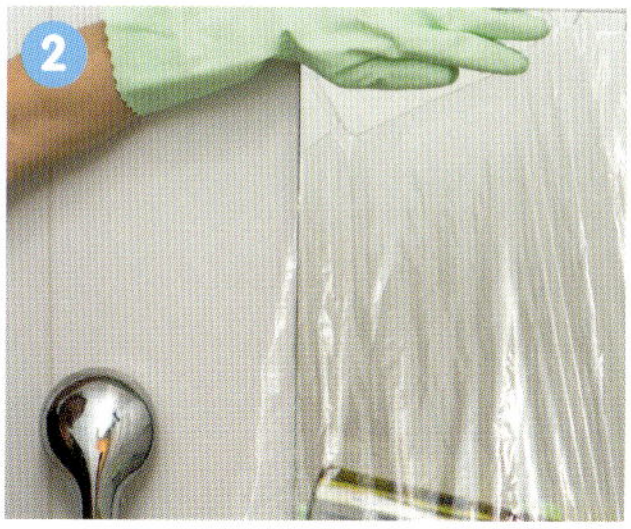

水アカはクエン酸水を湿布する

鏡の水アカが気になるときはクエン酸水（P.51参照）をスプレーし、ラップをかけて浸透させる。

掃除用クロスで水分を拭く

洗剤分をシャワーでよく流す。最後に掃除用クロスで水分を取ると、ピカピカになる。

蛇口まわり

蛇口はスポンジでこする

蛇口やシャワーは浴室用洗剤をスプレーし、スポンジでこする。ホース部分も一緒にこする。

水で流してブラシでこする

洗剤分をシャワーで流しながら、すき間をブラシでこすり、ヌメリや水アカを取る。

掃除用クロスで水分を拭く

洗剤分をシャワーでよく流す。最後に掃除用クロスで水分を取ると、ピカピカになる。

掃除
【浴室】浴槽・床・壁

ドア

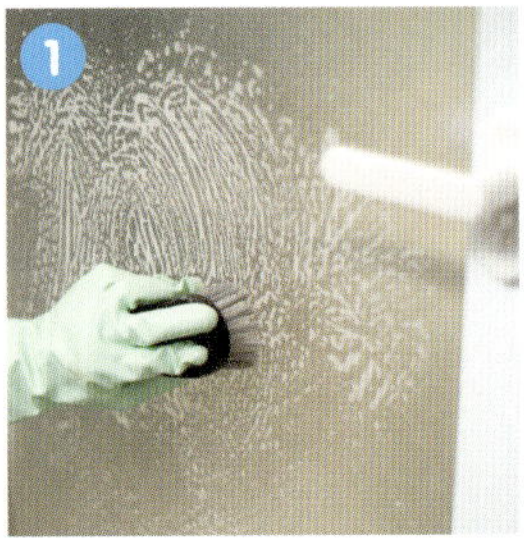

水で流して ブラシでこする

ドア全体にシャワーで水をかけ、汚れを落とし、洗剤がいきわたるようにする。浴室用洗剤をスプレーし、ブラシでこする。

▼

2

すき間は細い ブラシで洗う

すき間は先が細いブラシを使って、汚れをかき出す。

▼

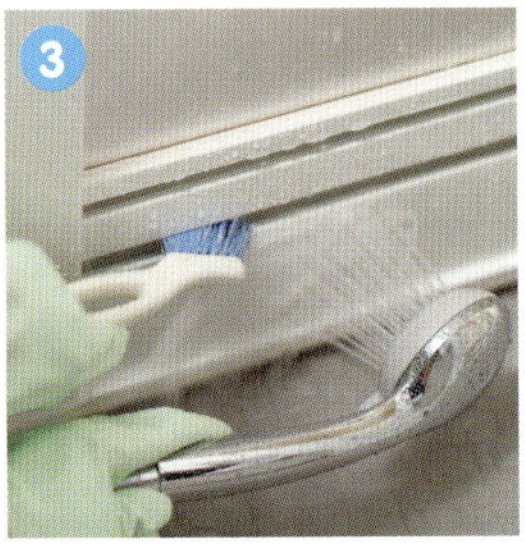

通気口の汚れを かき出す

ドアの下には一般的には通気口（ガラリ）がついている。シャワーを下からかけながら、ブラシで汚れをかき出す。

洗面器・椅子

洗面器は 表裏を洗う

洗面器は浴室用洗剤をスプレーし、スポンジで全体をこする。裏面も汚れるので、裏返して、側面や底を洗う。

▼

2

椅子は表裏、 四隅を洗う

いすは浴室用洗剤をスプレーして、全体をスポンジでこする。裏面、四隅も忘れずに洗う。すき間には歯ブラシを使う。

▼

頑固な水アカや 石けんカスは湿布する

クエン酸水（P.51参照）をスプレーし、ラップで包んで30分〜1時間置く。ゆるんだ汚れはスポンジでこする。不要なプラスチックカードでこそげ落としても。

床

水で流して ブラシでこする

シャワーで汚れを流し、浴室用洗剤をスプレーする。床は凹凸があるので、スポンジよりも平らな床用ブラシでこする。

▼

2

ときどき クエン酸水で洗う

水アカや石けんカス対策のためにクエン酸水（P.51参照）でときどき洗う。スプレーし、床用ブラシでこする。

▼

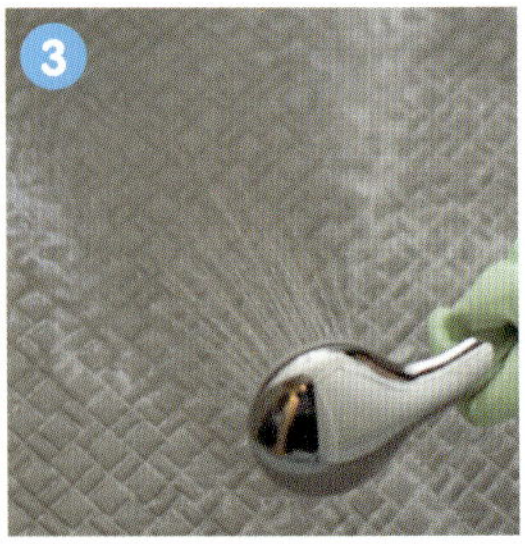

全体をシャワーで流す

洗剤分はシャワーでしっかり流す。汚れや洗剤分が残っていると、カビのエサになり、繁殖しやすくなる。

浴槽

❶ ふたをスポンジとブラシで洗う

ふた全体の平らな部分は浴室用洗剤をスプレーしてスポンジで洗う。すき間はブラシで汚れをかき出す。

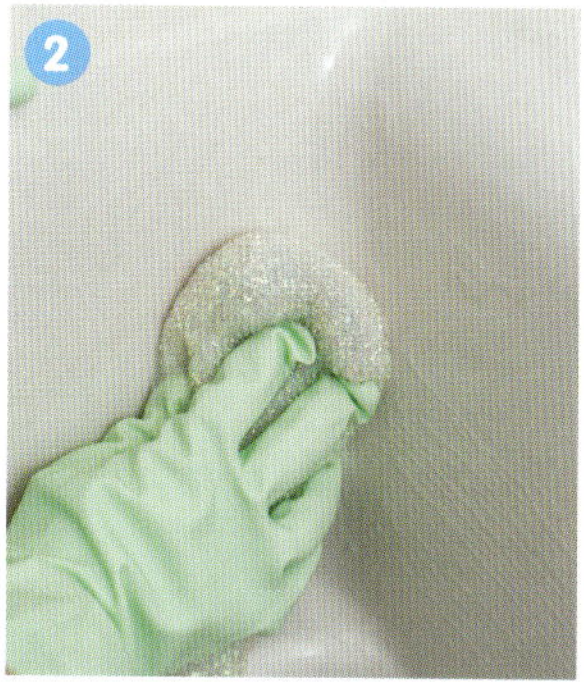

❷ 浴槽に洗剤をつけてこする

P.56の❶〜❷と同様に浴槽を洗う。水位線、四隅のほか、いつも手が回らない場所もまとめてきれいにする。

❸ 循環口をブラシでこする

追いだき機能がついていたら、循環口まわりは必ず掃除をする。フィルターを外し、本体部分、フィルターをブラシでこする。

❹ 排水口や栓はブラシでこする

排水口や栓も汚れているので、ブラシでこする。チェーンの部分はスポンジで洗う。

排水口

❶ 分解できる部分は外す

髪の毛などのゴミは取り除いておく。カバー、ヘアキャッチャー、封水筒などを分解して洗うと効率がいいので、取り外す。

❷ 部品はブラシで洗う

水を流しながら、ブラシで汚れを取る。洗剤を使わなくてもブラシと水だけできれいになるが、浴室用洗剤を使ってもよい。

❸ 本体はブラシで洗う

排水口の本体は、シャワーで水を流しながらブラシでこする。分解したものを元に戻す。

Check!

嫌なニオイは塩素系漂白剤でスッキリ

排水口のニオイが気になるときは、排水口用の塩素系漂白剤を使う。浴室の水アカ取りのクエン酸とは同時に使わないようにする。有毒ガスを発生することがあるので、要注意。

【浴室】換気扇・天井

浴室のカビ予防は換気扇が要。月1回は掃除をしましょう。生えてしまったカビを取る方法も紹介します。

月1回 換気扇を外して洗う

道具：ブラシ・浴室用洗剤・雑巾

カバーを外す

電源スイッチはオフにする。取扱説明書を参考にカバーを外す。写真は、バネを穴から外すタイプ。

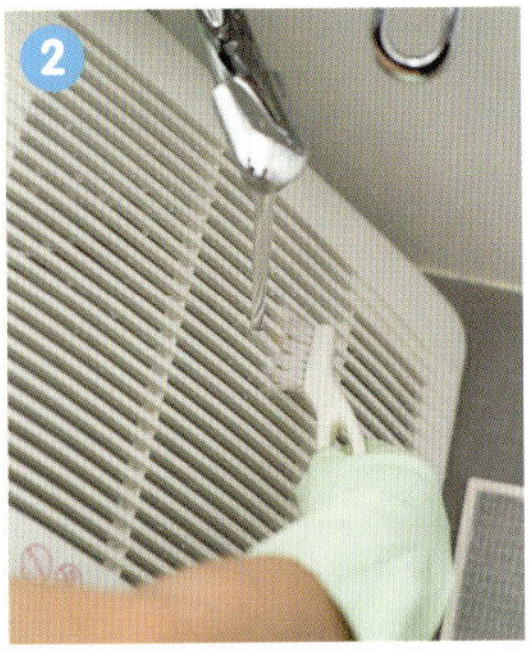

カバーはブラシで洗う

カバーは表裏を水で流しながら、ブラシでこする。洗剤をつけなくてもきれいになるが、落ちない汚れは浴室用洗剤を使う。

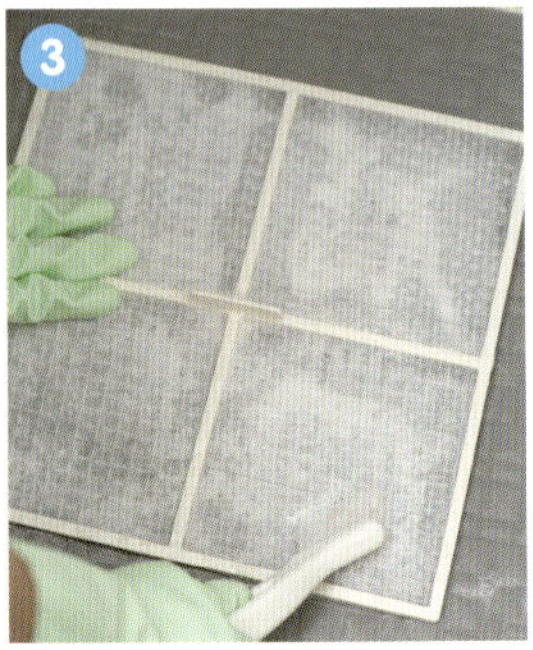

フィルターはブラシで洗う

フィルターはブラシと浴室用洗剤で洗う。乾燥させて元に戻す。換気扇内部の目立つホコリは、ブラシで落とす。

月1回 天井を掃除する

道具：モップ・雑巾・消毒用エタノール

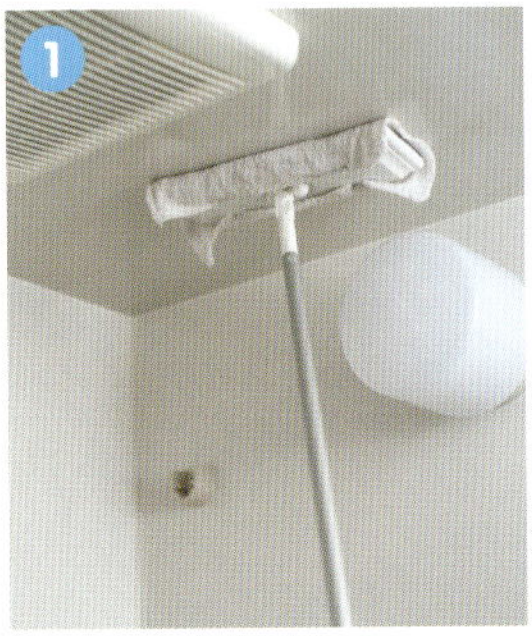

モップと雑巾で拭く

モップに水を固く絞った雑巾をセットして拭く。ふつうの汚れは、水拭きだけでよい。

カビは 酸素系漂白剤で取る

天井と壁の境目はカビが生えやすい。高い位置は洗剤が自分にかかる可能性があるので、酸素系漂白剤（水1ℓに小さじ1を溶く）を使う。雑巾を絞り、モップにつけて拭く。

+more

天井の落ちないカビはジェル状の洗剤を使う

どうしても落ちないカビに塩素系のカビ用洗剤を使うとき、ジェル状ならたれてくる心配が少ない。ゴーグルや眼鏡をかけると安心。

泡の漂白剤よりたれにくい

汚れたら

浴室のカビを取る

道具：ブラシ・カビ用洗剤・トイレットペーパー・ラップ

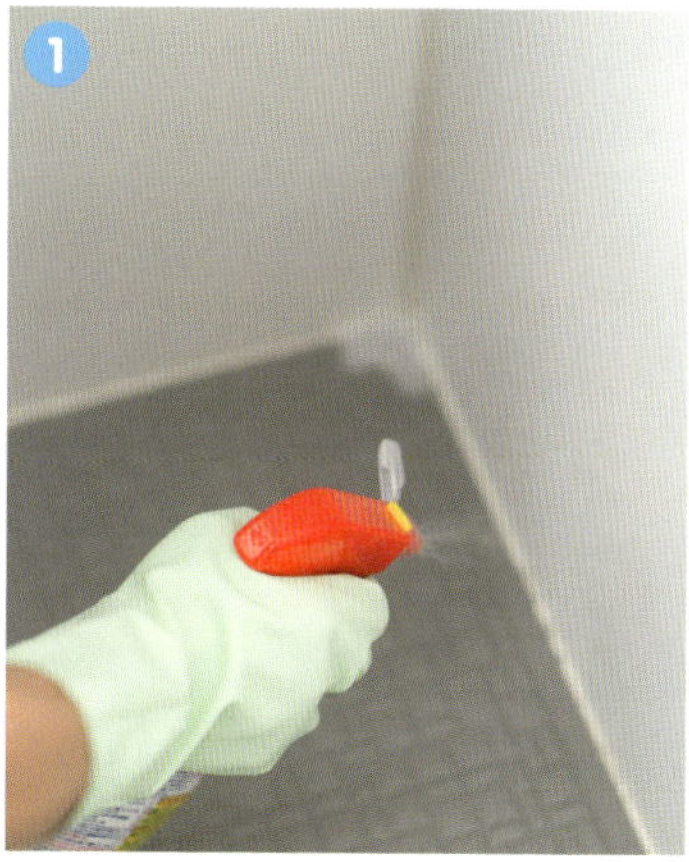

掃除後にカビ用洗剤をスプレーする

換気扇を回す、窓を開けるなど換気をする。ゴム手袋、眼鏡かゴーグル、マスクをつける。汚れを掃除したあと、カビ用洗剤をスプレーする。

check!

カビ取り剤をスプレーする前にやっておくこと

1 汚れはあらかじめ落としておく

カビの上に汚れが残っていると、カビ取り剤が密着しにくく、効果が発揮できない。あらかじめ浴室用洗剤で汚れを落としておく。

2 水分をしっかり拭き取る

水分が残っているとカビ取り剤が薄まることがある。汚れを取ったあと、水分を拭き取ってから、カビ取り剤を使う。

トイレットペーパーで湿布する

トイレットペーパーを指で細くして、カビの部分に湿布する。洗剤をカビに長い時間密着させ、成分を浸透させる。

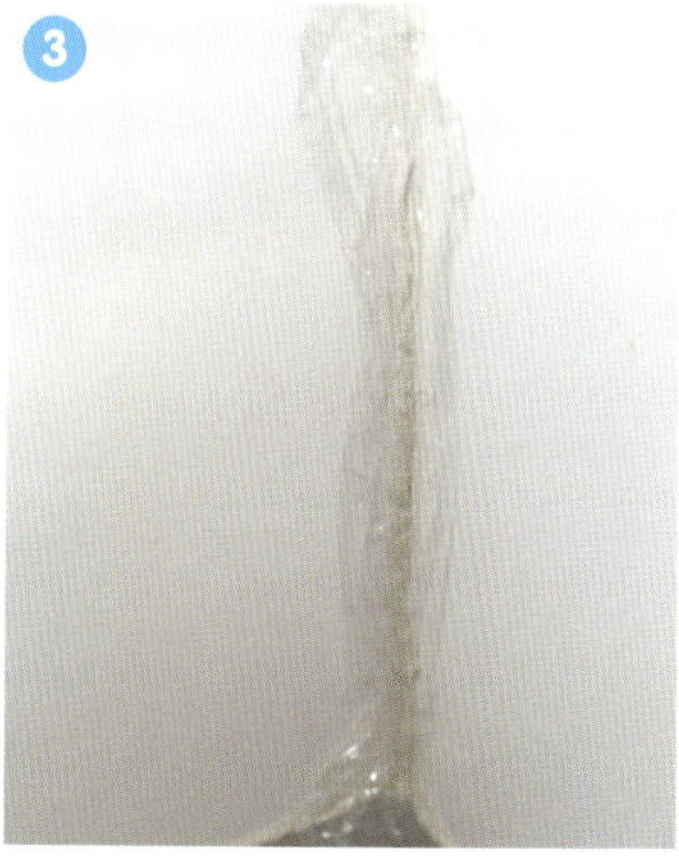

ラップでさらに湿布する

洗剤をさらに密着させるために、トイレットペーパーの上にラップを重ねる。10～20分ほど置く。

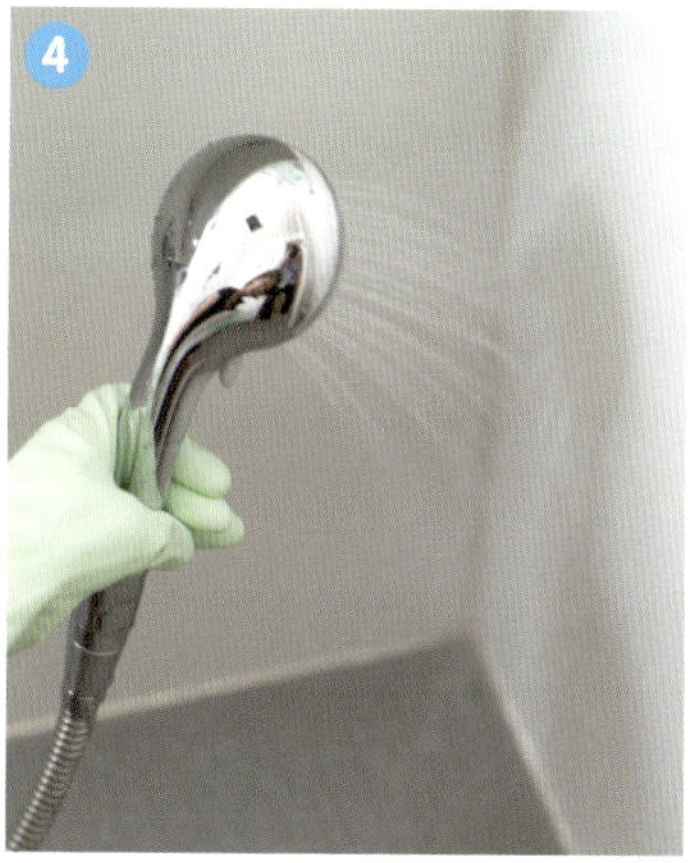

水で流して乾燥させる

トイレットペーパー、ラップを取り、シャワーで洗剤分を流す。しっかり流さないと、新たなカビの原因になるので要注意。

check!

一度で落ちないカビは再度湿布をする

乾いた状態で、カビをブラシでゴシゴシこするのはNG。一度で落ちないカビは、カビ用洗剤の湿布を2～3回繰り返し行う。

【トイレ】便器・壁・床・タンク

トイレは毎日掃除をし、汚れをためないのが正解！
汚れが軽いうちに落とせば、ほんの5分で終わります。

毎日　シートとブラシで掃除する

道具：トイレ用洗剤・トイレ用掃除シート・トイレ用ブラシ

1 便器に洗剤をかける

便器に洗剤をかけて、少し置いて汚れに浸透させる。その間に、周囲の掃除をする。

2 手で触る部分をシートで拭く

トイレ用掃除シートで、ドアの取っ手、レバーハンドル、操作盤、ペーパーホルダーなど手で触る部分を拭く。

3 汚れが少ない場所からシートで拭く

トイレ用掃除シートで、左ページを参考に、汚れが軽い部分から順番に拭く。シートは汚れたら折り返しながら使う。

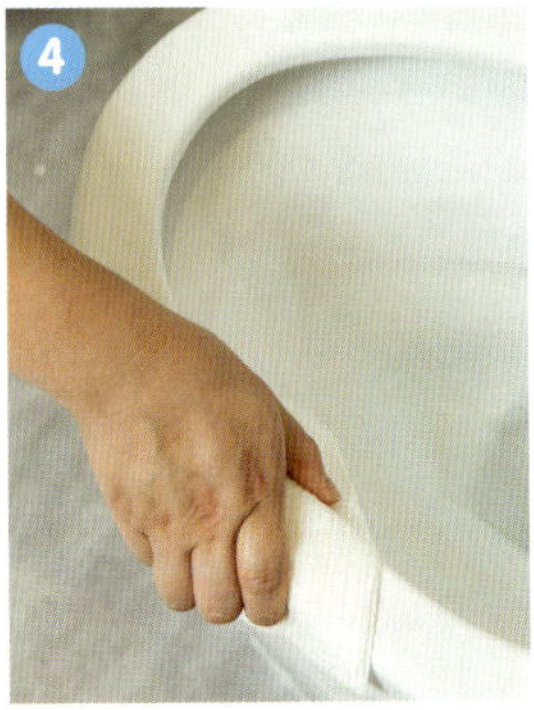

4 便座を上げて拭く

便座を上げて、便座の裏、便器の縁を拭く。シートは流す。

5 便器内をブラシでこする

最後に便器をトイレ用ブラシでこする。縁裏が掃除しにくいタイプの便器は、トイレ用洗剤をブラシにスプレーして、こするとよい。

+more

汚れを予防する洗剤を利用しても

便器にスタンプして、汚れが付着するのを予防したり、タンクに置いて、水を流すたびに便器の汚れを予防する洗剤も。

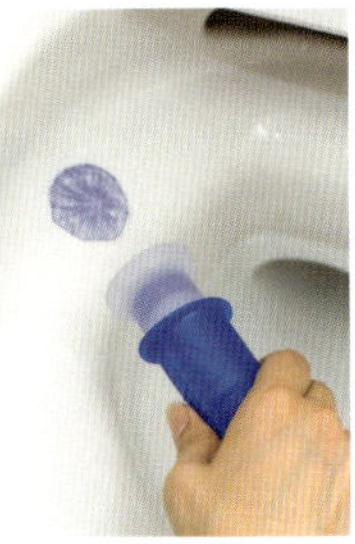

check!

汚れが軽い部分から順番に拭く

汚れが軽い部分から拭けば効率がよく、お掃除シートも1枚で十分。
習慣にしてしまえば、無理なく毎日続けられます。

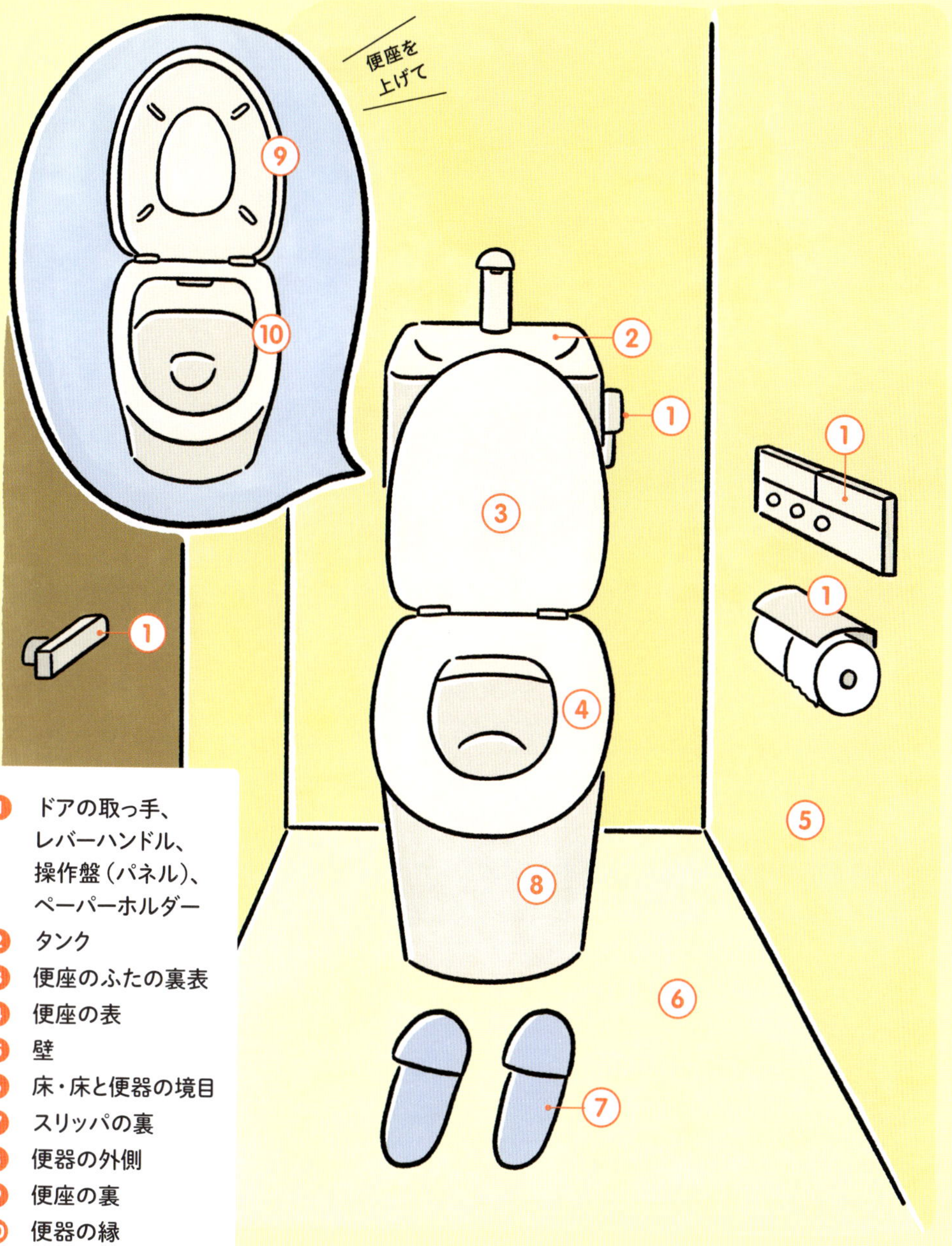

1. ドアの取っ手、レバーハンドル、操作盤（パネル）、ペーパーホルダー
2. タンク
3. 便座のふたの裏表
4. 便座の表
5. 壁
6. 床・床と便器の境目
7. スリッパの裏
8. 便器の外側
9. 便座の裏
10. 便器の縁

掃除

【トイレ】便器まわり

毎日でなくてもいいけれど、週1回は掃除したい場所です。便器によって仕様が違うので、取扱説明書の確認を。

週1回

脱臭フィルター

道具：歯ブラシ

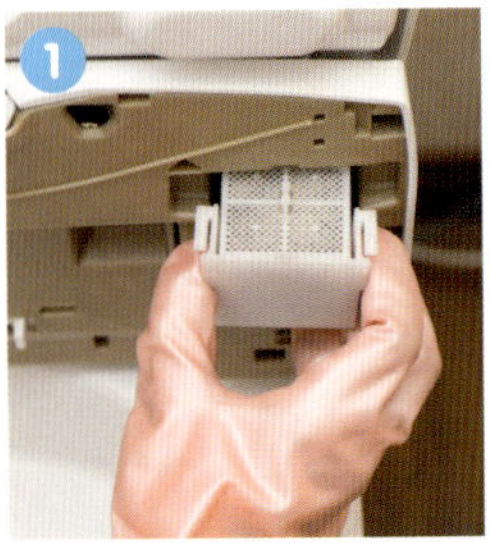

脱臭フィルターを外す

取扱説明書を参考に、脱臭フィルターを取り出す。

▼

歯ブラシでホコリを取る

脱臭フィルターにホコリがたまると、脱臭効果がなくなる。歯ブラシでホコリを取る。

週1回

ノズル

道具：トイレ用掃除シート・歯ブラシ

ノズルを出してシートで拭く

取扱説明書を参考に、ノズルを出す。トイレ用掃除シートで拭く。

▼

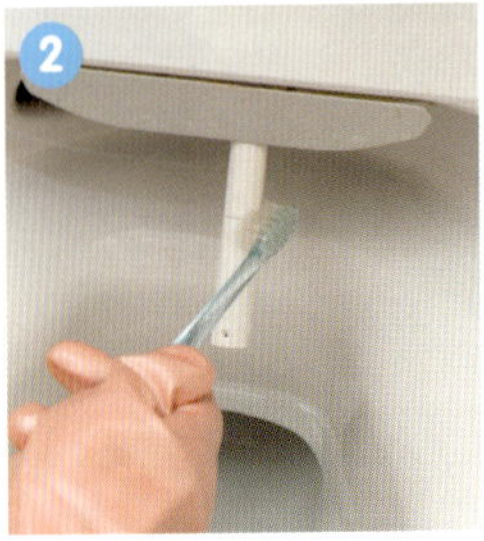

こびりつきは歯ブラシでこする

ノズルの先の穴の部分などの取れない汚れは、歯ブラシでこする。

週1回

便座と便器の境目

道具：トイレ用掃除シート

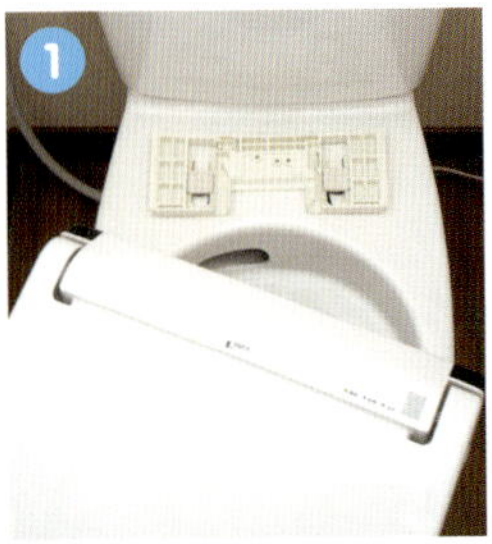

便座を便器から外す

電源プラグをコンセントから抜く。取扱説明書を参考に、便座を便器から外す。

▼

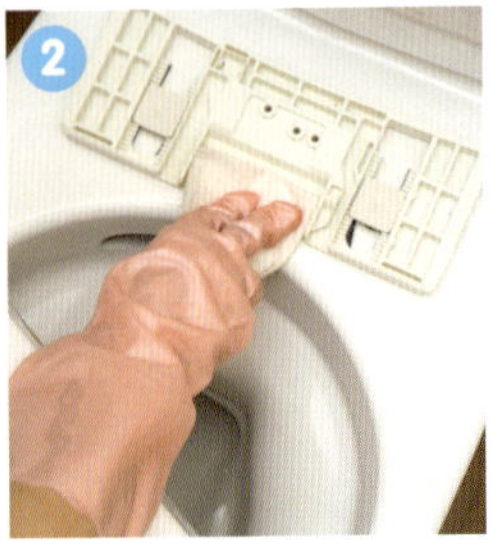

境目をシートで拭く

便座と便器の境目をトイレ用掃除シートで拭く。汚れがたまるとニオイの原因になることもあるので、要注意。

▼

便座の裏を拭く

便座の裏側もトイレ用掃除シートで拭く。便座を元に戻す。

+more

月1回換気扇の掃除をする

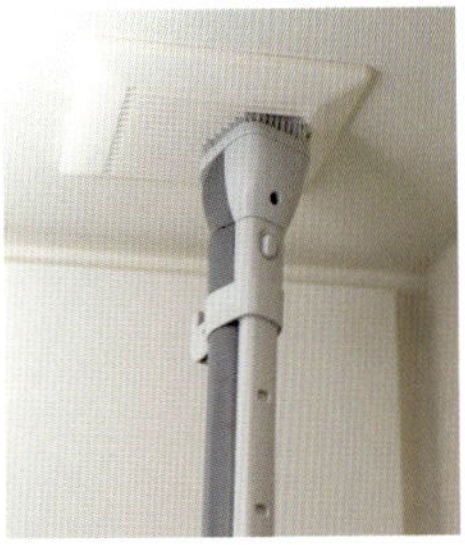

換気扇にホコリがたまるとニオイがこもることも。月1回くらい掃除をする。汚れはホコリなので、掃除機で吸い取る。

汚れたら

手洗いボウルを掃除する

道具：クエン酸・トイレットペーパー・歯ブラシ・メラミンスポンジ

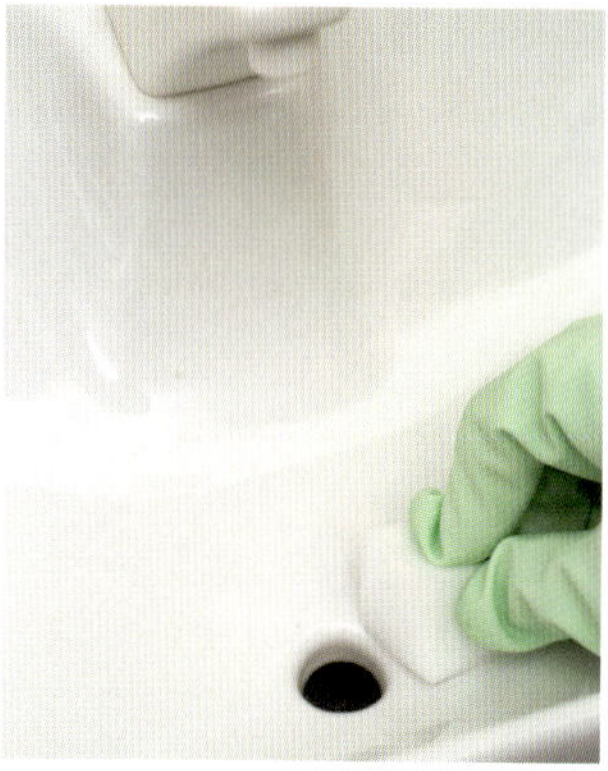

黒ずみはメラミンスポンジで落とす

手洗いボウルが黒ずんで取れなくなっていたら、メラミンスポンジを使う。水を含ませてこすり、カスを取り除く。メラミンスポンジはタンクの光沢をなくすことがあるので、使いすぎに要注意。

黒ずむ前にこまめに掃除を！

水アカはクエン酸水を湿布する

タンクの手洗い金具の先に水アカがたまりやすい。クエン酸水（P.51参照）をスプレーし、トイレットペーパーで湿布する。20〜30分置いて歯ブラシでこすり、水拭きする。

汚れたら

便器の黄ばみを湿布掃除する

道具：バケツ・クエン酸・トイレットペーパー・トイレ用ブラシ

一気にザーッと水を流す

水位を下げる

便器の中にバケツの水を一気に入れ、水位を下げる。勢いよく水を入れるのがコツ。水位が下がらないときは、再度水を入れる。

クエン酸水をスプレーして湿布する

黄ばみは水アカや尿石なので、クエン酸を使う。クエン酸水（P.51参照）を汚れている部分にスプレーし、トイレットペーパーで湿布をする。

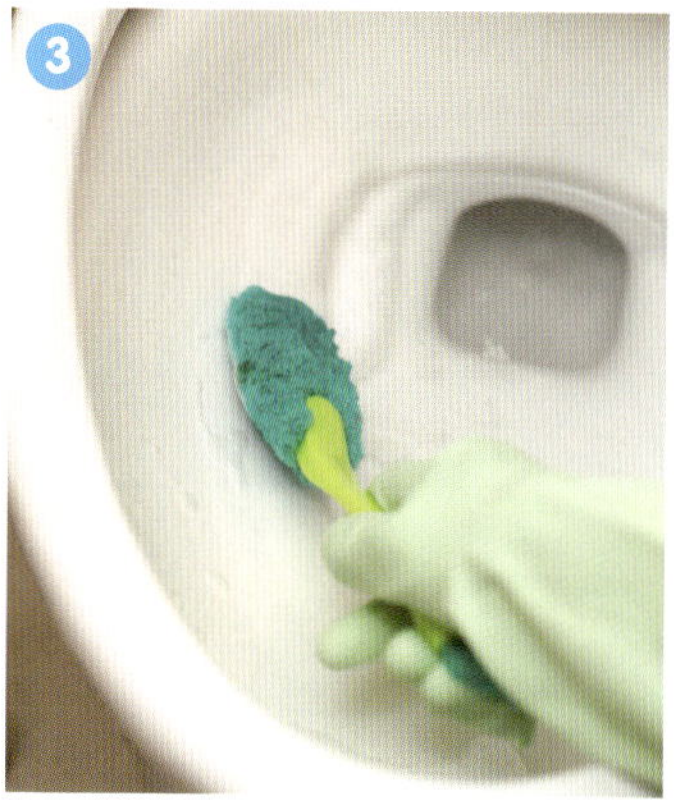

しばらく置き、ブラシでこする

湿布を10〜20分ほど置いて汚れをゆるませる。トイレットペーパーを水で流し、ブラシでこする。

掃除

【洗面所】洗面台まわり・洗濯機

洗面台は、歯磨きついでに毎日サッと掃除をするとラク。
湿気がたまりやすいので、収納や洗濯機も定期的に。

毎日 洗面台を拭く

道具：スポンジ・浴室用洗剤・歯ブラシ・掃除用クロス

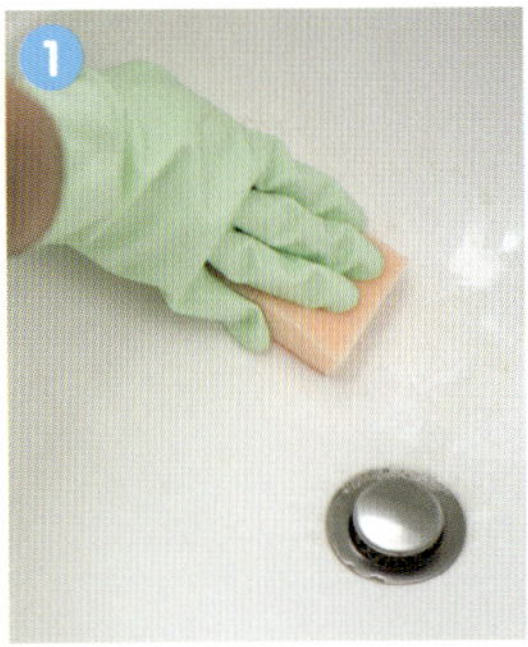

1 洗面ボウルをスポンジでこする

洗面ボウルや蛇口をスポンジでこする。ときどき浴室用洗剤で洗うと、サッパリする。

2 排水口を歯ブラシでこする

排水口のゴミを取り、歯ブラシでこする。洗面ボウルの穴（オーバーフロー口）も同様にこする。

3 から拭きして水気を取る

掃除用クロスで、飛び散った水けをから拭きする。ときどきクロスで水拭き、から拭きするとよい。

年1回 収納の中を拭く

道具：掃除用クロス

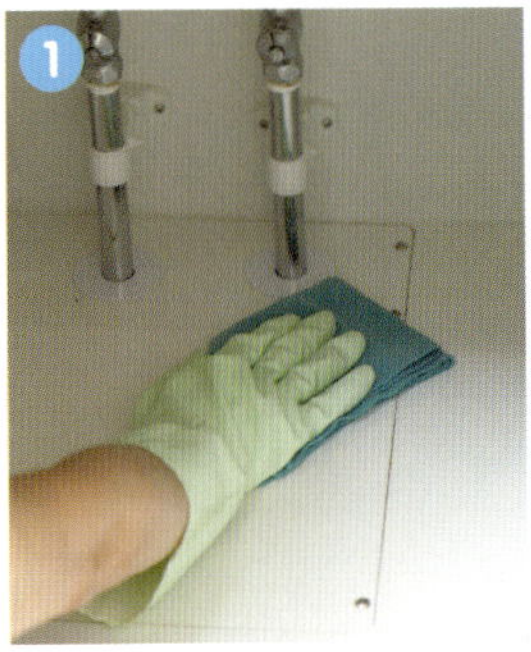

1 水拭きする

収納の中のものを全部出し、掃除用クロスで水拭きする。汚れがひどいときは、住居用洗剤で拭く。

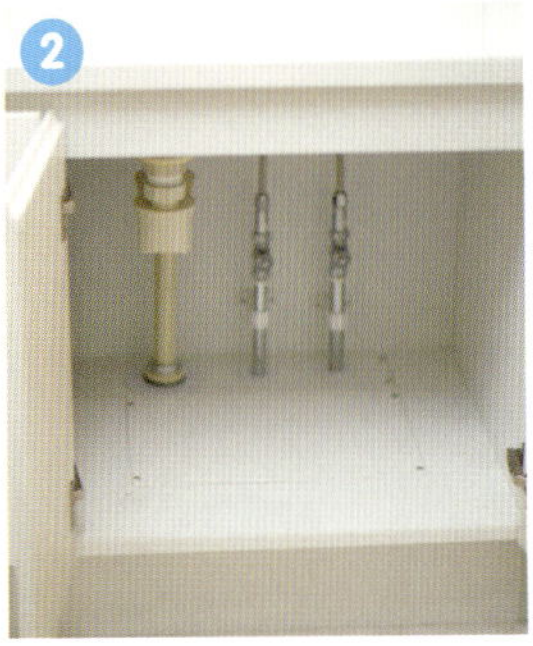

2 よく乾燥させる

洗面台下などの収納は湿気がこもりやすいので、しばらく置いてよく乾燥させる。その後、ものを戻す。

汚れたら 蛇口の根元の掃除

道具：クエン酸・歯ブラシ

根元の固まった水アカにクエン酸をかける

蛇口の根元部分を少し水でぬらし、クエン酸をそのままかける。5～10分ほど置いて、汚れがゆるんだら歯ブラシでこする。

月1回

洗濯機のカビ取り

道具：洗濯槽のクリーナー

+more

ドラム式の場合は洗剤の表示を確認

ドラム式洗濯機では酸素系のクリーナーが使えないことがあるので、ボトルの表示をしっかり確認する。洗浄コースがあるときはそれを利用する。

専用のクリーナーで洗う

洗濯物に黒っぽい汚れがついてきたら、洗濯槽の裏にカビが繁殖しているので、専用の洗濯槽クリーナーを、表示に従って使う。洗濯機に専用のコースがある場合は、それを使ってもよい。

check!

専用クリーナーは塩素系と酸素系の2タイプある

専用クリーナーには洗浄力が強い塩素系、手肌にやさしく安心な酸素系があります。それぞれの特徴をチェックし、使いやすいものを選びましょう。

塩素系

浴室のカビ用洗剤と同様、次亜塩素酸塩が主な成分なので洗浄力は強い。つけ置きなしなので、短時間で終了する。ただ、ツンとしたニオイがする。換気をし、手袋着用が安心。

酸素系

過炭酸ナトリウムが主な成分で、発泡作用でカビをはがして落とす。塩素系のようなニオイはなく、やさしい使い心地。ぬるま湯を使う、つけ置き時間が必要など使い方にコツがある。

酸素系漂白剤で代用できる

40℃くらいの湯10ℓに酸素系漂白剤100gを目安に入れ、5分ほど洗濯機を回して溶かす。2～3時間置き、また回して浮いてきたカビを網などですくう。汚れが出てこなくなるまで2～3回すすぐ。

+more

洗濯機のカビを防ぐコツ

汚れた洗濯物を入れっぱなしにしない

汚れた衣類がカビの原因になることも。洗濯カゴなどを用意し、洗濯物は洗濯槽に入れずにカゴに入れる。

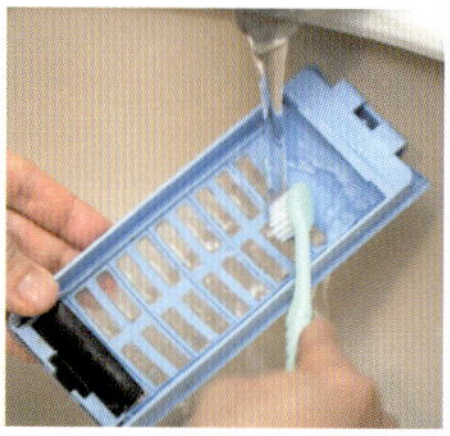

糸くずフィルターをこまめに掃除する

糸くずフィルターにたまるゴミや糸くずは、洗濯後に必ず取り除く。ホコリなどで目がつまったら、歯ブラシでこすり洗いをする。

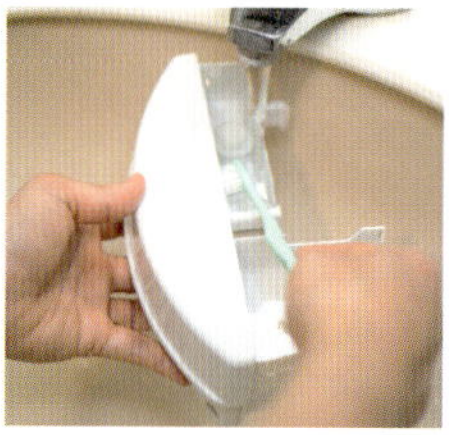

洗剤・柔軟剤投入口を掃除する

洗剤や柔軟剤の投入口は洗剤がこびりつき、ホコリや糸くずで汚れていることも。取り外して、歯ブラシでこすり洗いをする。

掃除

玄関・ベランダ

玄関は週1回たたきを掃除すれば、気持ちよく出入りできます。ベランダも月1回掃除で汚れをためないで。

週1回　たたきを掃除する

道具：ほうき・ちりとり・雑巾

1 ほうきでゴミを掃く

ほうきで掃き、ゴミはちりとりで取る。玄関やベランダで使う外用のほうきがあると便利。

2 水拭きをする

掃いただけで取れない汚れは、水拭きする。ウェットシートを雑巾代わりに使ってもよい。

月1回　ドアを掃除する

道具：洗車ブラシ・雑巾

1 ブラシでホコリを取る

洗車ブラシなど大きめのブラシで、ドアのホコリを上から下に落とす。

2 上から水拭きする

上から一方向にドアを水拭き、から拭きすると、拭きムラが目立たない。ドアの取っ手も拭いておく。

半年に1回　下駄箱の中を掃除する

道具：掃除機・雑巾・消毒用エタノール

1 掃除機をかける

中の靴を全部出して、掃除機でゴミを取る。下駄箱で掃除機を使うのに抵抗があるときは、雑巾でから拭きしてゴミを取ってもよい。

2 水拭きをする

掃除機で取れない汚れを水拭きで取る。カビは、消毒用エタノールをつけた雑巾で取る。しばらく扉を開けて乾燥させ、靴を戻す。

月1回 ベランダの掃除をする

道具：洗車ブラシ・ほうき・ちりとり・雑巾・
歯ブラシ・住居用洗剤・ブラシ

ブラシでホコリを取る

洗車ブラシなど大きめのブラシで、手すりのホコリを上から下に落とす。エアコンの室外機があるときは、一緒にホコリを取る。

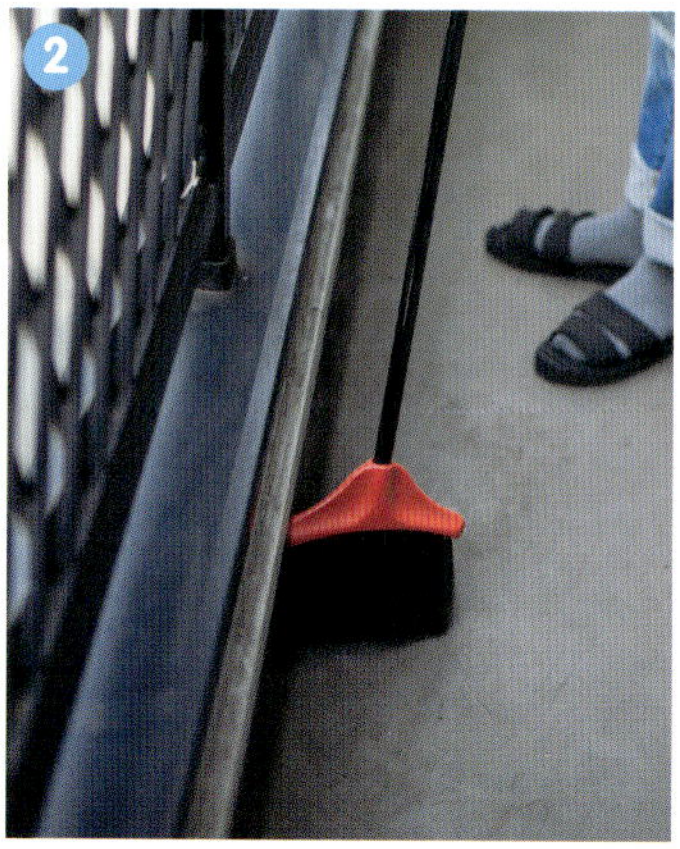

床のホコリを掃く

床のホコリやゴミはほうきで集め、ちりとりで取る。

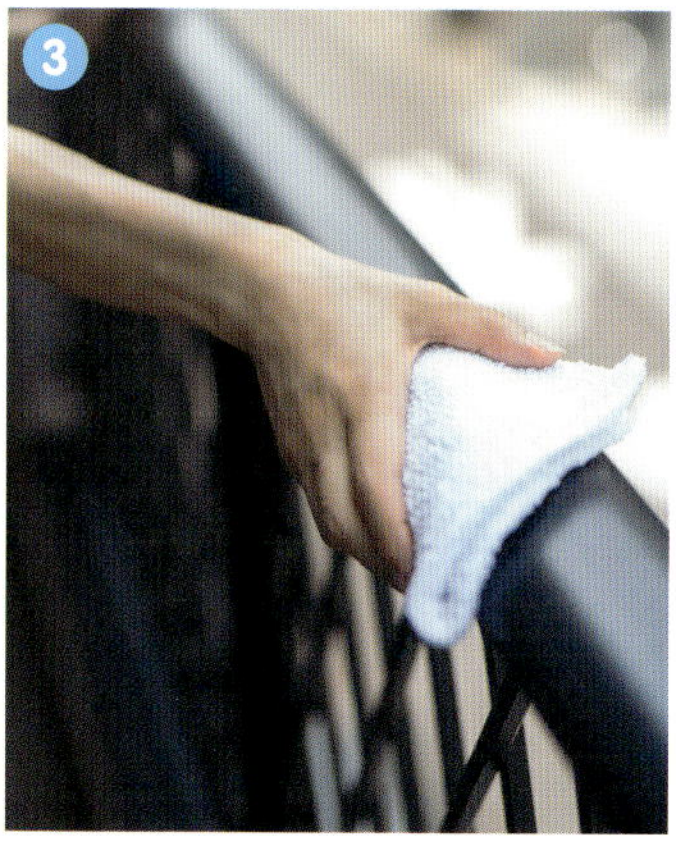

手すりを水拭きする

汚れが気になる部分は水拭きする。洗濯物があたる部分はきれいにしておく。鳥のフンなど取れない汚れは、歯ブラシでこする。

気になる部分だけ

床の汚れはブラシでこする

汚れが気になる部分は、平らなブラシでこする。水だけで取れないときは、住居用洗剤を使う。洗剤を使ったら最後に水拭きするか水を流す。

+more

排水口があるときはゴミをためない

たまっているゴミを取る

排水口がつまらないように、ゴミを取る。ビニール袋を裏返して持ち、手袋代わりにしてゴミをつかむ。ゴミに直接触れずに、そのまま捨てられてラク。

水を流してこする

水を排水口に向かって流し、デッキブラシで汚れをこする。排水口のほうに水が流れていくように、デッキブラシで誘導する。

家中チェック

カビ・ダニ・ゴキブリ対策

**カビ・ダニ・ゴキブリが好きな環境は、高温多湿×エサになる汚れがある場所。
寄せつけないように、徹底的に対策をしましょう。**

【それぞれの特徴】

カビ

**落としにくい
黒カビになる前に掃除を**

カビには黒と赤がある。赤カビは厳密にはカビではなく酵母菌の一種で、洗剤で簡単に落とせるが、黒カビの原因になるので、早めに落としておく。黒カビは目地やゴムパッキンの奥に入り込むと落としにくくなる。繁殖させないように予防することが大切。

ダニ

**極小サイズで布団、
布ものなどに潜り込む**

ダニは1㎜以下で小さく、カーペット、畳、布団などに潜り込んでいると、肉眼で見つけるのは難しい。室内のホコリやカーペットなどに発生するのはヒョウヒダニで、人間のフケや食べ物で繁殖する。アトピー性皮膚炎などの原因にもなる。

ゴキブリ

**大好きなのは
暗くて暖かくて狭い場所**

夜行性のゴキブリは、人が寝静まると活動する。家中に出没するが、特に水と食べ物があるキッチンが好き。暖かくて狭い冷蔵庫やガスコンロの裏などに隠れている。見た目が不快なだけでなく、病原菌を運んできたり、フンや死骸がアレルゲンになることもある。

【カビ・ダニ・ゴキブリを寄せつけないポイント】

換気をして風通しよく

浴室、下駄箱、押入れ、シンク下など風通しが悪く湿気がたまりやすい場所は、扉を開ける、換気扇を回すなどして換気する。さらに、浴室は水けが多いので、できるだけ拭き取って乾燥させる。

ものを減らしてスッキリさせる

ものが多いとホコリがたまりやすく、カビ、ダニ、ゴキブリのエサになる。また、潜り込む場所がたくさんあると、繁殖しやすい。エサと潜り込む場所を減らすために、ものを減らして、スッキリさせる。

汚れ・食べ物を残さない

こまめに掃除をし、エサになるホコリ、食べこぼし、皮脂、髪の毛などを残さないようにする。できればリビングやキッチン、浴室、トイレは毎日掃除を習慣に。特に、高温多湿の時期はしっかりと。

【部屋別の対策ポイント】

キッチン

油、ビールはゴキブリの大好物!
エサになるものは外に出さない

ゴキブリはなんでも食べるけれど、特に好きなのがビールや油。ビールの飲み残しやコンロの油汚れなどもエサになる。また、水気も好むので、口のあいた飲み物の出しっ放しをやめるのはもちろん、シンクの水分も拭き取っておくと安心。

ポイント

- 油汚れはためない
- 食べ物・飲み物は出しっぱなしにしない
- シンクの水分は拭き取る
- シンク下は掃除・換気をする

リビング・和室

ダニ・ゴキブリが潜り込む場所は
こまめに掃除する

ダニが大好きなカーペット、畳は掃除機でしっかり掃除をする。畳の上にカーペットを敷くのは、ダニの温床になるのでNG。また、注意したいのは宅配便などの段ボール箱の置きっぱなし。ゴキブリの好きな環境なので早めに撤去して。

ポイント

- カーペット・畳はよく掃除をする
- 布ソファ・クッションなど布ものは掃除・洗濯
- 段ボールは置きっぱなしにしない
- 家電・家具のすき間を開け、ホコリを取る
- 窓まわりの結露をしっかり拭く
- 押入れの空気を入れ替える

寝室

髪の毛や皮脂がダニのエサになる!
掃除機がけ&洗濯でダニを撃退

ダニは50℃以上の熱で死滅するので、布団を干すのは10〜14時の日差しが強いときに。布団乾燥機を使う場合は布団全体に熱がいきわたるようにする。そのあとで、死骸やフンは掃除機で吸い取る。複数の方法を同時にやると、効果が高くなる。

ポイント

- 布団は外に干す
- 布団乾燥機にかける
- 布団に掃除機をかける
- シーツやカバーはこまめに洗濯する

浴室

湿気が多くてカビが生えやすい。
「換気&水分を取る」を徹底的に

浴室は高温多湿でエサになる汚れがある、カビが大好きな環境。カビが生えてしまったら、強い洗剤を使って除去することになるので、その前の予防が大切。徹底的に換気をし、生えやすい場所の水分を取る。毎日掃除をしてエサを減らすことを習慣に。

ポイント

- 換気扇を回すときは窓・ドアを開けない
- こまめに掃除をする
- タイルの目地・ゴムパッキンは水分を取る
- シャンプー・掃除道具はつるす収納にして水分を切る

3時間で終わる！ラクチン大掃除

何かと忙しい12月だから、大掃除は「3時間だけ」で終わらせてみませんか？

キッチン、リビング、水まわりの3つのスペースに分け、それぞれ1時間ずつ。普段は、時間がなくてできない部分に絞って掃除します。どこから始めてもいいのですが、スペースごとに全体の掃除の流れを把握しておきます。ポイントは、つけ置きや湿布などで洗剤を汚れに浸透させている間に、ほかの部分の掃除をすること。

場所別に3日に分けてやったり、週末の半日を大掃除ＤＡＹと決めて、家族のイベントにしてしまうのも手。楽しく掃除ができそうです。

【3時間大掃除タイムスケジュール】

キッチン　1時間30分

① 換気扇のファンなどをつけ置きする ➔P.52
② 壁に洗剤をつけて湿布する ➔P.54
③ 換気扇の周囲を掃除する ➔P.53
④ ②を拭き取る ➔P.54
⑤ ①を洗う ➔P.53

リビング　1時間

① ベランダを掃除する ➔P.69
② 網戸・窓を掃除する ➔P.40
＊カーテンを洗濯する ➔P.98

浴室・トイレ・洗面所　30分

① 浴室にカビ用洗剤を湿布する ➔P.61
② 洗面所の収納の中を拭く ➔P.66
③ ①を洗い流す

2章

洗濯の基本

監修　佐々井優子

消費生活アドバイザー。テレビ、雑誌などで洗濯や掃除など家事に関するアドバイスをしている。また染織家として、定期的に作品展を開催。

洗濯の基本

大切な衣類を傷めずに、きれいに短時間で洗い上げるために、
知っておきたい3つの基本があります。

1
汚れたら早めに洗う

汚れは、ついてから時間がたつほど落ちにくくなります。そのままにしておくと、落ちないシミになったり、菌が繁殖してニオイの原因になることも。できるだけ早めに洗濯しましょう。

2
洗う前の“ひと手間”が大切

洗い上がりをよくするには、洗う前のひと手間を忘れないことが大切。洗濯表示を確認したり、シミを落としたり、洗濯ネットに入れたり。習慣にすれば、面倒に感じることもありません。

洗濯の流れ

準備

仕分けをする

そのまま洗濯機に入れて洗えるもの、汚れがひどいもの、色移りしそうなもの、デリケートな衣類の4つに仕分けをする。

→P.82

前処理をする

襟や袖の汚れや、脇の汗ジミ、泥汚れなどは、石けんや洗剤を使って部分洗いしたり、つけ置きして落としておく。

→P.83

衣類のチェック・保護

ボタンが取れていないか、ポケットに何か入っていないかなど確認。デリケートな衣類はネットに入れて保護をする。

→P.84

洗う

衣類を洗濯機に入れ、衣類に合った洗剤を選んできちんと計り、衣類や汚れの程度に合ったコースで洗う。

→P.86

洗濯するもの

ふだん着、パジャマ、下着など

色落ちしそうなものや汚れがひどいもの、デリケートなもの以外は、そのまま洗濯機に入れて、洗濯用洗剤で洗う。

→P.86

セーター、ブラウスなどのおしゃれ着

たたんでネットに入れ、中性のおしゃれ着用洗剤で、洗濯機のドライコースで洗う。短く脱水したあと、陰干しする。

→P.92

毛布、カーテンなどの大物

洗濯表示を確認し、洗えるものはたたんでネットに入れ、中性洗剤を使って洗濯機の大物洗いコースで洗う。

→P.98

帽子、スリッパなどの小物

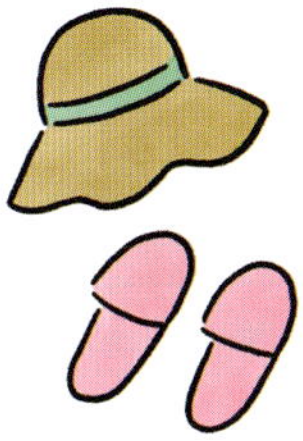

それぞれ、型崩れを防ぎながら汚れを取るコツがある。基本は中性洗剤で、ブラシなどを使ってやさしく洗う。

→P.100

コート、ジャケットなど水洗いできないもの

水洗いできない衣類は、汚れや汗などのシミを取り、風を通す。汚れたらクリーニング店でお手入れを。

→P.96、114

3 シワを防いで短時間で乾かす

干す前のちょっとした工夫で、衣類のシワや型崩れを防げます。アイロンがけがラクになったり、不要になったり。乾くまでの時間を短くするため、風通しよく干すのも大切です。

干す・乾かす

脱水後はそのまま放置せず、すぐに取り出す。型崩れやシワを防ぎながら、風通しよく干す。

→P.88

たたむ・アイロンをかける

乾いたら、収納場所に合わせてたたむ。アイロンが必要なものは、洗濯表示を確認してからアイロンがけをする。

→P.106、174

洗濯

洗濯表示の見方

衣類を購入したときの状態でできるだけ長く保つために、洗濯する前には、まず表示をチェックしましょう。

洗い方や干し方、アイロンがけの仕方がわかる

衣類についている洗濯表示、ちゃんと見ていますか？「たぶんこうだろう」という想像でいいかげんにお手入れすると、縮んでしまったり、衣類を傷める可能性があります。表示には、水洗いができるかどうかや、漂白剤が使えるかどうか、アイロンがけの温度など、繊維や織り方の性質に合ったお手入れの仕方が書いてあるので、必ずチェックしましょう。

知っておこう！

現在の表示の意味

洗濯表示は、以前のJISマークから、世界共通のISOマークへと、2015年から徐々に変わっています。

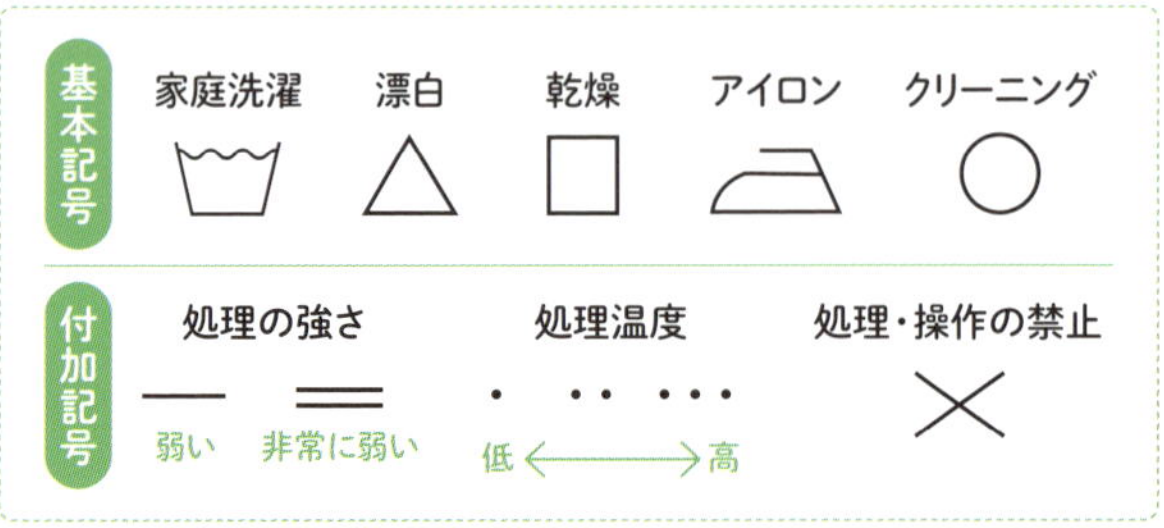

	現在の表示		2015年以前の表示	
洗い方	40	液温は数字の温度を限度とし、洗濯機で洗濯処理ができる	40	液温は数字の温度を限度とし、洗濯ができる
	40	液温は数字の温度を限度とし、洗濯機で弱い洗濯処理ができる	弱 40	液温は数字の温度を限度とし、洗濯機の弱水流または弱い手洗いがよい
	40	液温は数字の温度を限度とし、洗濯機で非常に弱い洗濯処理ができる		
		液温は40℃を限度とし、手洗いができる	手洗イ 30	液温は30℃を限度とし、弱い手洗いがよい。洗濯機は使用できない
		家庭での洗濯はできない		水洗いはできない

	現在の表示		2015年以前の表示	
漂白処理		塩素系及び酸素系漂白剤による漂白処理ができる		塩素系漂白剤による漂白ができる
		酸素系漂白剤の使用はできるが、塩素系漂白剤は使用禁止		塩素系漂白剤による漂白はできない
		塩素系及び酸素系漂白剤の使用禁止		
干し方		タンブル乾燥ができる。排気温度の上限80℃		
		タンブル乾燥ができる。排気温度の上限60℃		
		タンブル乾燥はできない		
		つり干し乾燥がよい		つり干しがよい
		ぬれつり干し乾燥がよい		
		日陰でのつり干し乾燥がよい		日陰のつり干しがよい
		平干し乾燥がよい		平干しがよい
		ぬれ平干し乾燥がよい		
		日陰での平干し乾燥がよい		日陰の平干しがよい
アイロンがけ		底面温度200℃を限度とし、アイロン仕上げができる		210℃を限度とし、高い温度（180～210℃まで）でかけるのがよい
		底面温度150℃を限度とし、アイロン仕上げができる	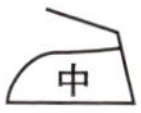	160℃を限度とし、中程度の温度（140～160℃まで）でかけるのがよい
	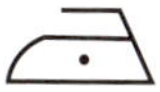	底面温度110℃を限度とし、スチームなしでアイロン仕上げができる		120℃を限度とし、低い温度（80～120℃まで）でかけるのがよい
	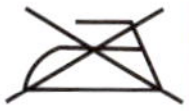	アイロン仕上げはできない		アイロンがけはできない
ドライクリーニング		パークロロエチレン及び石油系溶剤によるドライクリーニング処理ができる		ドライクリーニングができる。溶剤は、パークロロエチレンまたは石油系のものを使用する
		石油系溶剤によるドライクリーニング処理ができる		ドライクリーニングができる。溶剤は石油系のものを使用する
		ドライクリーニングはできない		ドライクリーニングはできない
ウエットクリーニング		ウエットクリーニングができる		
		ウエットクリーニングはできない		

洗濯

洗濯機と洗濯の道具

家族構成・ライフスタイルに合った洗濯機と、便利な道具があれば、洗濯はもっと楽しくスムーズになります。

洗濯機は洗い方、節水量、価格などに差がある

洗濯機はタテ型とドラム型で、洗濯の仕方や使用する水の量、乾燥能力などに違いがあります。それぞれの特徴を知って、自分の家庭に合うものを選びましょう。夜洗濯など生活習慣の多様化で、乾燥機や除湿器の利用も増えています。使いやすい洗濯小物を揃えておくことも、洗濯上手になるコツ。

選び方のポイント

☑ **洗濯・脱水容量と乾燥容量**

布団や毛布も洗いたい人は、家族が少なくても大きめを選んで。

☑ **省エネ性**

機種によって、消費電力量や使用水量がかなり違ってくる。

☑ **音の静かさ**

脱水時はとくに気になる音。夜に洗濯する人には重要ポイント。

大きく分けて2種類

洗濯機

ドラム型

衣類を傷めにくく、省エネ性が高い

衣類を上から下に落とす「たたき洗い」で、衣類にやさしい。タテ型に比べ消費電力や使用水量が少なく、乾燥機能にもすぐれている。

特徴

- 衣類が傷みにくい
- 消費電力、使用水量が少ない
- 音・振動がやや大きい

タテ型

価格が抑えられ、汚れ落ちもよい

乾燥機能がついたものが主流。洗濯槽の底にあるパルセーター（回転羽根）のかくはん水流による「もみ洗い」で、汚れをしっかり落とす。

特徴

- ドラム型より価格が低く抑えられる
- 途中で洗濯物の追加が可能
- 乾燥機能はあるが完全には乾きにくい

乾燥機・除湿機

乾燥機

天気に左右されず便利。ガス式と電気式の2種

洗濯機の上に設置する乾燥機には、ガス式と電気式がある。ガス式のほうが短い時間でふんわり仕上がり、光熱費が抑えられるが、設置場所に制限がある。

除湿機

家の建材や部屋の広さに合わせて選ぼう

部屋干しの衣類を早く乾かせて、結露を防ぐ効果も。除湿可能面積が、使用する部屋の広さや家の建材（木造か鉄筋か）に合っているかを購入前にチェックして。

便利な道具

室内物干し

雨の日や花粉の季節、室内に洗濯物を干すのに便利。使わないときはコンパクトにたためる。洗濯物の量に合わせて選ぶ

洗濯ハンガー

型崩れしないよう、衣類の肩幅に合ったものを選んで。厚みがあるものだと乾きやすい

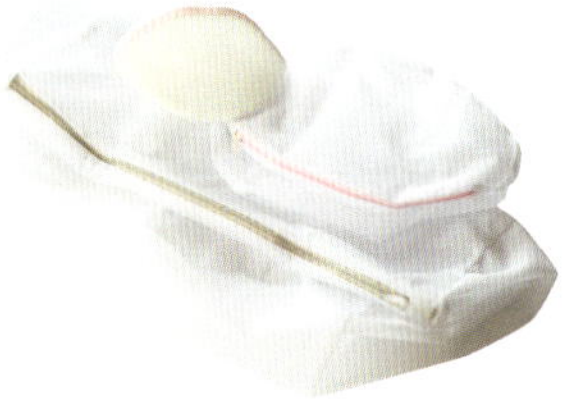

洗濯ネット

洗濯中の衣類同士のからまりを防いで、大切な衣類を傷めない。さまざまなサイズのものをそろえておくと便利

ピンチハンガー

靴下やハンカチなどの小物を干すのに便利。プラスチック製は軽いが、耐久性はステンレス製のほうが勝る

セーター干し

セーターが伸びないよう、平らに広げて干せるネット。つるせるタイプだと場所を取らず、乾きやすい

洗いおけ

衣類を手洗いしたいときや、汚れのひどい衣類をつけ置きしたいときに役立つので、ひとつは持っておきたい

洗濯ブラシ

洗濯機に衣類を入れる前に、襟や袖口など、汚れのひどい部分を前処理するときに使う

ピンチ

衣類をはさむタイプより、さおをしっかりつかめる大きなタイプが人気。衣類に跡が残りにくいものもある

洗濯

洗剤の種類と使い方

洗濯用洗剤以外に、漂白剤や柔軟仕上げ剤、部分洗い洗剤なども使いこなして、洗濯上手に！

ふだんの洗濯用とおしゃれ着用を使い分ける

一般衣料用の洗剤には、液体、粉末、ジェルボールタイプなどがあり、液性も弱アルカリ性、中性と様々です。配合成分も、酵素、漂白剤、蛍光増白剤など多様なので、汚れの種類や目的に合わせて選びましょう。デリケートな素材なものには、おしゃれ着用中性洗剤を使います。生地の縮みを防ぎ、風合いを保ってくれます。

洗剤の特徴

弱アルカリ性

汗、皮脂汚れなど酸性の汚れを落とすのが得意。酵素などの配合で洗浄力の高い合成洗剤と、肌や環境にやさしい洗濯用石けんがある。

中性

弱アルカリ性より洗浄力は劣るが、繊維にはやさしい。おしゃれ着用の中性洗剤には、繊維のすべりをよくし、色あせを防止する成分が配合されている。

ふだんの洗濯洗剤

粉末洗剤

酵素配合で、タンパク質や油を分解。洗浄力が強く、泥汚れや皮脂汚れをしっかり落とせる。溶け残りに注意

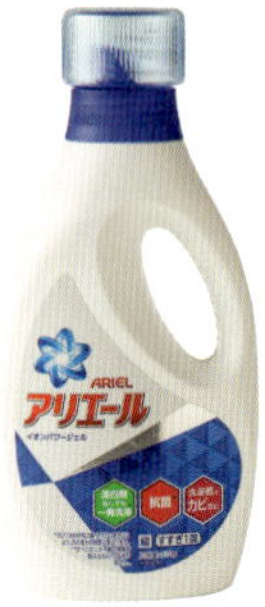

液体洗剤

水に溶けやすく、汚れのひどい部分に直接塗布できる。抗菌成分配合で、部屋干しの生乾き臭を防ぐタイプのものが主流

ジェルタイプ洗剤

ジェルボールを洗濯槽にポンと入れるだけなので、洗剤を計量したり、つめ替えをする手間がいらない

石けん洗剤

石油を使用せず、天然油脂や脂肪酸から作られる洗剤。粉末と液体があり、液体は水に溶けやすいが使用量が多い

おしゃれ着用洗剤

中性洗剤

ウールや絹などデリケートな素材に。毛羽立ちや毛玉、色あせ、型崩れを防ぎながら洗える。蛍光剤は無配合

+more

目的に合わせてこんな洗剤もあり

少ない水で洗浄するドラム型洗濯機専用の洗剤や、大幅な節水になるすすぎ1回用の洗剤などもある。生成りや淡い色の衣類には、蛍光増白剤無配合の洗剤を使用しよう。

check!

ファスナーや金属ボタンに漂白剤は使えない

金属を使ったボタンやホック、ファスナーなどのついた衣類は、漂白剤を使うと塗装がはげてしまうことがある。部分洗いにとどめておこう

柔軟仕上げ剤

花粉の付着や静電気、毛玉や毛羽立ち、衣類のからまりなどを防ぎ、衣類をふんわり仕上げてくれる

check!

柔軟仕上げ剤の香りを選ぶときには

柔軟仕上げ剤は、ふんわり、なめらかに仕上げる本来の目的のほかに、消臭効果もある。さまざまな種類や強さの香りを選べるが、自分の好みだけでなく、周囲の人へも配慮も忘れずに。

のり剤

洗濯の仕上げに使うことで、生地にハリを持たせられる。シーツ、枕カバー、ワイシャツ、ゆかたなどに

漂白剤

洗濯表示 … △ ⧅

液体タイプ

粉末タイプ

洗濯表示 … △

酸素系

洗剤と一緒に洗濯機に入れて使える。色柄ものを含め、水洗いできる衣類なら使用OK

水洗いできる綿、麻、化学繊維の汚れ落としに。つけ置き洗いも効果的。色柄ものにも使える

塩素系

除菌・消臭効果が高く、綿・麻・ポリエステルなどの衣類を強力に漂白。色柄ものには使えない

部分洗い洗剤

固形石けん

黒くなった靴下の底など、汚れのひどいところに塗り込んでもみ込むと、汚れが落ちやすい

スプレー式

洗濯前に、汚れが気になる部分に直接スプレー。泡が汚れを溶かして落ちやすくする

塗布式

洗濯機に入れる前に、襟や袖口など汚れがひどい部分に直接塗り込むと、汚れ落ちがよくなる

+more

洗剤のおもな成分の働き

界面活性剤

皮脂を水と混ざりやすく

汚れを落とす主成分。洗濯液を繊維に浸透させ、汚れを乳化、分散させて落とす

蛍光増白剤

染料の１つで、より白くする

多くの白い衣類に使われている、白く見せるようにする染料。蛍光剤入りの洗剤で白さを補うことができる

酵素

汚れを分解して落とす

繊維の奥まで入り込んだ皮脂汚れやタンパク質汚れを分解して落としやすく。つけ置き洗いをすると効果的

洗濯

洗う前の準備

洗濯機に入れる前の準備をしっかりとすることで、失敗を防げます。習慣になれば、面倒に感じることもナシ。

準備がきちんとできれば失敗なく洗える

洗濯が終わって取り出したときに、「汚れが落ちてない……」と気づいたときのガッカリ、経験ありませんか？ または、真っ白だった衣類にうっすら色がついてしまって、ショックを受けたことは？ そんな失敗を防ぐためには、洗う前のひと手間を惜しまないことが大切。衣類の仕分けをして、汚れが気になる部分には前処理をするのを習慣にしましょう。

まずはタグを見て表示を確認

失敗を防ぐために欠かせないのが、衣類のタグについている洗濯表示の確認。水洗い可能か、適した温度や水流なども確かめて。

仕分けをする

そのまま洗濯機で洗えるふだん着、大切に洗いたいおしゃれ着、前処理が必要なもの、色移りが心配なものの４種類に分別しましょう。

汚れが目立つもの

運動着など泥汚れや皮脂汚れが気になるもの、食べ物の油汚れ、シミなどがついた衣類。前処理（P.83）をしてからふだん着と一緒に洗う

おしゃれ着

「手洗い」の洗濯表示があるものや、毛羽立ちなどを防いで大切に洗いたいデリケートな衣類

ふだん着

色落ちの心配のない下着やカットソー、タオルなど。ほかの3つの項目にあてはまらないもの

色移りしそうなもの

濃い色のものや柄もの、色落ちが心配なものは、まず色落ちチェックを（P.92参照）

前処理をする

洗濯機で洗うだけでは落ちにくい、襟や袖の皮脂汚れ、全体的な黄ばみは
洗濯機に入れる前に前処理を。部分洗いとつけ置き洗いがあります。

【部分洗い】

部分的に汚れが気になる場合は、その箇所に石けんや洗剤を直接つけて、もんだりこすったりするだけで汚れが落ちやすくなる。

靴下の汚れ

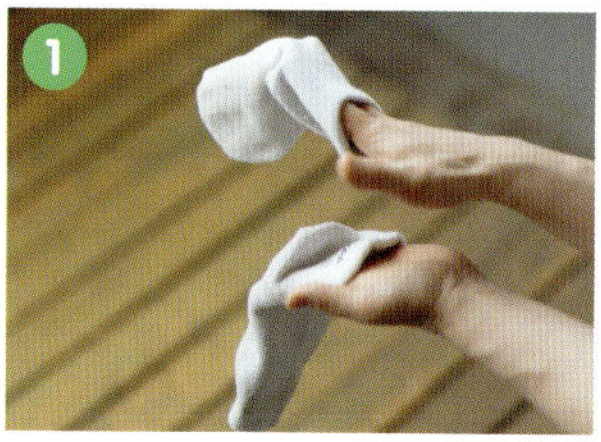

1 底の泥をはたき落とす

両方の靴下の中に手を入れ、たたくようにして、靴下の底の泥をはたき落とす。

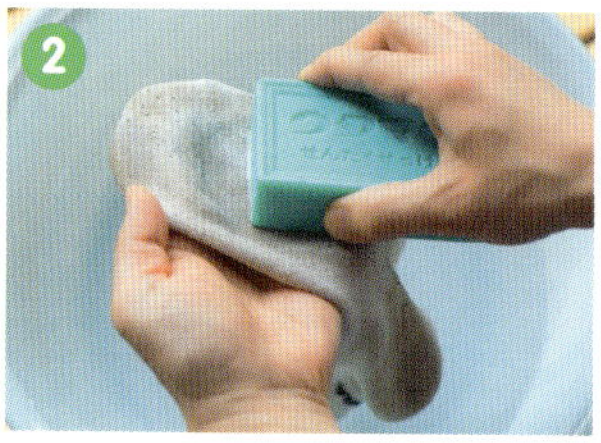

2 ぬらしてから石けんでこする

一度ぬらしてから、汚れたところを洗濯石けんでこすり、両手で石けんをよくもみ込む。

食べこぼし、シミ

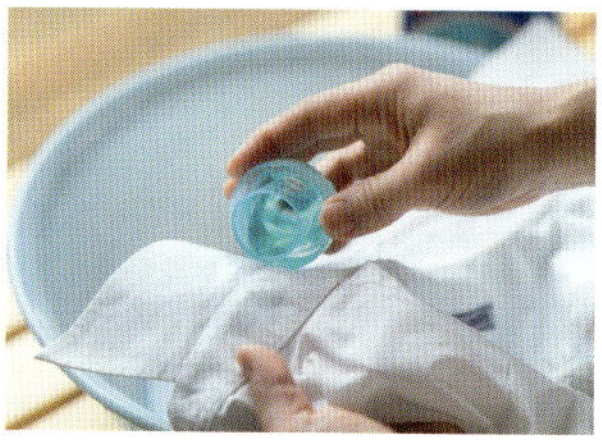

洗濯用の洗剤の原液を、汚れの部分に直接少量たらし、指先でもみ洗いしてから洗濯機へ。洗濯機に入れる洗剤はその分を少し減らして。

襟、袖の汚れ

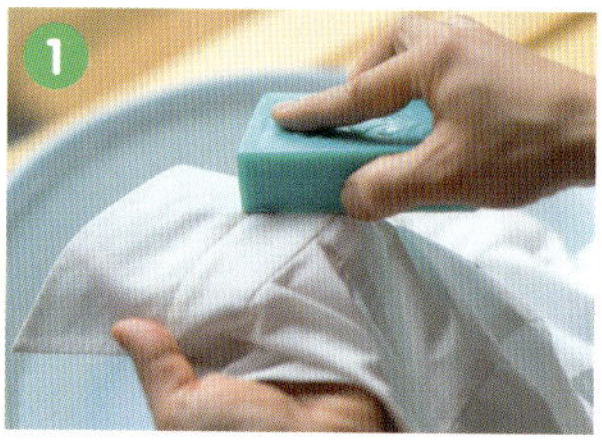

1 固形石けんでこする

洗濯用の固形石けんを、汚れている部分にこすりつける。または、塗布式の洗剤を塗る。

2 ブラシでこする

洗濯ブラシを、生地に対して直角にあててこする。サッサッと素早く、リズミカルに動かして。

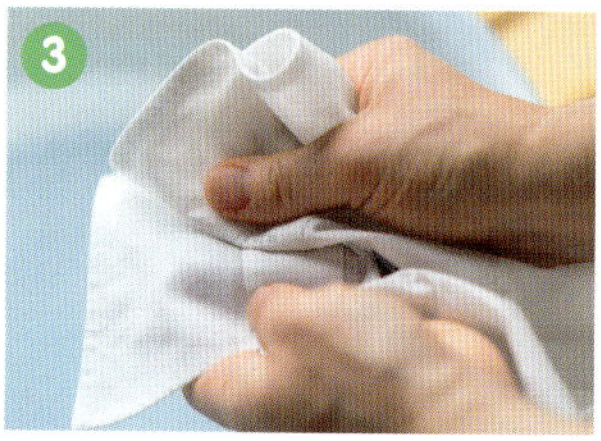

3 手でもみ込む

さらに手でよくもみ込む。取れにくい汚れは、爪の先でつまみ洗いをする。

【つけ置き洗い】

衣類全体の汚れや、脇の汗ジミなどが気になる場合は、濃いめの洗剤液につけ置きするのがおすすめ。30分～2時間置き、ざっともみ洗いしてから洗濯機へ。

Check!

白い衣類の黄ばみは漂白剤につける

洗濯で落ちなかった汗や皮脂が、時間がたって酸化するのが黄ばみの原因。素材に合った漂白剤をぬるま湯に溶かして、つけ置きを。

洗濯

毎日の洗濯

同じ洗剤を使って、同じ洗濯機で洗っていても、洗う前のちょっとしたひと手間で、洗い上がりに違いが出ます。

洗濯機に入れる前の「ひと手間」が大切

「洗濯は洗濯機がやってくれるから、誰がやっても同じ」と思っていませんか？　ふだんの洗濯も、ちょっとしたコツを知るだけで、汚れ落ちがよくなったり、型崩れや色落ちを防ぐことができます。

頻繁に着る服は洗う回数も多いので、コツを知っているかどうかで、「持ち」が全く変わってきます。ほんのひと手間でも、積み重なると大きな差が出るのです。

せっかく出会えたお気に入りの衣類を、長く、いい状態で着続けるために、毎日の洗濯にひと工夫してみましょう。初めは面倒に思えても、いつの間にか習慣になるはずです。

1 衣類のチェック

まずはタグを見て水洗いできるかどうか、そしてポケットの中をチェック。そのほか、右下のようなポイントを忘れずに確認して。洗濯が終わってガッカリしないために大切なこと。

ティッシュは入ってない？

ポケットの中を確認する

洗濯機を開けたら、衣類がティッシュまみれ……そんな悲劇を防ぐために、ポケットの中をチェック。ほんの10秒くらいで終わる、大切な作業。

その他チェックすること

- ☑ ズボンの折り返しのゴミ
- ☑ 取れかかっているボタン
- ☑ 前処理の必要な汚れ
- ☑ 裾などのほつれ
- ☑ からまりそうなひも

2 衣類の保護

洗濯中に衣類同士がからまることで、傷みや型崩れの原因になる。ネットに入れたり、ファスナーを閉めておくだけで、からまりが防げる。

ファスナーやボタンは閉めておく

衣類のファスナーやボタンは、ほかの衣類に引っかかって傷つける可能性がある。洗う前に閉めておこう。

飾りがついていたら裏返す

リボンなどの飾りがついている場合は、裏返してからネットに入れて洗うと、飾りが外れたり傷ついたりするのを防げる。

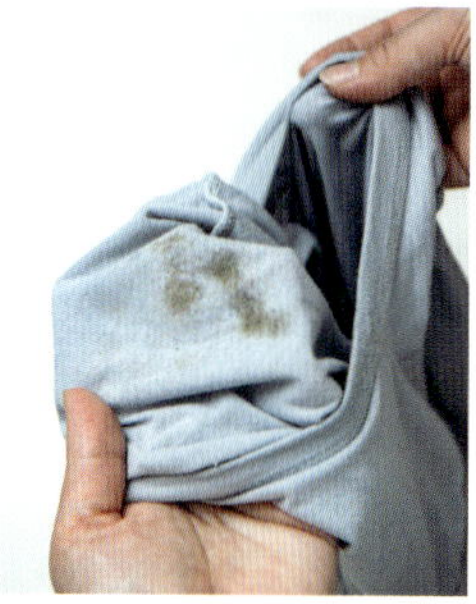

汚れているほうを外側にする

衣類の汚れている側を外にして洗うと、汚れが落ちやすい。タテ型洗濯機の場合は、底のほうに入れるのがおすすめ。

こんな衣類は洗濯ネットに入れるのがおすすめ

- ☑ からまりやすい衣類
- ☑ 生地が薄い衣類
- ☑ 濃い色やプリントの衣類
- ☑ 型崩れの気になる衣類
- ☑ 毛羽立ちやすい衣類
- ☑ 飾りのついた衣類

洗濯ネットに衣類を入れる

衣類をたたんで、洗濯ネットに入れる。洗濯ネットは衣類同士の摩擦を減らして、シワや傷み、からまり、型崩れ、糸くずの付着や毛羽立ちを防いでくれる。

check!

洗濯ネットの使い方

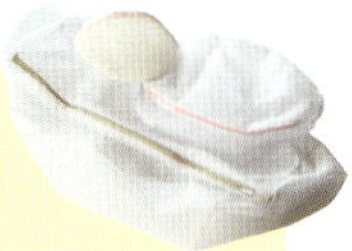

衣類の大きさに合わせて選ぶ

衣類に対してネットが大きすぎると衣類が動いてしまうし、ネットが小さすぎると汚れ落ちが悪くなる原因に。

基本は1つのネットに衣類1枚

1枚の洗濯ネットに衣類を何枚もつめ込みすぎると、汚れ落ちが悪くなるうえ、摩擦で衣類が傷む可能性も。

網目の細かいもの・大きいものを使い分ける

網目の細かいネットは、毛羽立ちや糸くずの付着を防いでくれる効果が大。汚れ落ちを優先したい場合は、編み目の粗いネットを使って。

3 洗う

準備が終わったら、ようやく洗濯スタート。洗濯機への衣類の入れ方、コースの種類や洗剤の入れ方をきちんと知っておきましょう。

\ 前処理をしてから /

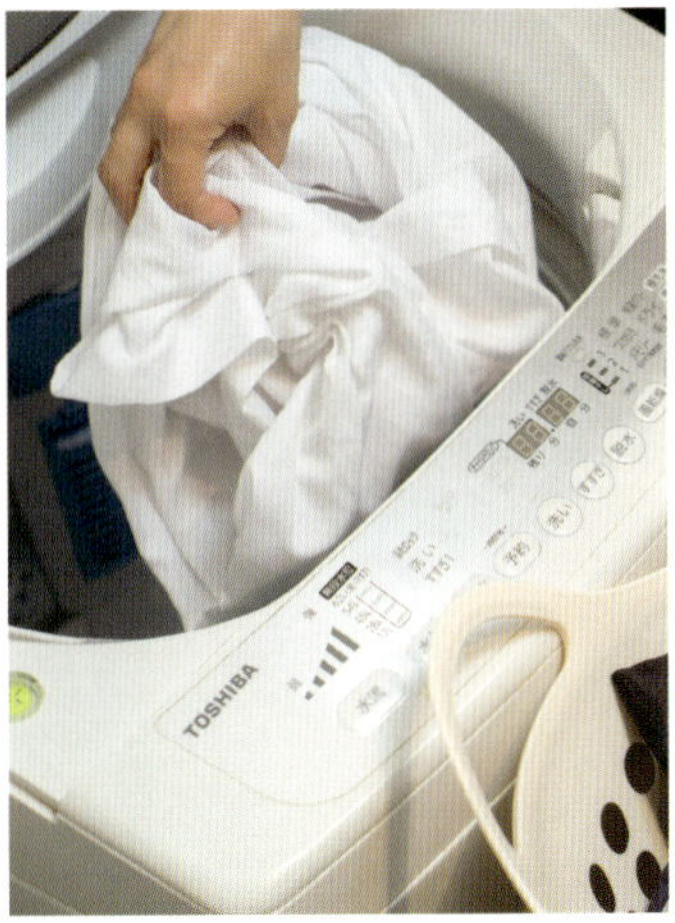

1 洗濯物を入れる

前処理や保護をした衣類を、洗濯機に入れる。汚れがひどいものは底のほうに入れると、よく動くので汚れが落ちやすい（タテ型洗濯機の場合）。

Check! 衣類は容量の八分目くらいまでに抑える

衣類をたくさん入れすぎると、汚れが落ちにくくなる。柔軟仕上げ剤の効果も十分に期待できなくなるので、注意しよう。

\ 残り湯を使うなら /

風呂水ホースをセットする

風呂の残り湯を使う場合には、風呂水ホースをセットする。ホースを伸ばし、ポンプ部分を浴槽に沈める。

Check! 洗濯に使う水の温度は25～40℃

洗剤に含まれている酵素は、水温が25～40℃くらいで効果を発揮する。粉末洗剤の場合は、水温が低いと溶けにくくなり、汚れ落ちも悪くなる。水温が高すぎると、色落ちしやすいので注意が必要。

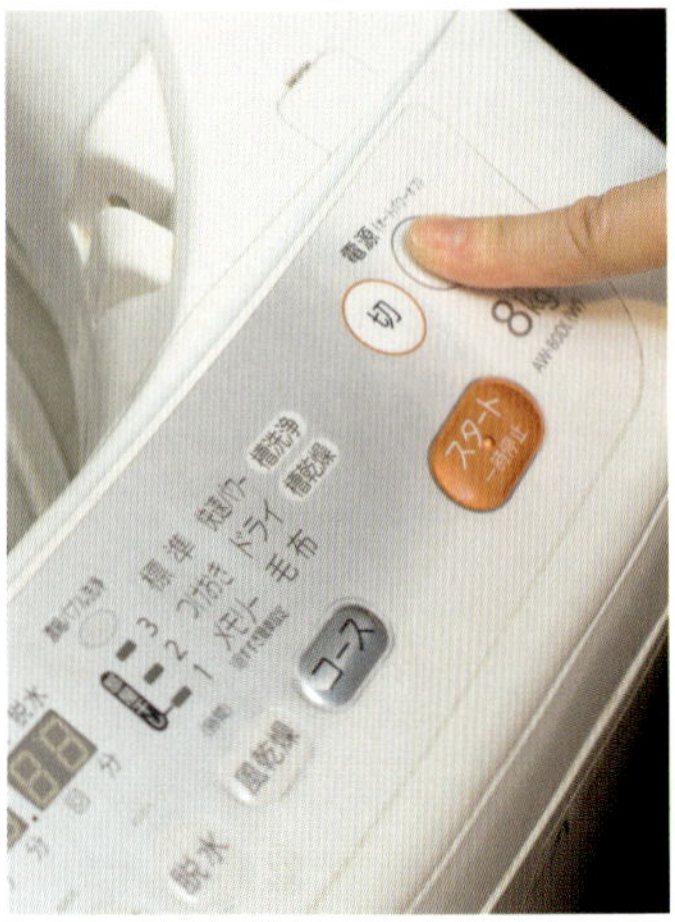

2 コースを選ぶ

洗濯コースを選んでスタートボタンを押すと、衣類の計量が始まり、水量が表示される。

コースの種類

標準	ふだんの洗濯に最適
ドライ（手洗い・ソフト）	やさしい水流、短めの脱水でデリケートな衣類を洗う
スピード	汚れの軽いものを短時間で洗う
大物洗い	タオルケットや毛布などを、時間をかけて洗う
すすぎ1回	「すすぎ1回でOK」の洗剤を使って洗う

check!

のり剤を使うときは

洗濯が終了したら、のりづけしたい衣類を残して、「洗い」「脱水」を選択。水がたまってから、適量ののり剤を入れる。直接衣類にかからないように注意して。

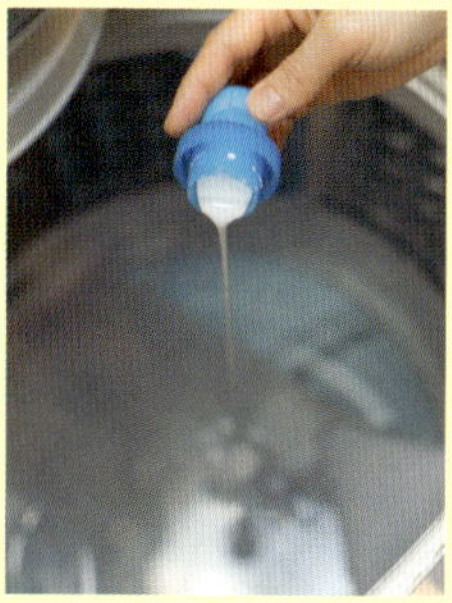

+more

洗剤を「自動投入」してくれる洗濯機も

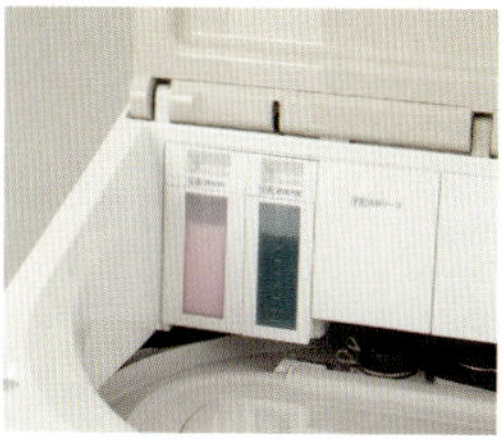

前もって専用タンクに液体洗剤や柔軟剤を入れておくと、自動で最適な量を計って投入してくれる洗濯機もある。いちいち計る手間がなくて便利。

3

洗剤、柔軟仕上げ剤を入れる

水量に合った洗剤を、洗剤の投入口に入れる。漂白剤を使うときも、一緒に洗剤投入口に。柔軟仕上げ剤は、自動投入口に適量を入れる。

check!

洗剤はきちんと計ること

洗剤のパッケージに表示してある量を、計って入れる。少ないと汚れが落ちきらず、多すぎるとすすぎが不十分になることも。

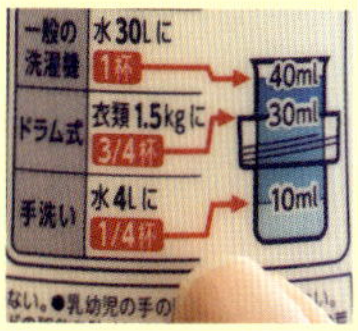

スタート

洗濯機がすること

洗い

↓

脱水

↓

すすぎ①

↓

脱水

↓

すすぎ②

（このときに柔軟仕上げ剤が入る）

↓

脱水

↓

終わり

2回目のすすぎは、給水しながら行う洗濯機もある。シワが気になる場合は、最後の脱水の途中で洗濯機を止めるとよい。

洗濯

洗濯物の干し方

洗濯物を早く乾かすには、風通しよく干すことが大切。干し方しだいで、シワや型崩れを防ぐことができます。

型崩れ、シワを防ぎ早く乾かす

洗濯物を干すときに大切なのは、衣類の型崩れを防ぎ、できるだけ早く乾かすことです。乾くまでに時間がかかると、衣類が傷んだり、ニオイの原因になります。「洗濯ジワ」も、干すときのコツで、かなり防ぐことができます。洗濯物が乾きやすいのは午前中です。夕方になると衣類が湿気を吸うので、夕方前には完全に乾いていなくても取り込んで、部屋干しにします。

さおは清潔に

物干しざおは、雨やホコリで思ったより汚れている。洗濯物を干す前には、雑巾でさおを拭くことを習慣にしよう。

1 シワを防ぐ

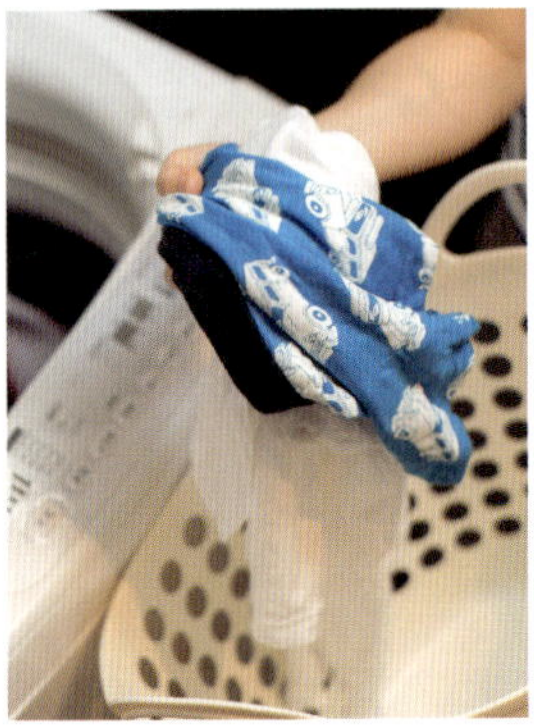

1
脱水後はすぐに取り出す

脱水した状態で放置しておくと、シワがついたり、雑菌が繁殖してニオイの原因に。すぐに洗濯機から取り出して。

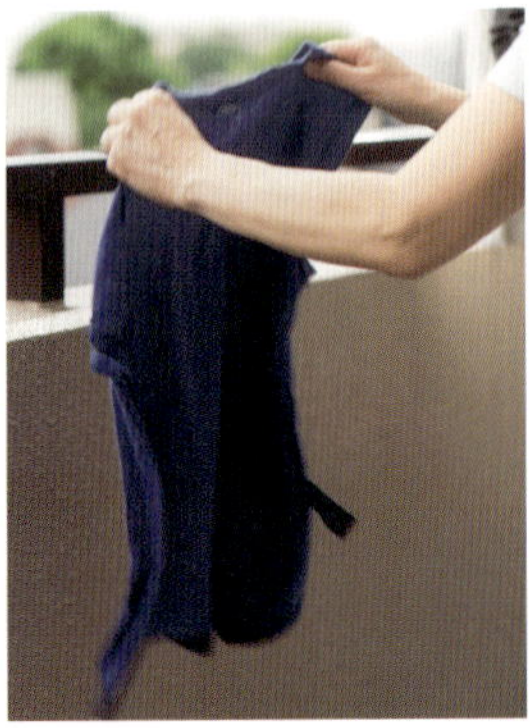

2
端を持ってよく振りさばく

取り出した衣類は、端の部分を持って何度か振りさばく。パンツは脇、股下の縫い目を上下に引っ張る。

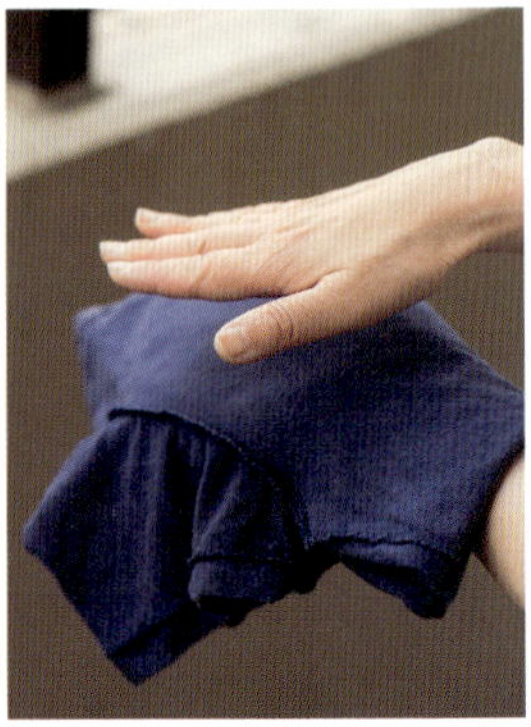

3
たたんでシワを伸ばす

たたんで手のひらにのせ、パンパンとたたいてシワを伸ばす。こうするだけでピシッとした仕上がりになる。

Check!

脱水時間を短くするとシワ防止に

洗濯機の脱水時間は、標準コースでは5～8分が一般的。シワが気になる衣類は脱水を短めに。30秒くらいでも脱水効果はある。

2 型崩れや色あせを防ぐ

Check!

ハンガーは裾から入れる

Tシャツやカットソーをハンガーにかけるとき、ハンガーを上から入れると、首まわりが伸びてしまう。必ず裾から入れること。

肩幅に合ったハンガーを使う

ハンガーが小さすぎたり大きすぎたりすると、肩のラインが崩れてしまう。衣類の肩幅に合ったハンガーを使おう。

色・柄ものは裏返して干す

色や柄ものの衣類は、日光に長くあてると色あせの原因になる。裏返して、日のあたらない場所に干して。

3 早く乾かす

風の通り道をつくる

ピンチハンガーに干すときは、風の通り道をふさがないように方向をそろえて干すとよい。

+more

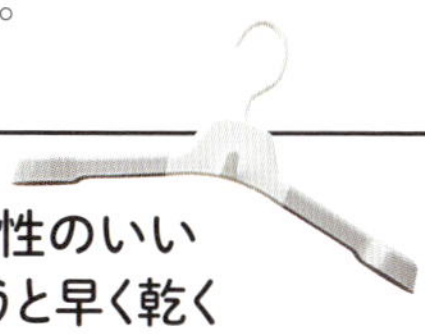

立体的で通気性のいいハンガーを使うと早く乾く

薄いハンガーより立体的なハンガーのほうが、風通しがよくなり衣類が乾きやすいのでおすすめ。通気性のいいハンガーもあり。

間隔を空ける

洗濯物は間隔を空けて干すと、風がよくあたるので乾きやすい。ハンガーの場合、できれば15cm以上は空けたい。

ずらして干す

タオルなどは下の長さをそろえずにずらして干すと、風にあたる面が大きくなるので早く乾く。

アイテム別干し方のコツ

アイテムによって、型崩れを防いだり、
乾きやすくする干し方のコツがあります。

ワイシャツ

左右にピッ!と

襟の部分を左右に伸ばす

よく振りさばいてから、襟の左右の端を持ち、ピンと引っ張って伸ばす。

前立てを引っ張って伸ばす

前立ての部分も、上下の端を持ち、ピンと引っ張る。反対側も同様に。

ハンガーに干す

ハンガーに干し、真ん中あたりのボタンを1〜2個留める。手のひらでたたいて全体のシワを伸ばす。

トレーナー

ピンチハンガーで逆さづりにする

厚手のトレーナーは脇の下が乾きにくいので、逆さづりがよい。ピンチハンガーを使って筒干しに。

check!

ハンガーに干すなら袖を上げる

ふつうのハンガーに干す場合は、ピンチで両袖を持ち上げると、脇が乾きやすくなる。

スカート・パンツ

裏返し、筒状につるして干す

ポケットがよく乾くよう、また色落ちを防ぐためにも裏返して干す。ピンチハンガーを使って筒状に干すと、型崩れしにくく乾きやすい。

ブラジャー

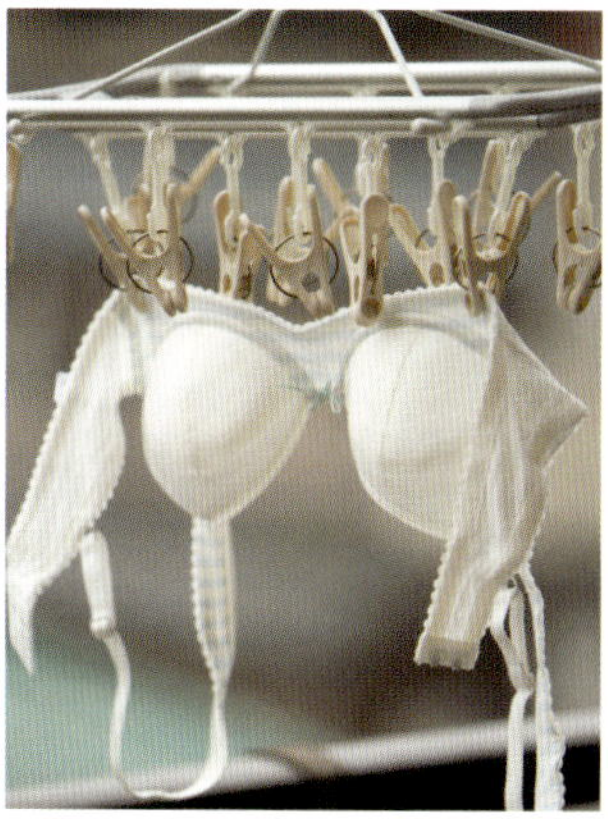

アンダー部をはさんでつるす

カップの部分を手でふんわりと整えてから、アンダーバストの部分を数カ所ピンチではさんで、陰干しする。

靴下

ピンチハンガーにつるす

履き口を上にして、ピンチハンガーにつるして乾かす。取り込むとき、靴下を引っ張って外すとよれの原因になるので、注意して。

手を入れて中を広げる

脱水後はぴったりくっついているので、風通しをよくするため、干す前に中に一度、手を入れて広げるようにする。

+more

室内干しは除湿器やエアコンを活用しよう

花粉や雨の季節は、室内干しすることも多くなる。乾くまでの時間が長くなると、雑菌が繁殖してニオイの原因になるので、できるだけ早く乾かす工夫をしよう。エアコンをドライモードにしたり、除湿器や扇風機も効果的。

かもい用クリップ

かもいに取りつけるフックなどを利用して、洗濯物が1カ所に密集しないよう干すのも◎。

バスタオル・シーツ

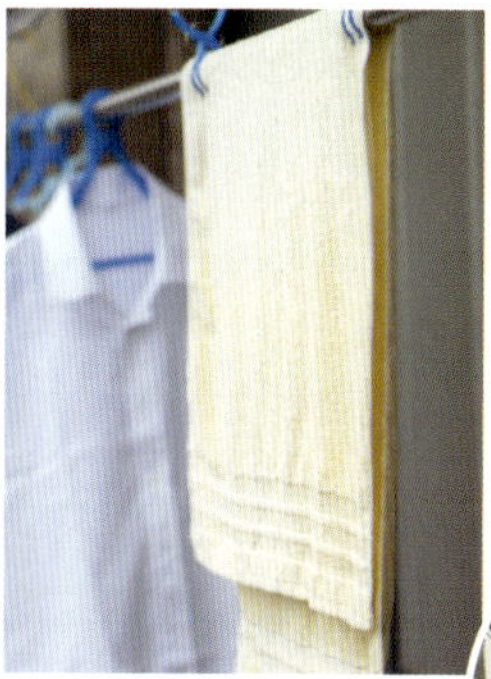

ずらし干し、またはじゃばら干しに

バスタオルは長さをずらして風通しよく干す。場所がない場合は、ピンチハンガーでじゃばらになるように干す（写真下）。

2本のさおでM字干し

シーツはさおにかけて、タテ、ヨコに引っ張ってシワを伸ばす。さおが2本使える場合は、写真のようにM字状に干すと乾きやすい。

洗濯

おしゃれ着の洗濯

ウールやシルクといったデリケートな衣類も、コツさえ押さえれば家でも失敗なく洗えます。

水洗いできるものは中性洗剤を使いやさしく洗う

スーツやジャケットなども、家庭で水洗いできるものが増えてきました。洗う前に、まずは洗濯表示をチェックしましょう。勘違いしている人も多いのですが、ドライクリーニングのマークがついている衣類でも、水洗い可能のマークがついていれば、家で洗えます。

洗剤はふだんの洗濯用ではなくおしゃれ着用の中性洗剤を使います。ふだんの洗濯と同様、シミや汚れがあれば前処理をしてから洗いましょう。1枚だけなら、手でやさしく押し洗いするのがおすすめです。洗濯機で洗う場合は、ドライコース（おしゃれ着コース）で、洗濯ネットを使うのを忘れずに。

脱水が終わったらすぐに洗濯機から取り出して、陰干しをします。

表示の見方

表示の組み合わせを確認して、水洗いできるかどうかをチェックしましょう。意外と、家で洗えるものが多いことに気づくはず。

ウエットクリーニングができる

クリーニング店でウエットクリーニングができる。家庭で水洗いできるという意味ではない。

水洗いできない

このマークがついていたら、家庭での洗濯はできない。

水洗いできる

水洗いができる表示。右は「手洗い」、左は「洗濯機で、表示の温度で洗える」という意味。

+more

水洗い可能でも、濃い色の衣類は「色落ちチェック」を

綿、麻、シルクの素材で濃い色の服や、「色落ちすることがあります」という表示のあるものは、下の方法でチェックを。

色落ちチェックの方法

衣類の目立たない部分に洗剤の原液をつけて5分ほど置き、白い布を押しあてる。色が移る場合は、ほかのものと分けて洗おう。

Check!

ドライマーク＝「洗えない」という意味ではない

下の表示は、「ドライクリーニングができる」という意味で、「家で洗えない」という意味ではない。「水洗い可能」の表示がついているかどうかを確認しよう。

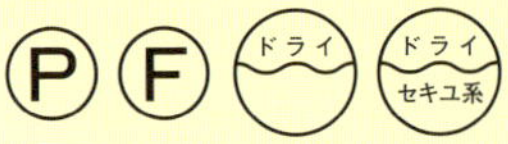

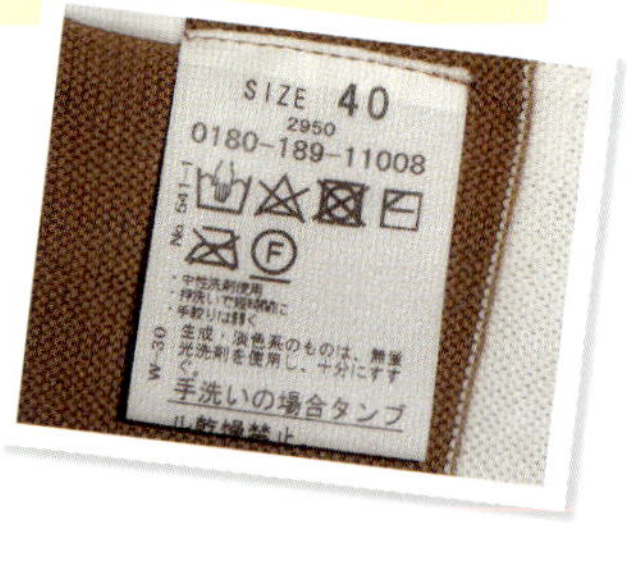

基本の洗い方・干し方

洗濯機の「ドライコース（おしゃれ着コース）」を使う方法と、
洗いおけで手洗いする方法があります。

前処理をする

洗濯の前に、シミや目立つ汚れがないか確認。汚れは中性洗剤を使って、シミは酸素系漂白洗剤などを使って前処理を（P.83参照）。

洗濯機の場合

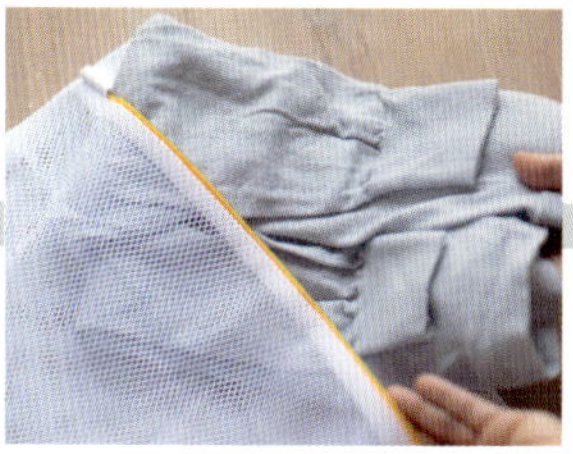

ネットに入れる

たたんで、適度に余裕がある大きさの洗濯ネットに入れる。

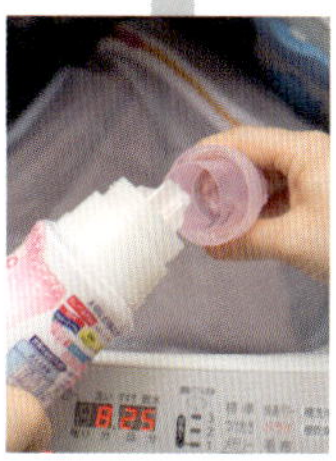

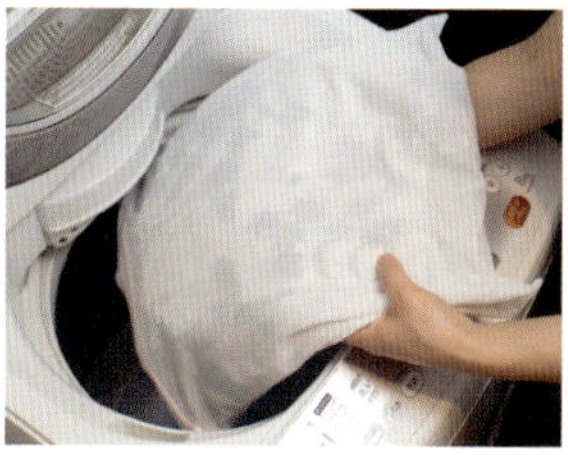

中性洗剤でドライコースで洗う

おしゃれ着用の中性洗剤を洗剤投入口に入れ、ドライコースで洗う。柔軟仕上げ剤も使用すると、風合いを保てる。

Check!

湯でなく常温の水を使う

おしゃれ着はぬるま湯で洗うものと思っている人が多いが、30℃以下（常温）の水で洗えばOK。温度が高いと、繊維が縮む可能性がある。

手洗いの場合

洗いおけの中で押し洗い

1枚だけ洗うときや、デリケートな素材を洗うときは、洗いおけに中性洗剤液を入れ、たたんだ衣類をやさしく押したり浮かしたりを繰り返し、短く脱水を。

Check!

風呂の残り湯は使わない

おしゃれ着を洗う際は、洗いにもすすぎにも風呂の残り湯は使わない。残り湯の汚れが洗浄力に影響したり、縮みの原因になることも。

日陰で風通しよく、型崩れを防いで干す

脱水後はすぐに取り出し、形を整えて、直射日光のあたらない場所で干す。ニット類は平干しネットなどを使って、型崩れしないように乾かして。

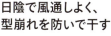

アイテム別洗い方・干し方

家で洗えるおしゃれ着も増えています。
表示を見て、洗えるものは自分で洗ってみましょう。

セーター

中性洗剤で洗う

中性洗剤を使って、ネットに入れて洗濯機のドライコースで洗うか、洗いおけで押し洗いをする。

脱水後は広げて整える

脱水後は、テーブルの上など平らなところにセーターを広げてシワを伸ばし、形を整える。

たたんで手の上でたたく

4つにたたんで手のひらにのせ、もう一方の手のひらで軽くたたいてシワを伸ばす。

平干しをする

ハンガーに干すと伸びやすいので、平干しネットなどを使って平らに置き、日陰に干す。

+more

平干しネットがないときの干し方

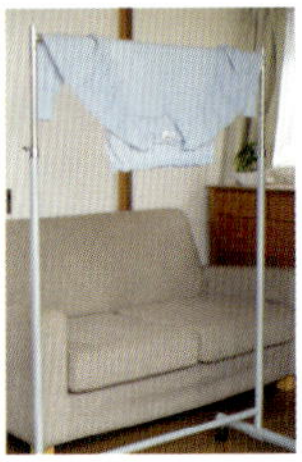

風のないところでポールにふんわりかけて干す。ある程度乾いたら、肩幅の合うハンガーにかけて日陰で乾かす。

check!

汚れやすい袖を外にしてたたむ

汚れのつきやすい袖などが外側に出るようにたたむ。左のように袖を折り返し、さらに三つ折りにしてネットに入れる。

スーツ（水洗いできるもの）

上着をネットに入れる

目立つ汚れは前処理をする。ボタンを外したまま上着をたたみ、ほどよい余裕のあるネットに入れる。

ズボンをネットに入れる

ズボンはファスナーを閉め、センターラインを合わせてじゃばら折りにして、上着とは別のネットに入れる。

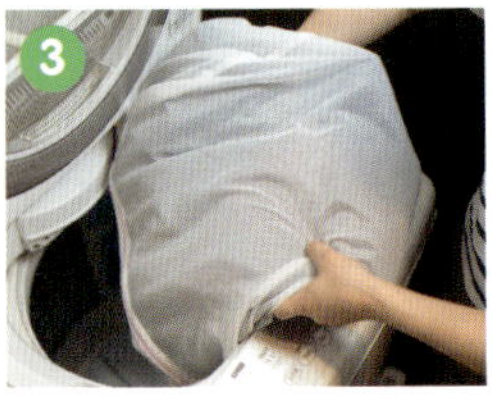

ドライコースで洗う

洗濯機のドライコースで、中性洗剤と柔軟仕上げ剤を使って洗う。脱水後はよく振りさばく。

陰干しする

縫い目に沿って引っ張りながら形を整え、陰干しする。上着は厚みのあるハンガーを使って干す。

ゆかた

前処理をしてたたんでネットに入れる

目立つ汚れは前処理をする。袖と袖を合わせて半分に折り、袖が外側になるように三つ折りにして、ネットに入れる。

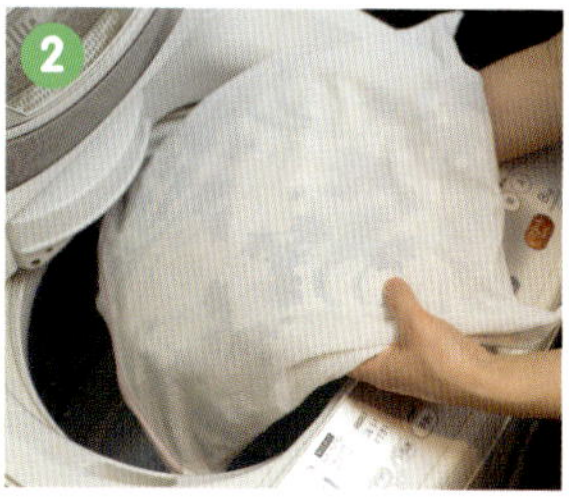

ドライコースで中性洗剤で洗う

洗濯機の中で中性の洗剤液にしっかり沈めてから、ドライコースで柔軟仕上げ剤を使って洗う。

のり剤で仕上げ、陰干しをする

すすぎが終わったらきれいな水をためてのりづけを。短く脱水してからシワをよく伸ばし、形を整えて陰干しをする。ドライアイロンをかけてからしまう。

水着

早めに洗おう

水洗いしておいて中性洗剤で洗う

水着は脱いだらすぐにざっと水洗いする。家に帰ったらすぐに中性洗剤液で押し洗いをして、短く脱水後、陰干しをする。

ダウンジャケット

汚れたところは前処理をする

襟や袖など汚れが目立つ部分は、スポンジに中性洗剤の原液をつけ、軽くたたく。

中性洗剤で押し洗いをする

洗濯槽に水と中性洗剤を入れ、押し洗いする。押したり浮かせたりを30回以上繰り返す。短く脱水して同様にすすぐ。

柔軟仕上げ剤を使う

2回目のすすぎのときに、柔軟仕上げ剤（ボトルに表示の量）を入れて全体に浸透させる。

短く脱水をして陰干しをする

40秒～1分ほど短めに脱水して、すぐに取り出す。肩や裾を持って振りさばき、ハンガーにかけて日陰に干す。

Check!

完全に乾くまで干すこと

乾燥の途中でときどき、羽毛がかたよらないように軽くたたいたりほぐしたりする。完全に乾くまでよく干してから取り込む。

洗濯

洗えないもののお手入れ

「水洗い不可」の表示がある衣類や、布団なども、部分的に汗や汚れを取ることができます。

部分的に汗や汚れを取ると、長持ちする

家で水洗いできない衣類は、ときどきクリーニングに出してお手入れをします。しかしそんなに頻繁には出せませんし、汚れてから時間がたつと、汚れが落ちにくくなってしまいます。

水洗いできないものでも、汚れたところを部分的にお手入れすることはできます。大切なのは、汚れてからすぐにケアをすること。汗などは、ついてすぐなら洗剤を使わず、水だけでもある程度落ちます。大切な衣類はこまめにお手入れをすることで、買ったときの状態を長くキープすることができます。

布団も同様です。汗などで汚れたら、床に広げてお手入れをすると、気持ちよく使用できます。

ウールのスーツ・コート

中性洗剤の溶液をつくる

洗いおけの中に中性洗剤の溶液をつくり、やわらかい布を浸してから固く絞る。

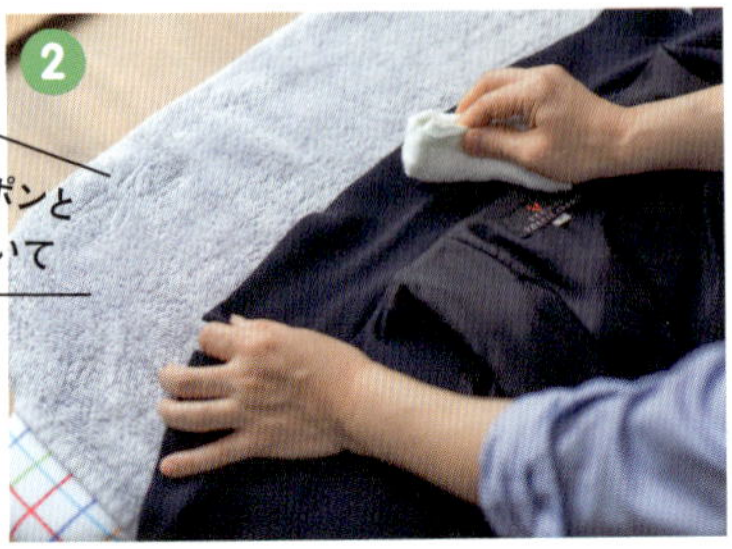

タオルで汚れをたたく

タオルの上にスーツを置き、汚れている襟の部分を❶の布でポンポンとたたいていく。そのあと、水に浸して絞った布で同じようにたたき、洗剤分を取る。

袖も同様に汚れを落とす

襟のほか、袖口も汚れやすいので❷と同様にして汚れを落とし、水に浸して絞った布で洗剤分を取る。

ハンガーにかけて自然乾燥する

風通しのいい場所で、肩幅に合った厚みのあるハンガーにつるして、自然乾燥させる。

着物

Check!

半襟は中性洗剤で手洗い

水洗いできる半襟は、長じゅばんから外して、中性洗剤の溶液で手洗いを。よくすすいで20秒脱水し、生乾きのときにアイロンをかける。

ハンガーにかけてひと晩つるす

一度着た着物と長じゅばん、帯は、別々のハンガー(できれば着物用)にかけて、ひと晩つるして風を通す。シミがある場合は、着物専門のクリーニング店に相談を。

革のジャケット

ブラッシングして汚れを取る

脱いだらやわらかい馬毛などの洋服ブラシで、ブラッシングをする。または、やわらかい布でから拭きをする。

布に保湿クリームをもみ込む

ブラッシングで取れない汚れは、専用の保湿クリームを使う。直接衣類につけず、まずは布につけてよくもんでからお手入れを。

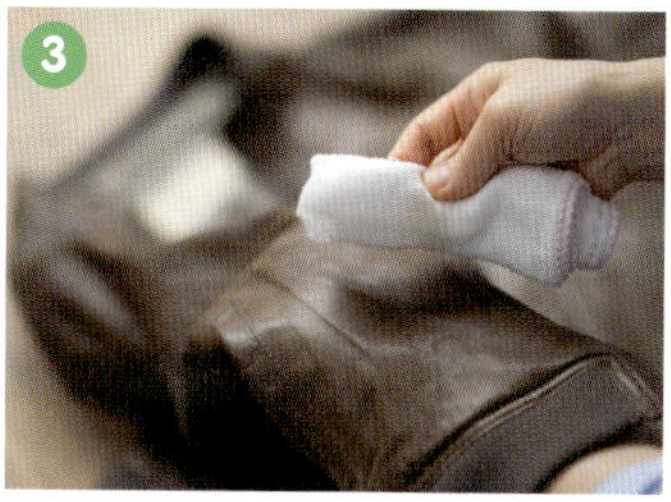

汚れている部分にすり込む

クリームをつけた布で、汚れた部分を拭き、汚れを落とす。風合いがなくなってきたときは、専用のオイルをすり込むと、ツヤが出る。

布団

固く絞ったタオルでたたく

汚れた部分を、水でぬらして固く絞ったタオルでたたくようにする。そのあと、乾いたタオルで水分をよく吸い取る。

よく乾かす

できれば天日にあてて乾かす。天気が悪いなら、広げたまま扇風機の風をあてて自然乾燥させる。完全に乾くまで押し入れには入れない。

ニオイ対策は消臭スプレーで

ニオイが気になるときは、消臭スプレーを使う。まずは少量でシミにならないか確認してから、全体にまんべんなく吹きつけて、よく乾かす。

洗濯

大物の洗濯

カーテンや毛布なども、洗濯機で丸洗いするとさっぱりします。表示を確認してから洗いましょう。

時々水洗いして清潔に気持ちよく保つ

カーテンや毛布などは、ホコリや汗などで思った以上に汚れています。水洗い可能の表示がついていて、洗濯機に入るものは、時々洗って清潔に保ちましょう。コツは、洗う前によくホコリを払うことと、とくに汚れた部分には前処理をすること。家の洗濯機に入らない大物は、コインランドリーの洗濯機を活用するのがおすすめです。

+more

フックも中性洗剤で洗うときれいになる

カーテンのフックはネットに入れ、中性洗剤の溶液で振り洗いを。すすいでから、タオルで拭いて乾かす。

カーテン

1 **よく振り払いホコリを落とす**

まずは水洗いできるか表示を確認。フックを外し、カーテンの端を持ってよく振り払い、ホコリやゴミを落とす。

2 **汚れやシミは前処理をする**

とくに汚れている部分があったら、スポンジに洗剤の原液をつけて、軽くこすっておく。

汚れは外側に

3 **びょうぶだたみにしてネットに入れる**

裾の部分など、汚れているところが外側になるようにびょうぶだたみにして、ネットに入れる。

4 **中性洗剤を使い洗濯機で洗う**

洗濯機の標準コースで、中性洗剤と柔軟仕上げ剤で洗う。汚れがひどい場合は、液体の酸素系漂白剤も使う。

5 **よく振りさばいて陰干しする**

できればのり剤を使って仕上げる。脱水したらよく振りさばき、さおにかけて陰干しをする。

+more

レースのカーテンはつるして乾かす

レースなど軽いカーテンは、洗濯機で洗ったらそのままカーテンレールにつるして乾かす。

毛布・洗える布団

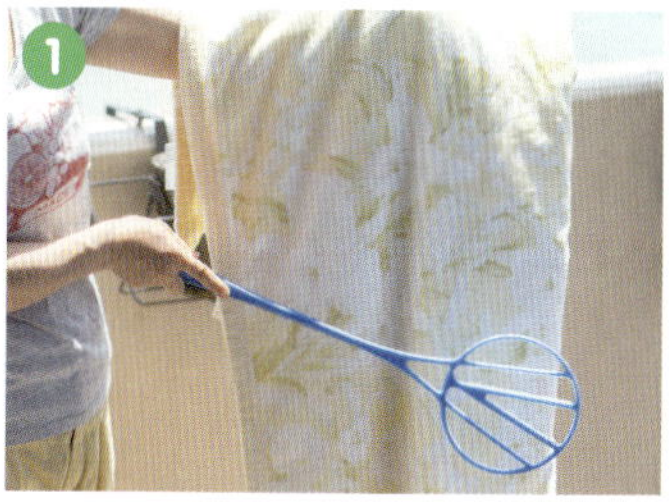

1 ホコリや髪の毛をはたいて落とす

表示を見て水洗いできることを確認する。端を持ってよく振り払い、布団たたきで軽くたたいて、ホコリや髪の毛を落とす。

2 汚れやシミは前処理をする

汚れているところには、洗剤の原液をつけ、キャップの角や洗濯ブラシの背で軽くたたいて前処理をする。

3 びょうぶだたみにしてネットに入れる

汚れている部分がなるべく外側になるように、びょうぶだたみにしてから、丸めて大きな洗濯ネットに入れる。

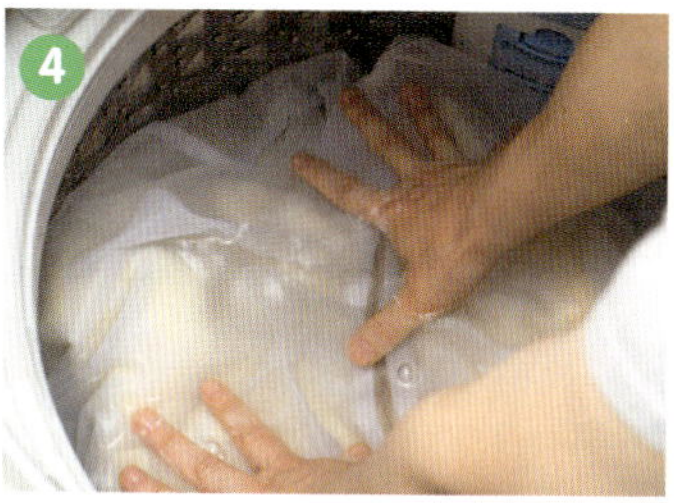

4 洗濯機に水を入れてしっかり押し沈め、洗う

布団や毛布が水に浮かんでしまうと、洗剤液が浸透しにくい。両手で水の中にしっかり沈めてから、中性洗剤、柔軟仕上げ剤を使って洗う。

check!

「大物洗いコース」などで洗う

洗濯機の「大物洗い」「毛布」コースなどで洗うと、傷みを防ぎながら洗うことができる。

5 さお2本を使って風通しよく干す

脱水後はすぐに取り出し、よく振りさばいてから、さお2本を使ってM字干しにして乾かす。

check!

最後までしっかり乾かすのが大切

布団の場合は、途中でときどきたたいたりほぐしたりして、中身がかたよらないようにしながら乾かす。中までしっかり乾いてから収納するのが大切。

+more

カーペットやラグの洗濯はコインランドリーで

水洗いできるカーペットやラグは、コインランドリーにある大型の洗濯機で乾燥まで行うのがおすすめ。洗濯量の上限が22kgなら、6畳用のカーペットまで洗える。びょうぶだたみにしてから、丸めて洗濯機に入れる。

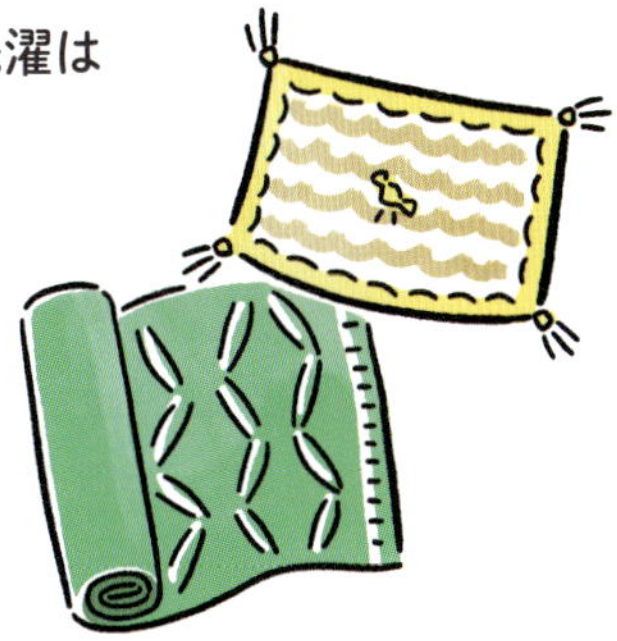

洗濯

小物の洗濯

水洗いできるものはやさしく手洗いをして、干すときは型崩れに気をつけましょう。

中性洗剤で洗い型崩れしないように干す

帽子、日傘、スリッパ、ぬいぐるみなど、「なんとなく汚れてきたけれど、どうやって洗えばいいかわからない」という小物のなかには、実は、家で水洗いできるものも多くあります。ときどきお手入れをすると、新しい状態に近いままで、いつも清潔に保つことができます。

お手入れの仕方は、基本がわかると簡単です。まず、水洗いできるかどうか確認を。できるものは、おしゃれ着用の中性洗剤でやさしく手洗いします。フェイクファーのマフラーも、本革でなくフェイクファーならたいてい水洗いができます。

干すときは、型崩れしないように気をつけて、色あせを防ぐために、陰干しをしましょう。

布の帽子

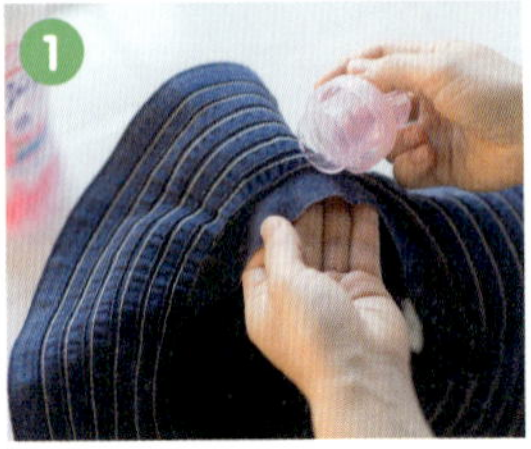

汚れた部分は前処理を

汗や皮脂などで汚れた部分は、中性洗剤の原液をつけ、軽くもむようにしてなじませる。

ざるにのせて洗う

プラスチックやステンレスのざるにかぶせて、ぬらしたスポンジで全体をたたくようにして汚れを落とす。

ざるにのせて陰干し

すすいだあとは、のり剤を使って仕上げる。ざるにかぶせて、風通しのいい場所で陰干しをする。

日傘

スポンジでやさしく洗う

浴室などで傘を広げ、ざっと水でぬらし、中性洗剤をつけたスポンジで、軽く押さえるようにして全体を洗う。

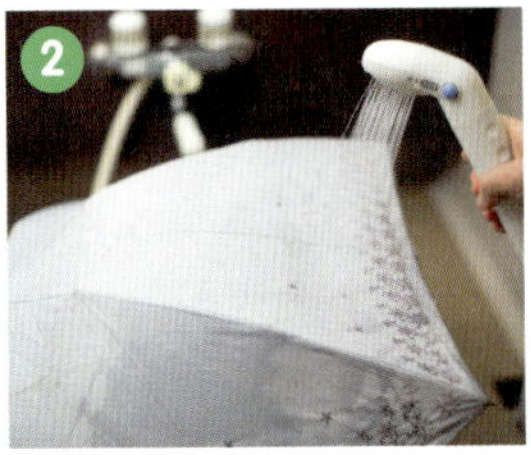

シャワーを使ってすすぐ

シャワーを使って、洗剤分をよくすすぐ。

乾いたら防水スプレーを

開いたまま日のあたらないところで十分に自然乾燥させる。全体にまんべんなく防水スプレーを吹きかけてからしまう。

フェイクファーのマフラー

ブラッシングをして汚れを取る

ホコリや汚れを取るため、洋服ブラシで毛並に沿ってよくブラッシングをする。

中性洗剤で押し洗いをする

30℃以下の水に中性洗剤を入れ、ファーをやさしく押し洗いする。すすぎのあと柔軟仕上げ剤を浸透させる。

水けを取ってから陰干しする

洗濯機で30秒脱水し、タオルでたたくようにして水けを取って、陰干し。乾いたらブラシで毛並を整える。

+more

使うたびに布で拭く

アクセサリーは皮脂や汗がつきやすいので、外したら汚れを拭き取る習慣を。やわらかい布でから拭きするだけでOK。

アクセサリー

中性洗剤で振り洗いをする

中性洗剤の溶液につけ、端を持って振り洗いを。水でよくすすぐ（素材により洗えないものもあり）。

タオルで水分を取って乾かす

タオルで包み込むようにして水分を取り、室内につるして十分に乾かす。

ぬいぐるみ

中性洗剤でやさしく押し洗い

リボンなどの飾りを外してから、中性洗剤の溶液でやさしく押し洗いをし、よくすすぐ。

水けを取ってからつり干しにする

タオルでギュッと包んで水分を取ってから、風通しのいい日陰につり干しをする。

スリッパ

ブラシを使って汚れを落とす

外と内側のホコリやゴミを落としてから、中性洗剤の溶液で、洗濯ブラシを使って洗う。

風通しのいい日陰でつり干し

すすいだら、タオルなどでギュッと包んで水分を取る。風通しのいい日陰につり干しをする。

洗濯

シミの落とし方

シミはその種類によって、使う洗剤や落とし方が違います。適切な処置の方法を知っておきましょう。

できるだけ早く適した洗剤で落とす

シミがついたときには、時間を置かずに落とすこと。そして、汚れの種類に応じた洗剤や漂白剤を使うことが大事です。表示を見て、家で洗えるか、洗剤や漂白剤はどの種類かを確認しましょう。

基本の洗剤・道具

食器用洗剤
中性のものを選んで。衣類を傷めにくいので安心して使える

漂白剤
酸素系漂白剤なら、色柄ものにも使える

タオル

歯ブラシ

【シミの種類と落とし方】

シミの種類	特徴	落とし方
しょうゆ コーヒー うどん、そば ケチャップ カラーリング剤 果汁 紅茶 みそ汁 血液	水溶性	まずは水で試してみて、落ちない場合は洗剤溶液や漂白剤などを利用
食用油 チョコレート ボールペン ファンデーション 接着剤 バター クレヨン 口紅 朱肉	油性	洗剤の原液を塗布する。汚れによっては、ベンジンやアルコールを使用
乳製品 カレー ミートソース ラーメン 卵 ドレッシング マヨネーズ	混合	洗剤溶液につけて落ちない場合は、漂白剤またはアルコールを使用
カビ サビ 墨汁 鉛筆 泥 ガム 修正液	不溶性	汚れによって落とし方が異なる（P.104を参照）

check!

血液や牛乳のシミに湯は使わない

血液や牛乳、卵などのシミはタンパク成分を含んでいるので、高い温度で固まる性質がある。シミ抜きは湯ではなく水を使って。

基本の落とし方

やさしくたたいて、タオルにシミを移していきます。
まずは水で、落ちないなら中性洗剤で試してみて。

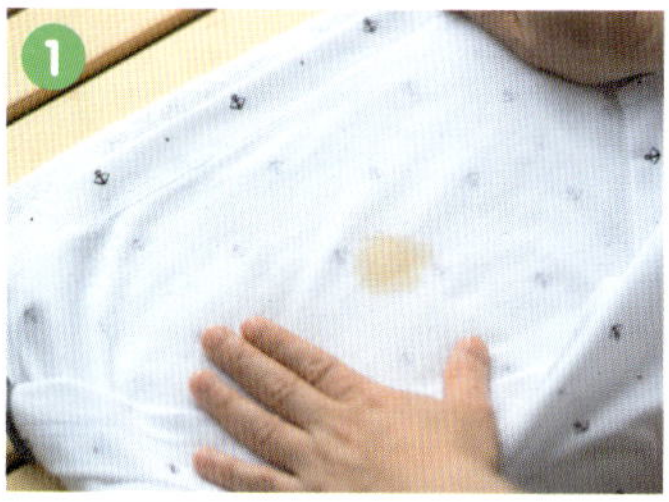

1

タオルの上に置く

乾いたタオルの上に、シミのついた側を下に（タオルに接するように）して、衣類を広げる。

2

ぬらした歯ブラシでたたく

水をつけた歯ブラシでシミをたたき、タオルにシミを移していく。タオルの位置を変えながら、シミがタオルにつかなくなるまで続ける。

Check!

シミのまわりから中心へ向かって円を描く

歯ブラシはシミのまわりから中心に向かって、円を描くようにポンポンとたたくのがコツ。

Check!

タオルの位置を変えながらたたく

1カ所でずっとたたくのではなく、ときどき衣類をずらしながら、タオルにシミを移していく。

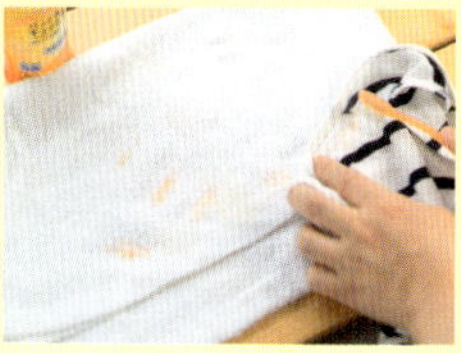

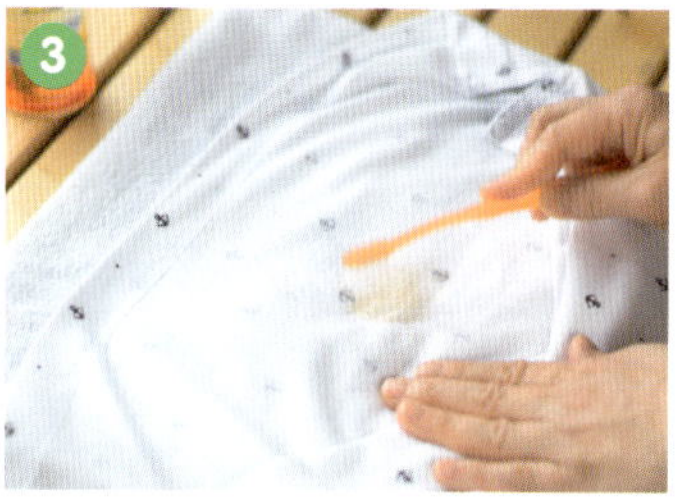

3

落ちないなら洗剤でたたく

水で落ちない場合は、コップ半分の水に食器用洗剤を1～2滴たらして溶かし、歯ブラシにつけてシミの部分をたたく。

4

乾いたタオルで水分を取る

シミが消えたら、今度は水でぬらした歯ブラシでたたいて、洗剤分を取り除く。乾いたタオルで水分をよく吸い取り、自然乾燥させる。

+more

落ちない場合は、漂白剤を使用する

中性洗剤で落ちない場合は、酸素系漂白剤を使う。スプレー式と液体のものがあるので、使い方は表示を確認して。長時間放置せず、水ですすぐか洗濯機で洗うこと。

外出先の応急処置

ティッシュやハンカチを濡らしてたたく

油分のシミはティッシュでやさしくはさみ、移し取る。水性のシミなら、ぬれたハンカチで押さえてからティッシュなどで水分を取る。家に帰ったらすぐにシミ抜きを。

落ちにくいシミの落とし方

墨汁

1 ティッシュで押さえ墨汁を吸い取る

ティッシュで衣類を表裏から押さえ、墨汁を吸い取る。色がつかなくなるまで繰り返す。

▼

2 歯磨き剤を両側からつける

歯磨き剤を歯ブラシにつけ、シミと同じくらいの大きさで、両側から塗りつける。

▼

3 指でよくもみ込む

歯磨き剤がついた部分を、親指と人差し指ではさんでよくもみ込む。

▼

4 流水でよく洗う

10回ほどもんだら、シミの箇所を手早く流水で洗う。落ちるまで❷〜❹を繰り返す。

ガム

1 氷でよく冷やしてはがし取る

氷をガムの上にのせ、よく冷やして固めてから、爪の先を使っててていねいにはがす。

▼

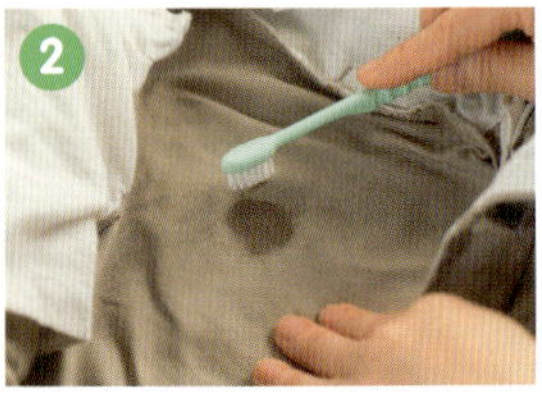

2 食器用洗剤をつけた歯ブラシでたたく

ガムが残っていたら、タオルの上で、食器用洗剤の原液を歯ブラシにつけてたたく。

口紅やファンデーション

1 食器用洗剤でたたく

タオルの上に衣類を置き、食器用洗剤の原液を歯ブラシにつけ、シミの部分をたたく。

▼

2 爪の先でつまみ洗い

落ちない場合は、洗剤がついた部分を、爪の先を使って細かくつまみ洗いする。

▼

3 酸素系漂白剤を直接つける

それでも落ちないなら、酸素系漂白剤を直接塗布し、すぐに洗濯機で洗う。

朱肉

アルコールをつけた歯ブラシでたたく

アルコールをつけた歯ブラシでたたく。落としきれなかったら、上の❶〜❸と同じ方法を。

サビ

石けんをすりつけもみ洗いする

鉄分を含んだシミなので、石けんを直接すりつけて、手でよくもみ洗いをする。

column

感染を防ぐ衣類の洗い方

体調が悪い人のおう吐物や子どもの汚物で汚れた衣類は、
家庭内感染を防ぐために、適切な方法で洗いましょう。

汚物やおう吐物で汚れた衣類の洗い方

1 固形物を取り除く

トイレットペーパーを使って、固形物をできるだけ取り除く。取り除いたものは、ペーパーごとトイレに流す。

▼

2 シャワーで予洗いする

すぐに浴室のシャワーの水で衣類を洗い流す。衣類を前後左右に振り、汚れを取り除くようにする。

▼

3 洗剤液につけ置きする

バケツやおけに、40℃以下の水を使って酵素入りの洗剤（洗濯1回分の量）の溶液をつくる。1～2時間つけ置きする。

▼

4 軽く絞って洗濯する

衣類を軽く絞って洗濯機に入れ、標準コースで洗う。脱水後、干すときに除菌効果のあるスプレーをすると、ニオイが残らない。

下準備

汚れた衣類を触るときは手袋、マスクをする

感染症が疑われる場合は、菌やウイルスに直接触れないようにするため、必ずゴム手袋をつけて衣類を扱う。

Check!

必ず40℃以下の水で洗う

汚物やおう吐物に含まれているタンパク質は、温度が高いと固まって落ちにくくなるので、40℃以下のぬるま湯または水で洗う。

ノロウイルスの場合は消毒が必要

衣類を汚した人がノロウイルスに感染している疑いがある場合は、次亜塩素酸ナトリウムを含む塩素系漂白剤で処理をする必要がある。詳しくは、厚生労働省のホームページで「ノロウイルスに関するQ&A」を参照。

洗濯

アイロンがけ

ピシッとシワが伸びた洋服は気持ちがいいもの。失敗なく上手にかけられるコツを、覚えておきましょう。

スチームとドライを上手に使い分ける

アイロンがけがいらない服が増えてきました。「アイロンがけはしない」という人も多いようです。しかしアイロン不要の服でも、アイロンをかけるとピシッと仕上がり、おろしたての状態に近くなります。ぜひ、基本のかけ方を知っておきましょう。

アイロンにはスチームとドライの2種類の機能があります。素材によって2つを使い分けることが必要です。

アイロンがけの前には、まず衣類の表示を見て適正温度を確認することが大切。必要に応じて霧吹きやあて布を使うと、うまく仕上げられます。

折り目をつけたいときにはしっかり押さえる、ふんわり仕上げたいときには少し浮かせてあてるなど、アイロンの動かし方も覚えましょう。

アイロンの種類

ハンディスチーマー

衣類をハンガーにかけたまま、アイロンがけができる。衣類から少し離して、スチームの力でシワを伸ばす。

スチームアイロン

蒸気を吹きかけてシワを伸ばす、スチーム機能がついたアイロン。動かしやすいコードレスも人気。

アイロンがけの道具

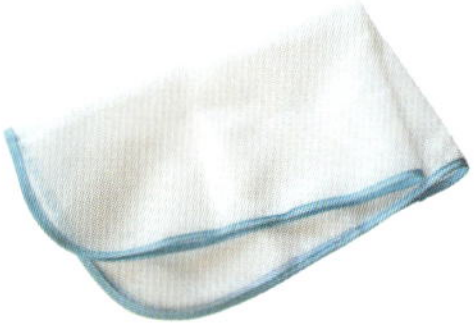

あて布

デリケートな生地のテカリや傷みを防ぐために使う。メッシュタイプのものがおすすめ

アイロンミトン

ジャケットの肩や袖口など、立体的な部分をかけるとき、手にはめてアイロン台代わりに

アイロン台

脚つきの台が、スカートやパンツをかけるのに便利。スチームの通りのいいものがおすすめ

スプレーのり

襟やカフスなど、ハリを持たせたい部分に吹きつけてアイロンがけすると、ピシッと仕上がる

霧吹き

シャツにドライアイロンをかける前に、たっぷりと水をスプレーしておくとシワが取れやすい

+more

アイロンの動かし方は3通り

①シワを伸ばしたいときには、力を入れずすべらせるように動かす。②折り目をつけたいときにはしっかりと押さえる。③風合いを戻したいときは、少し浮かせるようにしてあてる。

アイロンがけの種類は2通り

スチーム

蒸気でシワを伸ばし ふんわり仕上げる

折り目をつけたいときや、ウールをふんわり仕上げたいときに、蒸気の力でシワを伸ばす。ニオイを消す効果も。

ドライ

熱と押さえる力で シワを伸ばす

熱と押さえる力でシワを伸ばす。綿や麻、絹、合成繊維などに。アイロン仕上げ剤やスプレーのりを使用できる。

基本のかけ方

1

表示を見て温度を確認する

まず洗濯表示を見て、適したアイロン温度を確認する。素材に適した温度でかけないと、シワが伸びなかったり、生地を傷める原因になる。

check!

低温のものから順にかける

アイロンは、いったん高温になると冷めるのに時間がかかる。低温のものから順にかけるのが効率的。

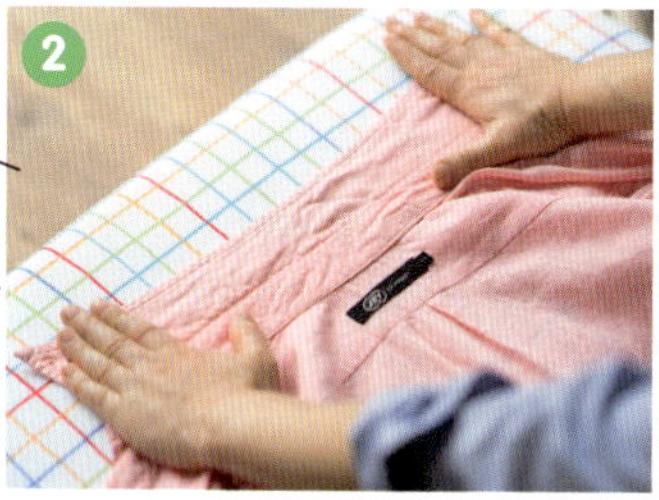

2

両手で伸ばして

衣類を広げてシワを伸ばす

アイロンをかける前に、衣類をアイロン台に広げて、両手でシワを伸ばし、形を整える。タックやプリーツなどは、きちんとたたむ。

3

片方の手で衣類を引っ張りながらかける

片手で、衣類をアイロンと反対方向にピンと引っ張るようにしながらかける。とくに前立ては、縫い目をひっ張りながら、押さえるようにかける。

check!

ゆっくり大きく布目に沿って動かす

アイロンを速く動かしたり、ちょこちょこ方向を変えたりすると、シワが伸びにくかったり、逆にシワが寄る原因に。布目に沿って、ゆっくり大きく、一方向に動かす。

4

ハンガーにかけて熱を冷ます

アイロンをかけ終わった衣類は、熱や湿気が残っている状態でたたむとシワになりやすい。冷めるまでハンガーにつるしておく。

ワイシャツ

最初にしっかり霧吹きをしておくと、シワが伸びやすくなります。
細かい部分は、アイロンの先を使っててていねいにかけましょう。

かけ方のポイント

- かける前に全体に霧吹きをする
- 襟、ヨーク、袖、身ごろの順でかける
- 反対の手で端を引っ張りながらかける

全体に
まんべんなく

1 全体に霧吹きをする

ワイシャツの端の部分を持って、霧吹きをする。全体にまんべんなくかかるように。

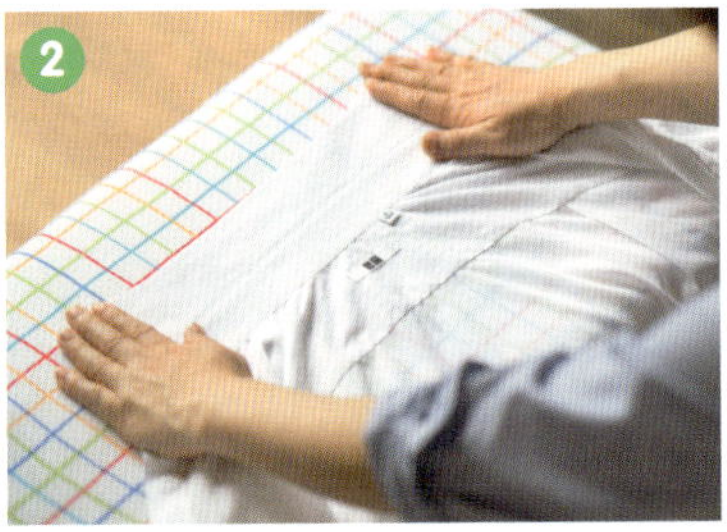

2 裏を上にして広げる

アイロン台の上に、襟が向こう側、裾が手前になるように、裏を上にして広げる。襟の部分を両手で左右に伸ばす。

3 襟の外から中へとかける

襟の外側から中心に向かって、ドライでアイロンをすべらせる。反対の手で、襟の端を引っ張るようにしながらかける。

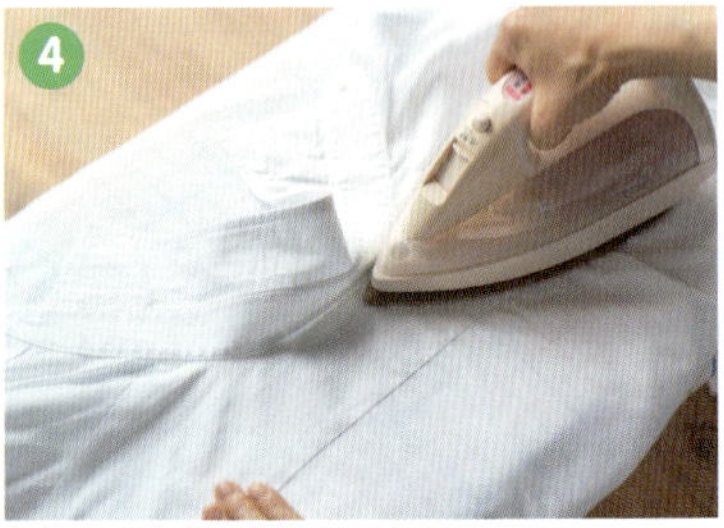

4 表に返してヨーク部をかける

ワイシャツを表に返し、襟のまわりのヨーク部分をかける。アイロンの先を、襟の曲線に合わせてすべらせていく。

5 カフスを広げながらかける

カフス（袖口）の部分を広げながら、内側、外側の順にアイロンをかける。もう一方の袖も同様にかける。

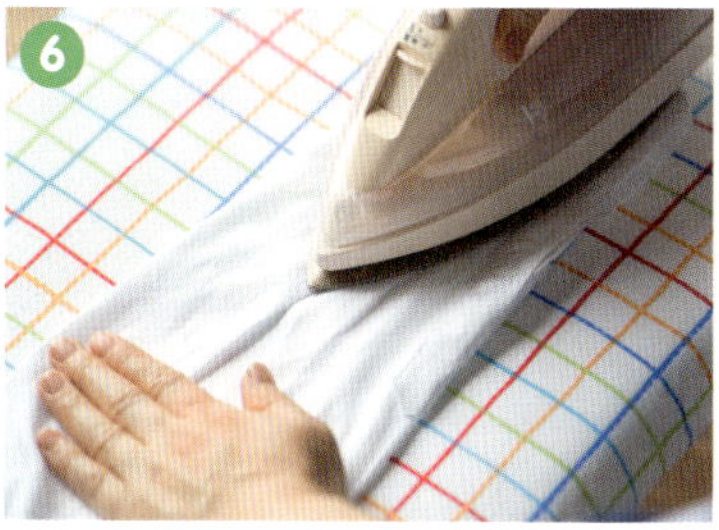

袖のタック部をかける

タックを手できれいに整えて、上から押さえるようにしてかける。このとき、カフスをつぶさないようにする。

▼

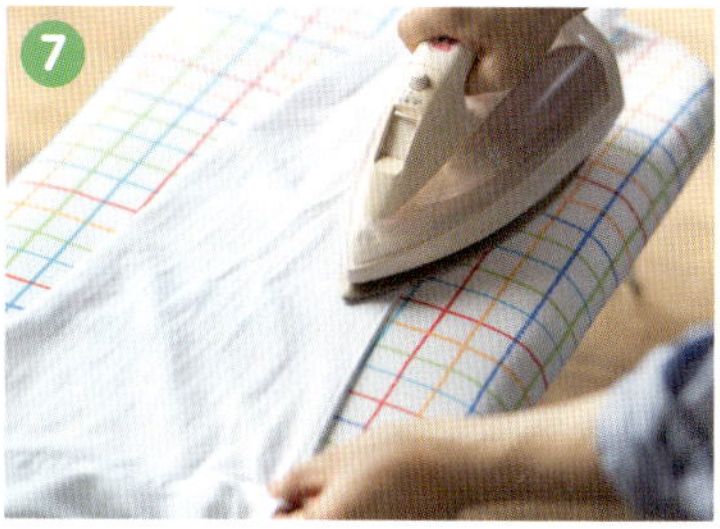

袖口から肩に向かってかける

袖全体を、下側の縫い目に合わせてピンと伸ばし、袖口から肩へ、一方向にすべらせる。反対の袖も❻～❼を繰り返す。

▼

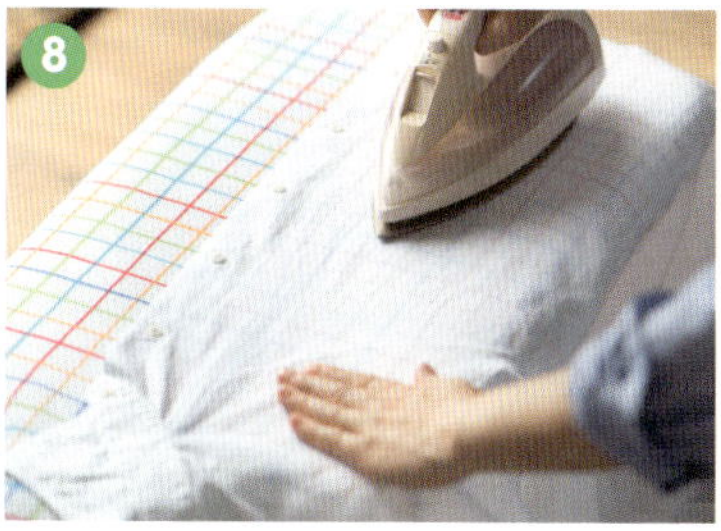

右の前身ごろを下から上にかける

右の前身ごろを広げて、片方の手でピンと伸ばしながら、下から上に向かってかける。

＼ゆっくり大きく動かして／

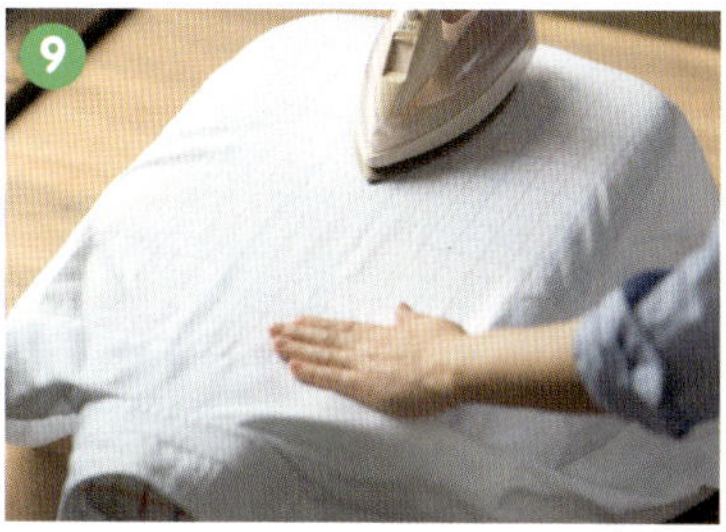

後ろ身ごろをかける

後ろ身ごろを広げて、下から上に向かってかける。大きく、ゆっくりと動かす。

▼

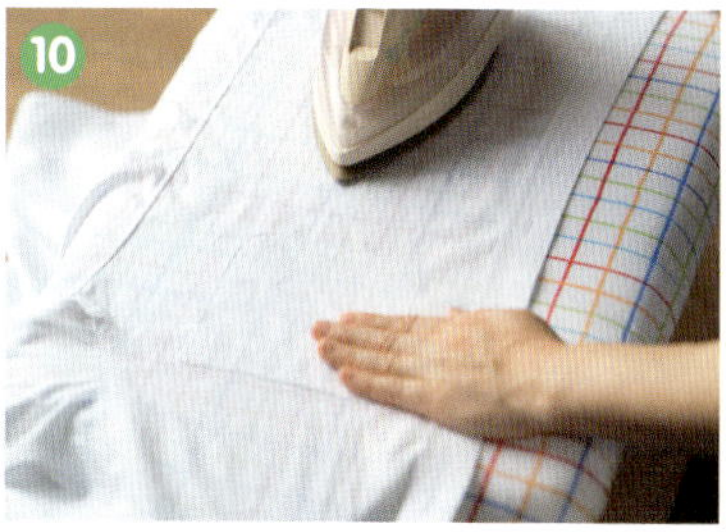

左の前身ごろをかける

左の前身ごろを広げて、下から上に向かってかける。ポケット部分は、上から押さえるようにしてかける。

check!

ボタンの部分はタオルを敷くとかけやすい

ボタンの部分は、タオルの上にボタンを下にしてシャツを置き、裏からアイロンをあてるとかけやすい。

check!

タック部分は手で寄せながらかける

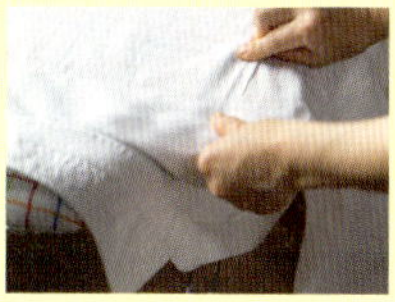

背中のタック部分は、手で寄せて整えて、縦方向に引っ張りながらかけると、うまくいく。

+more

ノーアイロンシャツも部分がけするとさらにシャキッと

アイロン不要の「形状記憶シャツ」もあるが、前立ての部分と、ポケットの部分だけでもアイロンがけをすると、さらにパリッと仕上がるのでおすすめ。

ポケット

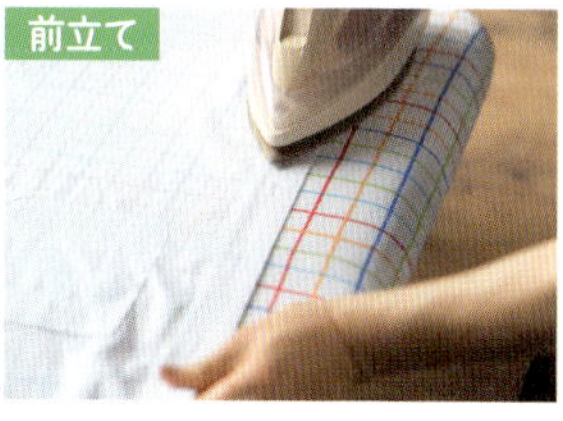

前立て

ジャケット

水洗いできるスーツが増えていますが、アイロンがけに自信がないからと、敬遠していない？

順番通りにかければ、失敗しません！

かけ方のポイント

- スチームアイロンで、あて布をしてかける
- 肩や袖の部分にはアイロンミトンを使う
- 裏→表という順番でかける

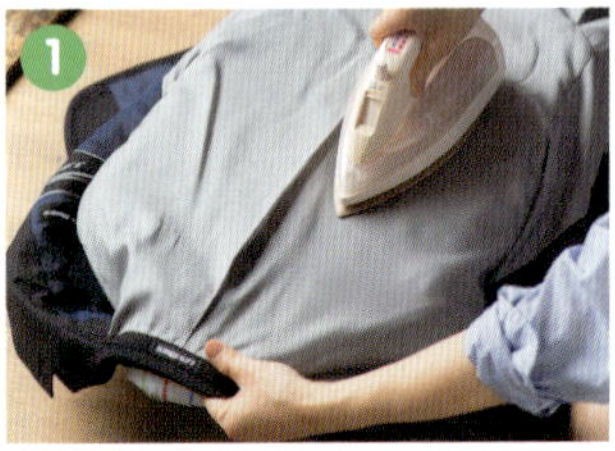

裏返して後ろ身ごろをかける

ジャケットの裏を上にして台の上に置き、後ろ身ごろを、裾から上に向かってアイロンをかける。

▼

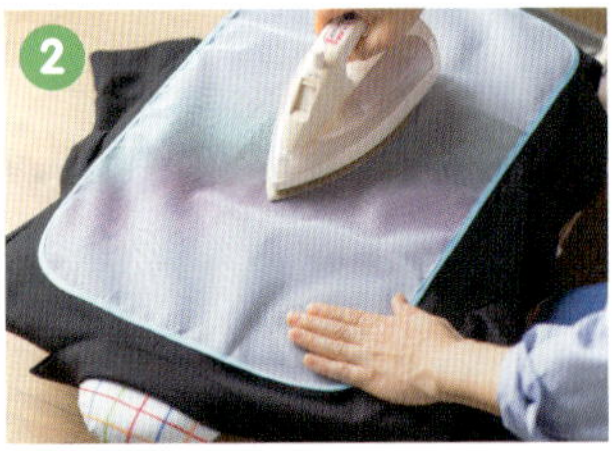

表にして後ろ身ごろをかける

ジャケットを表に返してかける。後ろ身ごろを裾から上に向かってアイロンをかけていく。

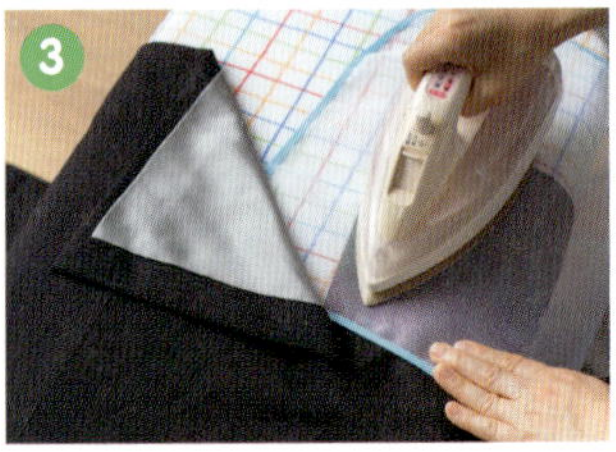

ベンツを持ち上げ1枚ずつかける

ベンツ（切れこみ）部分は、まず上のベンツを持ち上げて下のベンツにアイロンをかけ、次にベンツを重ねた状態で上からかける。

▼

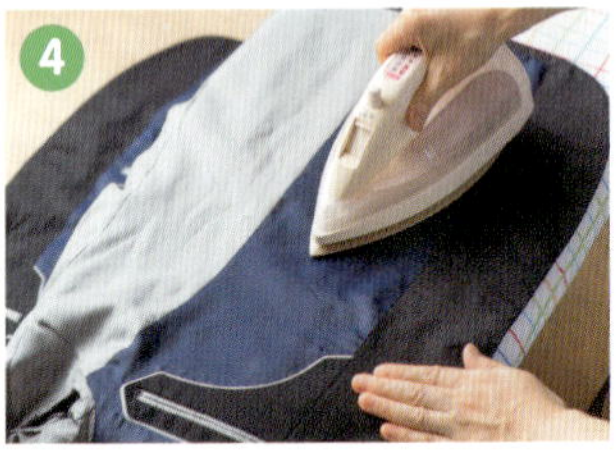

左右の前身ごろを裏からかける

また裏返して、左の前身ごろをざっとかける。同様に、右の前身ごろもかける。

▼

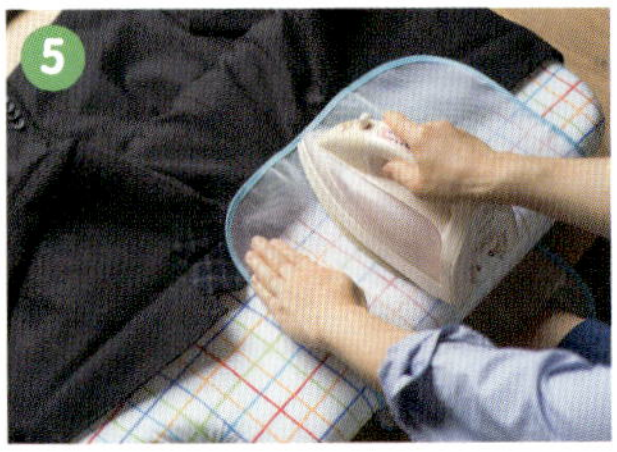

襟の部分を裏からかける

表に返し、襟の部分を裏からかける。アイロンの先の部分を使い、シワをつくらないように注意しながら、ていねいに。

表から左右の前身ごろをかける

表のまま、前身ごろを片方ずつかけていく。裾から上に向かってアイロンをすべらせるように。

▼

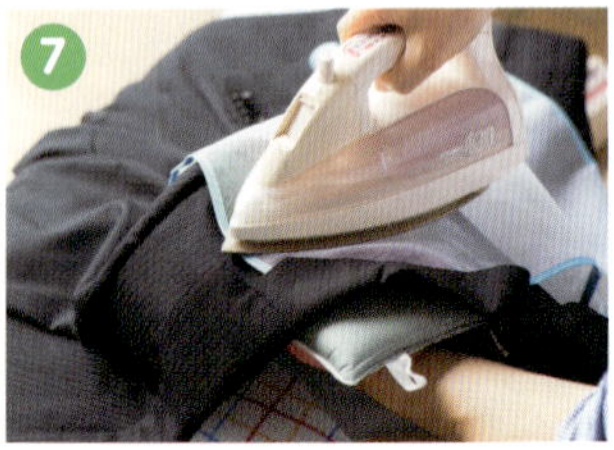

肩とアームホールをかける

アイロンミトン（または丸めたバスタオル）を使って、肩とアームホールの丸みをつぶさないようにしながらかける。

▼

肩から袖口に向かってかける

最後に袖部分を、肩から袖口のほうに向かって片方ずつかける。折り目はつけない。ボタンまわりはアイロンの先端を使っててていねいに。

スラックス

スラックスはシワになりやすいので、水洗いしたあとだけでなく、
ときどきアイロンをかけて、いつもシャキッとさせましょう。

Check!

腰まわりに丸めたバスタオルを入れる

腰まわりをかけるときには、丸めたバスタオルを入れてかけると、立体的に仕上げやすくなる。

かけ方のポイント

- すべらせず、押さえるようにかける
- ポケットも伸ばしてかける
- センターラインを合わせる

1 裏返して脇の縫い代を割ってかける

裏返して、脇の線が真ん中にくるように台の上に置き、脇の縫い代を割ってアイロンをかける。

▼

2 すべてのポケットをかける

裏返しのまま、ポケットの部分をひとつひとつ、片方の手で伸ばしながらかける。

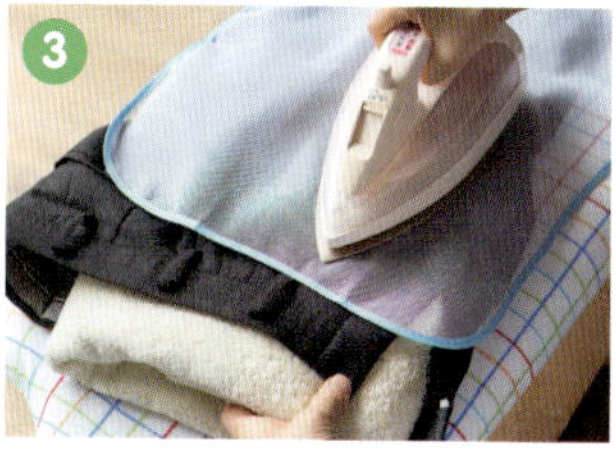

3 表に返して、腰まわりを回しながらかける

表に返して、腰まわりをかける。スラックスを回しながら、少しずつかけていく。タック部分は、手で引っ張るようにして整えながら。

▼

4 縫い目を合わせて左右に引っ張る

両脚の縫い目を合わせて、全体を左右に引っ張ってから、片脚ずつ台にのせてかけていく。

▼

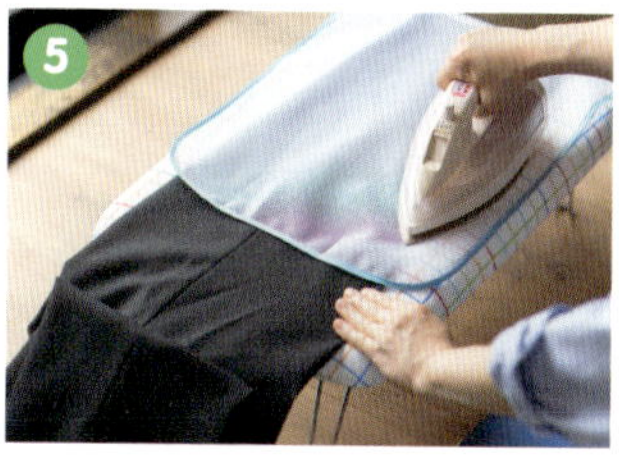

5 脚の部分をかける

脚の内側を上にして、裾から腰に向かってかける。センターラインがずれないよう、手で整えて。次に外側をかけ、反対の脚もかける。

+more

ハンガーにつるしたままアイロンがけするとき

ジャケットやスカートの部分的なシワや、衣類のニオイが気になる……そんなときは、ハンディスチーマーが便利。衣類の端を軽く引っ張りながら、アイロンを1cmくらい離して、スチームをゆっくりあてていく。

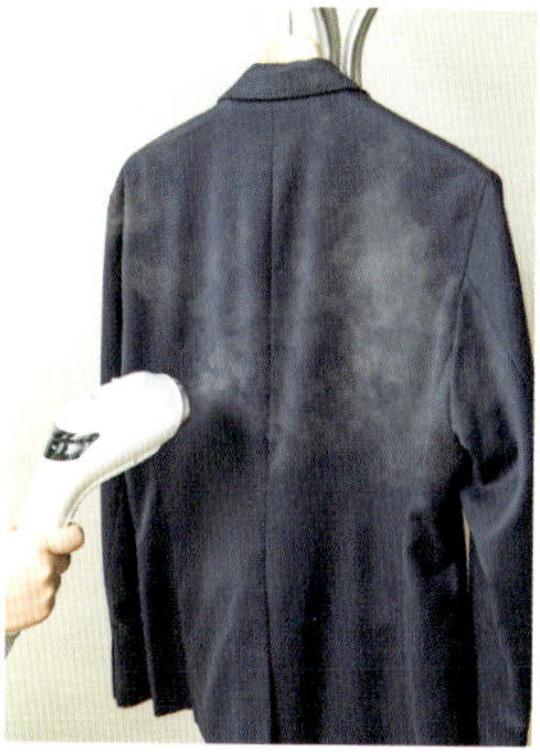

セーター

シワが気にならない場合でも、スチームをかけるとふっくら仕上がるのでおすすめ。かける前に必ず表示を確認して。

+more

ビーズや刺しゅう部分は裏からかける

ビーズや刺しゅうなどの飾りがあるセーターは、そのままかけると傷つく原因に。裏返してたたんだタオルの上にのせてからアイロンがけを。

かけ方のポイント

- ☑ アイロンを少し浮かせてかける
- ☑ 押さえず、すべらせる
- ☑ 折り目をつけないように気をつける

少し浮かせるように

少し浮かせながらスチームでかける

スチームを出しながら、背中、前の順番でかけていく。アイロンを少し浮かせるような気持ちで、押さえないようにしてすべらせる。

折り目をつけないようやさしくかける

次に袖の部分を、折り目をつけないように気をつけながら、アイロンを少し浮かせるようにしてていねいにかけていく。

+more

セーターの伸びや縮みはスチームアイロンで改善

洗い方や干し方を失敗して、セーターが縮んだ経験はありませんか？
スチームアイロンで、ある程度改善できます。

袖口など、伸びた部分をしつけ糸で縫い縮める。その状態で、スチームアイロンを少し浮かせてかける。

片方の手で強めに引っ張りながら、少し浮かせてスチームアイロンをかけていく。

スカート

**スカートのアイロンがけをマスターしたら、おうち洗いも怖くない！
立体アイロン台なら、腰まわりのアイロンがけがスムーズです。**

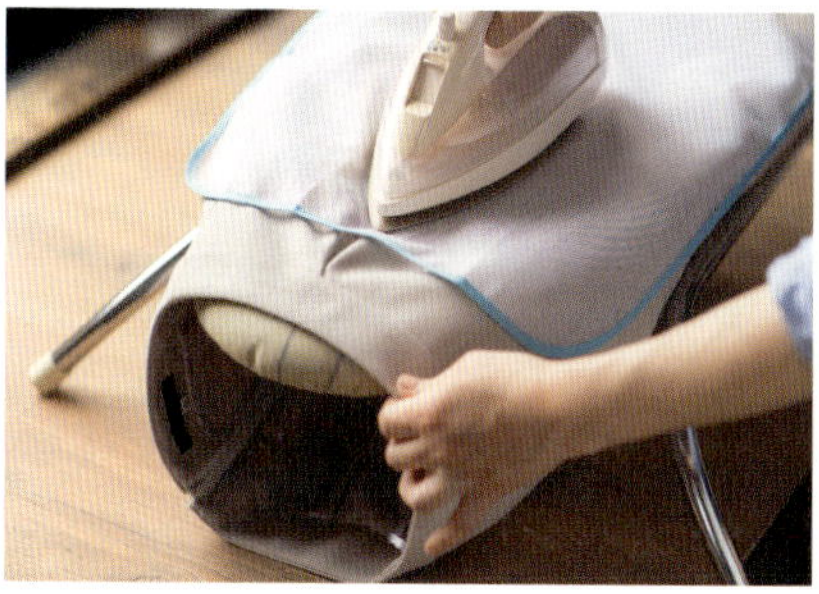

少しずつ回しながらかけていく

裏返してまずポケット部分をかける。そのあと表にして、アイロン台にスカートをかぶせ、裾から腰のほうに向かってかける。少しずつ回しながら全体にかけていく。

check!

平面アイロン台ならバスタオルを使うとうまくいく

バスタオルを丸めてスカートの中に入れ、スカートを少しずつ回しながら同様にかけていくと、立体的にかけられる。

かけ方のポイント

- ☑ 腰まわりは、回しながら少しずつかける
- ☑ ウール素材ならあて布をする
- ☑ ギャザー部やファスナーまわりは先端を使う

スカーフ

**生乾きの状態でかけるとシワが取れてきれいに仕上がります。
斜めに動かすと生地が伸びるので、縦横方向に動かして。**

1 中温のドライで裏面からかける

裏面を上にして広げ、中温のドライ設定でかける（シルクの場合）。スカーフをずらしながら、生地の右から左へとまっすぐにかける。

▼

2 最後に縁の部分をかける

最後に縁のまつり部分を、片方の手でスカーフを軽く引っ張りながら、端まで一気にかける。熱が冷めるまで広げておく。

+more

プリーツやギャザースカートのかけ方

プリーツスカート

プリーツの折り目を手できれいに整える。裾から腰のほうへ、アイロンを押さえるようにしてかける。スカートを回し、また折り目を整えてからかける、という手順を繰り返す。

ギャザースカート

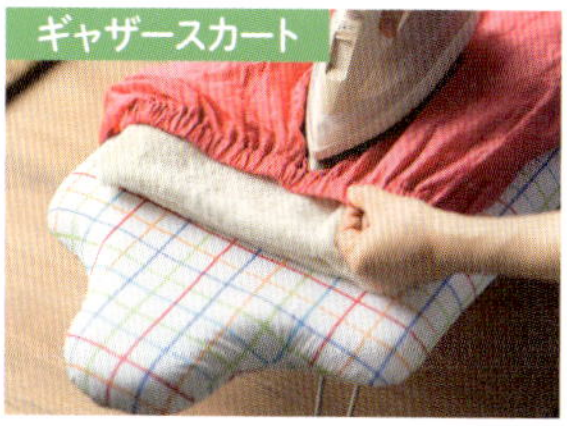

裾から腰のほうに向かってかける。ギャザー部分は、片方の手でウエスト部分を少し持ち上げるようにして、アイロンの先端をギャザーの奥に入れるようにしながらかけていく。

クリーニング店の活用

水洗いできない生地や、落とせないシミがある場合などは、無理をせずクリーニング店を活用しましょう。

上手に利用すれば衣類のケアがラクになる

無理して自分で洗うより、クリーニング店を活用するほうが安心な衣類もあります。大切なのは、シミの部分や気をつけて欲しいことを、お店の人と一緒に確認すること。受け取るときにも確認が必要です。

最近では宅配のクリーニングサービスを利用する人も増えていますが、サービス内容をよく確認し、トラブルを防ぐ工夫をしましょう。

こんな衣類はクリーニング店へ

- 取れないシミがある
- 水洗いできない
- 型崩れしやすい
- 生地が繊細で傷みやすい
- 装飾がついている
- アイロンがけできない
- シワ加工やちりめん加工

クリーニングの種類

ランドリー

高温で水洗いする

専用の洗濯機を使って、お湯と弱アルカリ性洗剤で汚れをしっかり洗う方法。ワイシャツや、シーツなどのリネン製品の洗濯に。

数字の温度を限度に洗濯機で洗えるという意味。

ドライクリーニング

有機溶剤を使う

水の代わりに石油系溶剤やパークロロエチレンなどの有機溶剤を使って、衣類の汚れを落とす。汗などの水溶性の汚れは落ちにくい。

Ⓟ Ⓕ ドライクリーニングができるという意味。

ウエットクリーニング

水でやさしく洗う

水と洗剤を使ってやさしく洗う方法。デリケートな衣類も型崩れがないようにしながら、汗などの水溶性の汚れをスッキリ落とす。

Ⓦ このマークがあれば、ウエットクリーニングができる。

check!

クリーニング店のさまざまなサービス

宅配クリーニング

自宅まで集荷・配達してくれるので、忙しい人に便利。持っていくのが大変な布団や、衣替えのときに大量に洗いたい衣類にも。

ブーツやバッグのクリーニング

水で洗うと傷んでしまう革ものを、専用の洗剤やプロの技術で丸洗いしてくれる。表面だけでなく中の汚れやニオイもスッキリ。

特殊クリーニング

毛皮製品や皮革製品、着物などに用いられるクリーニング。それぞれの専門店で、適した方法で行う。

オプション加工

クリーニングにプラスして頼める加工のこと。シミ抜きや毛玉取り、プレス加工、撥水加工、防虫加工などのほか、修繕や補色を頼めるところも。

保管サービス

クリーニング後にそのまま、衣類などを長期保管してくれるサービス。シーズンオフの衣類や布団を預ければ、クローゼットや押入れがスッキリする。

+more

布団丸洗いクリーニングで「ふんわり」が戻る

クリーニング店の「布団丸洗い」は、汗による湿気や皮脂から、繊維の奥に潜んだ雑菌、ダニのフンや死骸などもきれいに洗い流してくれる。弾力性や保温力も回復して、ふんわり。

クリーニングに出す前

シミや汚れの場所、わかれば原因も、お店の人に伝えよう。
ボタンはしっかりついている？　薬剤によって変色・変質しない？
ポケットの中をチェック。大切なものが入っていない？
洗濯表示を見て、クリーニングの方法を一緒に確認する。

トラブルを防ぐためよく確認を

預ける際には衣類を広げて、汚れやシミなどを確認すること。宅配の場合は、預ける衣類のリストをつくり、シミや汚れの写真を撮っておくと安心。

check!

スーツの上下は一緒に出す

ジャケットとパンツは片方だけクリーニングすると、色が違ってきてしまうことがある。クリーニングに出すときは上下一緒に。

帰宅したとき

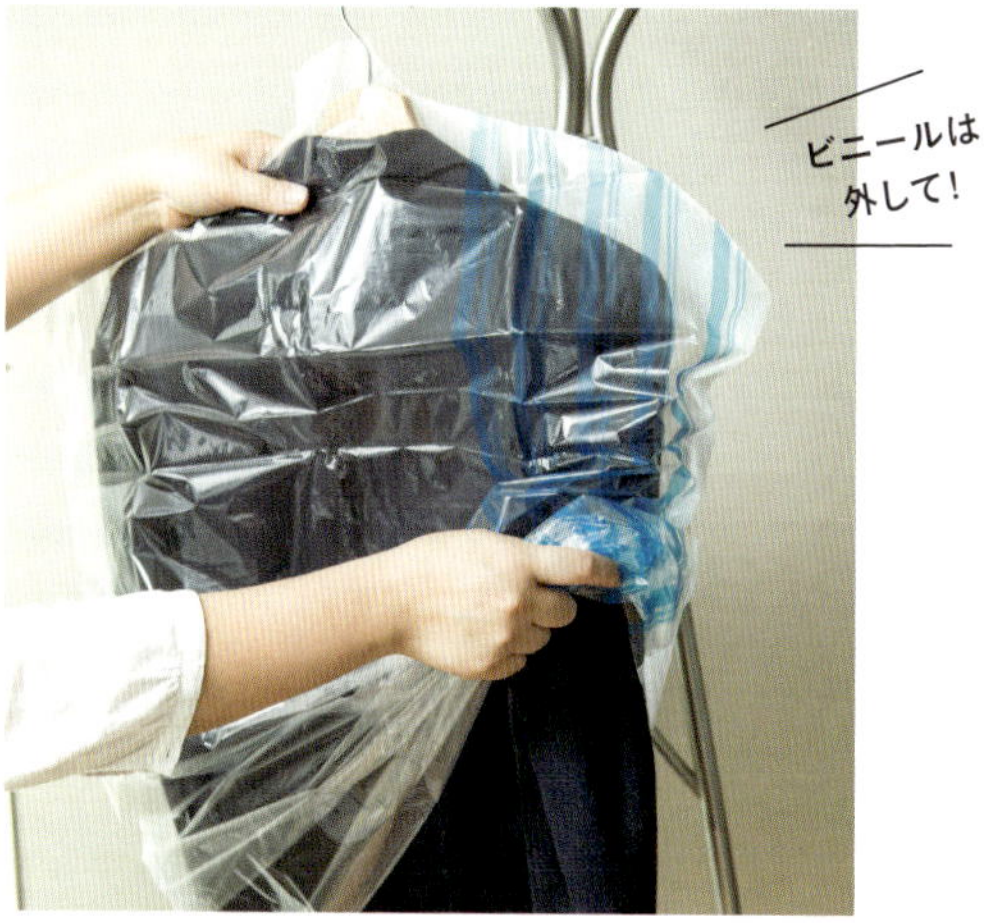
ビニールは外して!

すぐにビニールから出して風を通す

衣類にビニールカバーをそのままかぶせておくと、湿気がたまってカビが生えたり、服が変色する原因に。すぐに外して衣類に風を通そう。

受け取るとき

その場で衣類の状態をチェック

そのまま持ち帰らず、縮んだり色が変わっていないか、飾りが取れていないか、シミや汚れがちゃんと取れているかなどをその場でチェックしよう。

コインランドリーを上手に活用する

家庭の洗濯機の容量は普通5～8キロですが、コインランドリーには9～35kgなど大型の洗濯機があり、家の洗濯機に入らない毛布や布団を丸洗いすることができます。短時間で洗濯物が乾く乾燥機もあるので、雨の日も便利。ダニ退治したいときや、衣替えのときに活用するのもおすすめです。

【コインランドリーでできること】

活用1

布団を丸洗い・乾燥してダニ退治

布団の中に潜んでいるヒョウダニは、死骸やフンがアレルゲンになったり、人を刺すダニのエサになることも。ダニは高温で死滅するので、コインランドリーの布団乾燥機なら確実に退治できる。

活用2

雨の日は乾燥までできて便利

洗濯機と乾燥機を両方使うこともできるし、洗濯したものを持ってきて、乾燥機だけ使うこともできる（一部例外あり）。遅くまで営業している店が多いので、体操服を洗い忘れたときなどにも便利。

活用3

スニーカー洗い専用の機械もある

スニーカー専用の洗濯乾燥機が使えるところも。洗濯槽の中の専用ブラシが、靴底までしっかり洗ってくれる。靴専用の洗剤が自動投入になっていて、泥などの頑固な汚れやニオイも抑えてくれる。

活用4

家庭で洗えない大物も洗える

布団の丸洗いは、クリーニング店にお願いすると日数がかかるが、コインランドリーの大型洗濯乾燥機なら2時間弱で乾燥までできる。料金もクリーニングより節約に。毛布やラグ、マットなどの大物も洗えるので便利。

布団を洗うときは、丸めて、ひもで数カ所しばってから洗濯機に入れる。

3章

料理の基本

監修　豊口裕子

家庭料理研究家。栄養士。大人から子どもまで幅広い年代向けの料理教室を主宰。簡単でおいしく家族に喜ばれる料理を提案している。著書多数。

料理の基本

新鮮な食材の選び方や、食材に合った保存法、調理法をマスターして、
料理上手になりましょう。調理器具のお手入れも大切です。

1

新鮮な食材を選んで上手に保存する

料理のおいしさを決めるのは、何といっても素材。食材をよく見て、新鮮で良質なものを選んで。それぞれの食材に合った保存法を知って、なるべく新鮮なうちに食べきることも大切。

2

食材を生かす下ごしらえと調理法

食材には、ゆでたり下味をつけるなど、下ごしらえをすると味がよくなるものがあります。食材に合った調理法を選ぶことで、さらに栄養や味を引き出すことができます。

料理の流れ

献立を考える

冷蔵庫にある食材や旬を考慮しながら、一汁二菜の献立を考える。バランスよく、野菜をたくさんとることを心がける。

→P.128～129

買い物に行く

毎日行かなくてもいいよう、2～3日分の食材を買う。新鮮で安い食材があれば、それを使ったメニューに予定変更も。

→P.132～141

食品を保存する

新鮮な状態で、できるだけ長持ちさせられるよう、冷凍庫も活用しながら、食品に合った保存法で保存する。

→P.132～150

3 便利な家電や道具を活用してスピーディに

調理に便利な家電のほか、食材の保存に役立つ道具、下ごしらえの時間を短縮してくれる道具なども上手に利用すると、料理がスムーズに。自分が使いこなせるものだけを選びましょう。

料理の力強い味方

調理道具

包丁や鍋、フライパンなどは使いやすいサイズのものを少なめに。ピーラーやキッチンばさみなどもあると便利。

→P.124

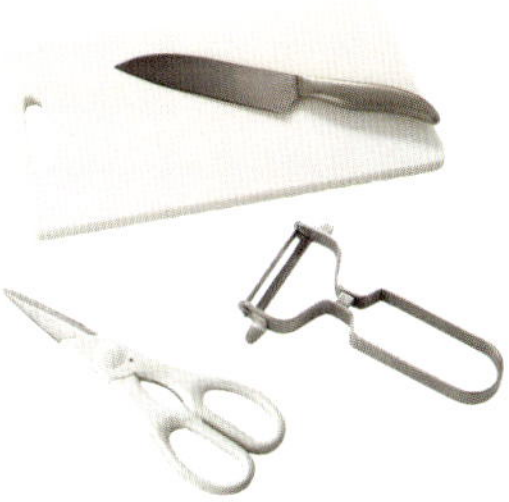

調味料

まずは基本の調味料をそろえて、それに好みの調味料を加えていく。味に変化が出て、メニューの幅が広がる。

→P.126

冷蔵庫

奥が見えないと、使い忘れの原因になるので、つめ込み過ぎないことが大切。ひと目で見渡せる収納を心がける。

→P.148

調理家電

電子レンジやトースター、ブレンダーなどの便利な道具も、活用すると時短になり、レパートリーが広がる。

→P.125、156

下ごしらえをする

野菜の皮をむいたり、食材に合った大きさに切るなど、調理しやすいように準備をする。

→P.130～131

調理をする

煮る、炒める、焼く、揚げる、蒸す、ゆでるのうち、食材に合った調理法で調理をする。電子レンジの活用で時短に。

→P.120～123

後片づけをする

使った食器は早めに、汚れが軽いものから洗う。調理道具も、菌を残さないように洗剤で洗い、よく乾燥させる。

→P.152～157

ゴミの処理をする

生ゴミはそのままにせず、水分をよく切ってまとめる。資源ゴミなども自治体のルールを守って処分をする。

→P.158～159

料理

調理法の種類

まずは基本となる調理法をマスターしましょう。食材との組み合わせで、料理のレパートリーが広がります。

食材に合った調理法でおいしさを引き出す

主な調理法はおもに7つ。「煮る」は肉、魚、野菜と幅広く用いられますが、「焼く」は肉や魚、「あえる」は野菜がメインなど、食材に合った調理法があります。また、同じ食材でも調理法を替えることで、違うおいしさが楽しめます。それぞれの調理法の特徴を知って、料理の幅を広げましょう。

+more

深めのフライパンなら1つで5役

「焼く」「炒める」はもちろん、「揚げる」「蒸す」もOK。焼いたり、水分を加えて加熱すれば、「煮る」もできる。

煮る

煮汁の味を食材にしみ込ませながら火を通す

煮るときのポイント

1 最初は強火で

最初は強火で煮立たせる。煮立ったら、火を弱くして調整し、焦げつきに注意する。

2 落としぶたをすると煮汁がまわる

少なめの煮汁で煮る場合は、落としぶたをすると全体に煮汁がいきわたる。

3 魚は煮汁を少なめに 根菜は煮汁を多めに

火の通りが早い魚は煮汁を少なめに、遅い根菜類は煮汁を多めにする。

4 いったん冷ますと味がしみ込む

味は冷めるときに食材にしみ込むので、できたてよりもいったん冷ましたほうがおいしくなる。

最初は強火で！

煮る料理の例

- 里いも・かぼちゃの煮物
- 煮魚
- 筑前煮
- 煮豆
- 肉じゃが
- 角煮
- カレー
- ポトフ

焼く

外側カリッと中はしっとり。食材そのものの持ち味を引き出す

焼くときのポイント

1 最初は強火で焼き色をつける

強火で表面に焼き色をつけることで、香ばしさを出すと同時にうまみを閉じ込める。

2 オーブンやトースターでもOK

コンロやグリル以外にも、オーブンやトースターを使って焼く調理ができる。

3 中まで火を通すときはふたをする

ふたをして蒸し焼き状態にすることで、表面を焦がさずに中まで火を通すことができる。

焼く料理の例

- 焼き魚
- しょうが焼き
- ハンバーグ
- 餃子
- ムニエル
- 焼き鶏
- ステーキ
- ローストビーフ

炒める

手早く短時間でできる調理法。ビタミン類の損失を防ぐ

強火で一気に

炒めるときのポイント

1 基本は強火で一気に

強火で一気に加熱することでうまみを閉じ込め、野菜から水分が出るのを防ぐ。

2 火の通りが遅いものから炒める

火の通りが遅い食材から炒めて、仕上がり時間をそろえる。下ゆでしておいてもOK。

3 野菜の水分はよく拭き取る

食材に水分がついていると、フライパンに引いた油がはね、仕上がりが水っぽくなるので注意。

炒める料理の例

- 野菜炒め
- チャーハン
- 焼きそば
- レバニラ炒め
- チンジャオロースー

揚げる

油の香味や焦げ味がついて料理にボリュームが出る

食材に合った油温で

揚げるときのポイント

❶ 素揚げ、から揚げ、衣揚げの3種類がある

衣をつけず食材をそのまま揚げる「素揚げ」、小麦粉や片栗粉などをまぶしてから揚げる「から揚げ」、素材に衣をつけて揚げる「衣揚げ」の3種類がある。

❷ 油の温度を確認してから食材を入れる

食材によって適した油温が異なる。適温を料理本などで確認し、食材を入れる前に温度計などで確認。

❸ 揚げ油は食材が半分つかる程度で

食材が半分つかる程度でも片面ずつ揚げれば中まで火が通る。少量の油だと調理後の処理がラク。

揚げる料理の例

- 鶏のから揚げ
- とんかつ
- 魚のフライ
- えびフライ
- 天ぷら
- コロッケ

蒸す

栄養素を閉じ込めたまま、型崩れせずふっくらやわらかく仕上がる

蒸すときのポイント

❶ 蒸気が上がってから調理開始

料理本にある「蒸し時間」とは蒸気が上がってからの時間。蒸気が上がってから食材を入れて。

❷ ふたをずらして温度を調整する

茶わん蒸しなどゆっくり蒸したいものは、ふたをずらして調節すると、「す」ができにくい。

❸ アクの少ない野菜に向いている

蒸す調理は食材にアクが残りやすいので、野菜はいも類やきのこ類などアクの少ないものを。

蒸す料理の例

- シューマイ
- ふかしいも
- 茶わん蒸し
- 蒸し鶏
- 蒸しパン

あえる 食材本来の味が引き立つシンプルな調理法

あえるときのポイント

① 食材の水けをよく切る

調理液の味が薄まらないように、食材についた水分はキッチンペーパーなどで拭き取る。

② 食べる直前にあえる

時間がたつと食材から水分が出たり、色が変わったりするので食べる直前にあえる。

ゆでる アクや臭みが取れてしっとりした食感に。カロリーも抑えられる

ゆでるときのポイント

① 根のものは水から葉のものは湯から

根菜類は湯からゆでると表面だけ先に火が通り煮崩れの原因に。葉物野菜は沸騰した湯でサッとゆで、ビタミンCの流出を防ぐ。

② 肉や魚の臭み取りにも

沸騰した湯で肉や魚をサッとゆでることで、動物性タンパク質の臭みを取ることができる。

+more

電子レンジの活用でラク＆時短調理

野菜の下ごしらえ

根菜類など火の通りが悪いものは耐熱容器に入れ、ふんわりラップをかけて加熱。そのあとの調理の下ごしらえに便利。

豆腐の水切り

豆腐をキッチンペーパーで包み、耐熱容器に乗せてラップをしないで2～3分加熱。豆腐の水分を飛ばすことができる。

乾物を戻す

干ししいたけやかんぴょうなどの乾物類を耐熱容器に入れ、かぶるくらいの水を加えてふたをして、3～5分加熱。

あると便利なグッズ

パスタクッカー

パスタと適量の水を入れて電子レンジで加熱すると、パスタがゆで上がる。鍋不要でラク。

シリコンスチーマー

食材を入れて電子レンジで加熱するだけで、下ごしらえから蒸し料理まで手軽にできる。

+more

ガスコンロとIHコンロの加熱の仕組みの違い

ガスコンロ

直火で鍋底と空気を温め、鍋と食材を包み込むようにして均一に加熱するので加熱ムラが少ない。高温調理や焦げ目をつけるのも得意。

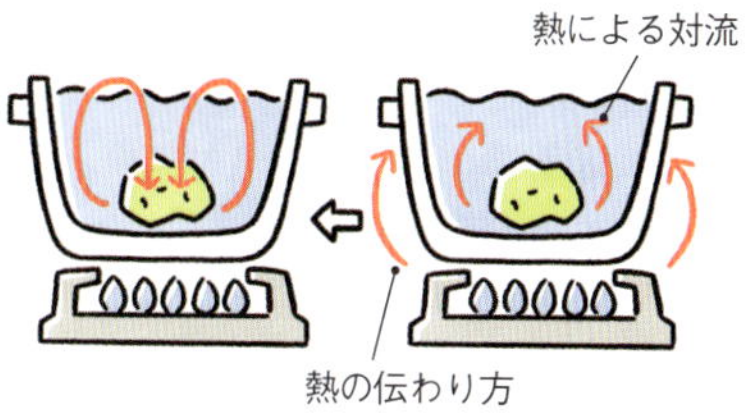

IHコンロ

磁力線が鍋底に電流を発生させ、熱くする。熱の対流が少ないので、加熱ムラ、味ムラができやすい。安全性が高く、お手入れがラク。

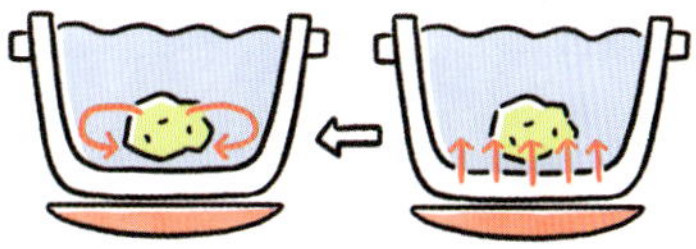

料理

調理道具の種類

調理をラクにするには調理道具や調理家電選びも大事。まずは基本の道具をそろえてから、少しずつ増やして。

道具を使いこなして毎日の食事作りをラクに

あれもこれもと一度に道具をそろえると、使いこなせないだけではなく収納場所にも困ります。まずは「基本の道具」と「基本の調理家電」をそろえましょう。これだけあれば、たいていのものは作れます。

さらに「あると便利な道具」と「あると便利な調理家電」をプラスすると、下ごしらえの手間が省略できたり、調理時間が短縮できるなど、毎日の食事作りがラクになります。作れるメニューの幅が広がって、料理が楽しくなるメリットも。

今どきの調理家電は機能が増えて、どんどん進化しています。自分が使いこなせる必要な機能を見極めて選ぶことが大切です。

知っておこう！

基本の道具

鍋・フライパン

鍋は直径20㎝と16㎝の2つ、フライパンは直径26㎝のフッ素樹脂加工のものを

ボウル・ざる

直径12～28㎝の間で大小サイズの違うものがあると、いろいろ使えて便利

包丁・まな板

包丁は刃の長さが17～20㎝程度のものを。まな板はプラスチック製だとニオイがつきにくい

菜箸・木べら・フライ返し・お玉

食材を混ぜる、すくう、つかむ、ひっくり返すために、まずはこの4種類を用意して

計量スプーン・計量カップ

計量スプーンは15㎖の大さじと5㎖の小さじの2種類、計量カップが200㎖のものを1つ

check!

鍋の材質によってどんな違いがあるの？

鍋の材質によって、熱の伝わりやすさや冷めやすさが異なる。熱伝導率が大きいと熱が伝わりやすく、保温性が悪いという特徴がある。

	熱伝導率	保温性	特徴
鉄	○	△	比較的短時間で熱くなるので炒め物などに向く
ステンレス	△	◎	温まるのに少し時間がかかるが冷めにくい
ホーロー	○	○	保温性にすぐれ、熱ムラが少ないので煮込み料理に
アルミ	◎	×	熱伝導率も比熱も大きいが、酸やアルカリに弱い
土鍋	△	○	火のあたりがやわらかく、保温性にすぐれている

あると便利な道具

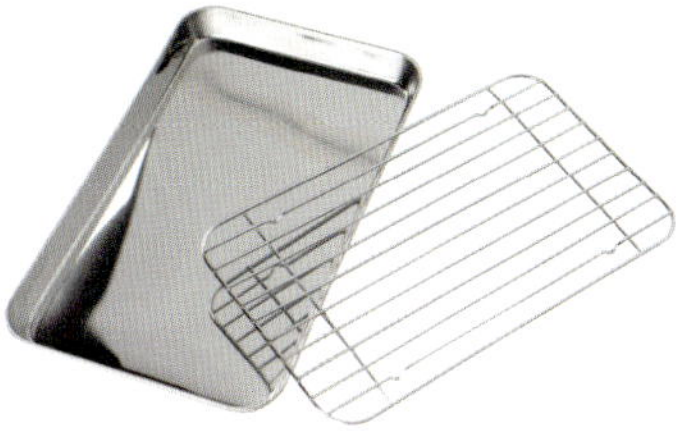

保存容器・保存袋

密閉できるふたつきの容器やファスナーつきの袋は、食材を保存するときに使用。冷凍保存や電子レンジ調理に対応可

バット・網

バットは肉や魚に下味や衣をつけるときに使用。サイズの合う網があると、揚げ物の油を切るのに便利

キッチンばさみ・ピーラー・おろし器

包丁代わりに使うことで、面倒な作業が手早くラクにでき、時短調理にも役立つ。初心者でも使いやすい

基本の調理家電

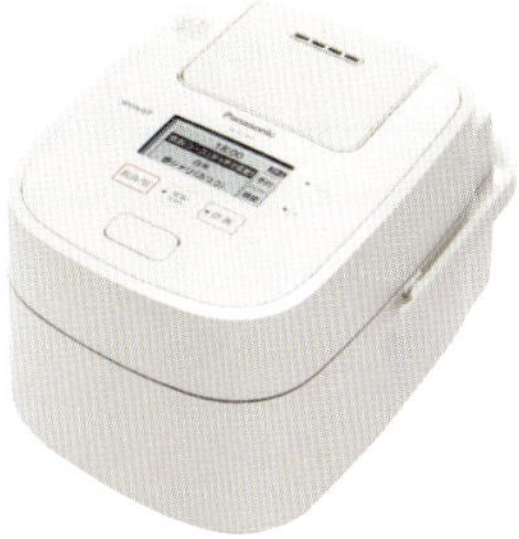

オーブントースター

トースト以外にも、グラタンなどのオーブン調理が可能。温度調節機能やパンやピザが焼ける調理モードつきも

電子レンジ

食材を温めるだけのものから、オーブン機能、スチームオーブン機能、過熱水蒸気機能つきなどさまざまある

炊飯器

加熱方式、内釜の材質、付属の機能など自分の家に合ったものを選んで。家族1～2人なら3合、3～4人なら5.5合を

あると便利な調理家電

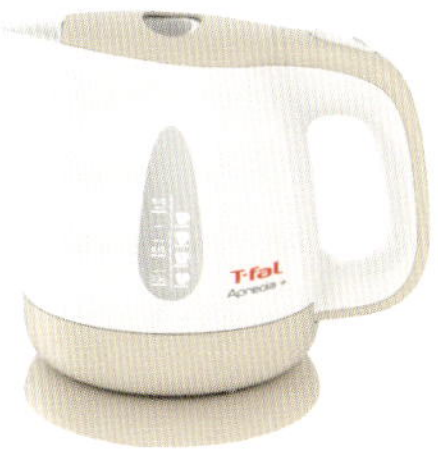

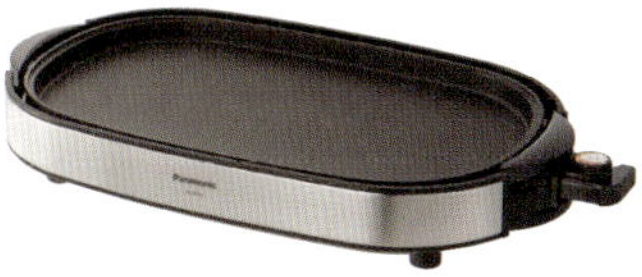

電気ケトル

コンロを使わず短時間でお湯が沸かせるので、忙しい朝に重宝。保温機能はない

ブレンダー

つぶす、混ぜる、刻む、泡立てるなどができて便利。鍋や容器に直接入れて使用できる

フードプロセッサー

刃を交換すると、食材を混ぜる、刻む、ペースト状にするなどさまざまなことができる

ホットプレート

お好み焼きや焼き肉などを食卓で調理できる。家族で調理しながら食べる楽しみも

料理

調味料の種類と量り方

まずは基本の調味料をそろえ、料理のバリエーションに合わせて種類を増やして。正しい計量の仕方も覚えましょう。

ビギナーさんは基本の調味料からそろえて

料理に欠かせない5つの調味料とサラダ油をまずはそろえましょう。これがあれば和食の味つけはほぼできます。5つの調味料は、頭文字の「さしすせそ」の順番で加えるのがコツです。「あると便利な調味料」をプラスすると味に変化が出て、料理を作るのが楽しくなります。ただし、あれもこれもと使いすぎると味が濃くなったり、素材の味を損なうことも。最初は少なめに入れて、味が薄ければ足すと失敗が少なくなります。また調味料にも賞味期限があるので、期限内に使いきれるサイズのものを買いましょう。

最初のうちは、調味料を目分量でなくレシピ通りに正しく計量するのが、失敗しないコツです。

まずそろえたい

基本の調味料

油　そ＝みそ　せ＝しょうゆ　す＝酢　し＝塩　さ＝砂糖

あると便利な調味料

カレー粉

かけるだけ、混ぜるだけでカレー風味に

こしょう

味を締めるスパイス。肉料理には欠かせない

だしの素・スープの素

和風、洋風、中華風の汁物が手軽に作れる

みりん・料理酒

味にコクが出る。みりんは甘みもプラス

ごま油・オリーブオイル

風味のある油を使うと、味つけの幅が広がる

ソース

とんかつ、フライ、お好み焼きなどに

ケチャップ

オムレツ、ミートソース、トマト煮込みなどに

マヨネーズ

サラダはもちろん、炒め物のオイル代わりにも

調味料の量り方

計量カップで量る

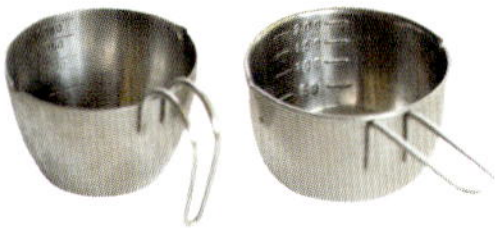

1カップ200mℓ

平らにすり切る

液体

カップを平らな場所に置き、目盛りギリギリまで注ぐ。

粉もの

多めにすくい、ナイフや箸などで表面を平らにする。上から押しつけるのはNG。

手ばかりで量る

少々

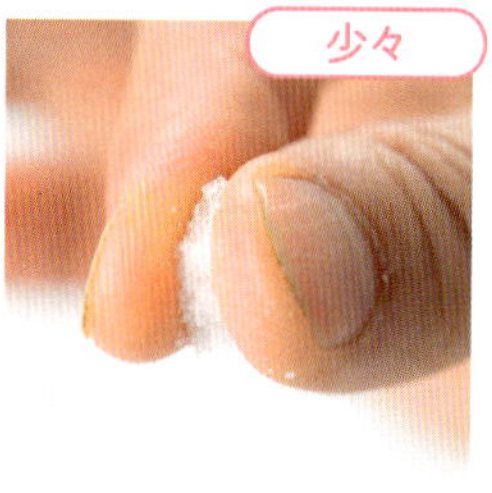

親指と人差し指の2本の指先でつまんだ量。小さじ⅛程度。

ひとつまみ

親指、人差し指、中指の3本の指先でつまんだ量。小さじ¼程度。

計量スプーンで量る

大さじ15mℓ、小さじ5mℓ

粉もの（小麦粉、片栗粉など）

½杯

1杯を量ったあと、半分をナイフなどでかき出す。

1杯

多めにすくったのち、ナイフや箸などで表面を平らにすり切りにする。

液体（しょうゆ、みりん、料理酒など）

½杯

丸くなっている底の部分は容量が少ないので、半分より上の高さに注ぐのがポイント。

1杯

こぼれる寸前までたっぷりと注ぐ。表面張力が働くくらいが目安。

check!

覚えておくと便利な、基本の味つけ（調味料）の割合

和風の煮物
みりん…1
しょうゆ…1
酒…1
だし…5～10

照り焼き
しょうゆ…2
みりん…2
砂糖…1
酒…2

しょうが焼き
しょうゆ…1
酒…1
みりん…1
すりおろししょうが…½

ドレッシング
酢…1
油…2
砂糖…少々
塩・こしょう…少々

ごまあえ
白すりごま…3
しょうゆ…1
砂糖…1

三杯酢
酢…3
しょうゆ…1
砂糖…2

料理

献立の考え方

食事を作るときはおかず単品ではなく、主食、おかず、汁物を合わせて「献立」として考え、バランスのいい食卓に。

3日分くらいを目安にして献立を考える

「料理を作るより、献立を考えるのが面倒」という人は少なくありません。忙しくてまとめ買いをしている場合は、献立も何日分かをまとめて考えておく必要があるので、さらに大変です。

献立をきっちり立てようとすると、食事作りが負担になり、外食が増えてしまう原因になります。献立は3日分程度を目安に考えるといいでしょう。同じ食材でも、調理の仕方を替えれば目先が変わって楽しめるものです。

献立作りをラクにするには、ほかにもいくつかのコツがあります。「汁物以外に2品あれば十分」「ときには1品でもOK」と考えましょう。定番メニューや曜日ごとのルーティンなども取り入れて、頑張りすぎないことが大切です。

献立を考えるときのポイント

1 家にある食材を使う献立を考える

冷蔵庫の在庫をチェックして、「家にある食材で作れるもの」を献立のヒントに。足りないものだけを買い足す。

2 1週間のパターンを作る

毎日ゼロから考えるのは大変なので、曜日ごとにメインを決める。肉と魚が交互になるようにし、週の後半は簡単なものにしても。

1週間の献立例

月	肉	金	麺類
火	魚	土	丼物
水	肉	日	ホットプレート料理
木	魚		

3 わが家の定番メニューを作る

鶏のから揚げ、餃子、焼き魚など家族に評判がいいものを定番メニューに。「今日何にしよう？」と迷ったら定番メニューの出番。

4 メインおかずから考える

メインおかずから決めて、それに合うサブおかずを考えるとスムーズ。メインが肉ならサブはあっさり、メインが魚ならサブは少しボリュームのあるものに。

5 味つけもバランスよく

からいもの、甘いもの、さっぱりしたものなど、味つけのバランスも大切。和風、洋風で統一せず、混ざってもよい。

6 「一汁三菜」にこだわらない

「汁物が豚汁など具だくさんなら、メインおかずはなしでもOK」など柔軟に。1週間でバランスのいい献立になればOK。

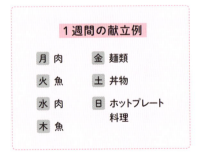

これで十分！

一汁二菜の献立例

献立は主食以外に、メインおかず、サブおかず、汁物の「一汁二菜」で考えるのが基本。栄養、味、調理法のバランスを考慮して。

サブおかず

野菜をメインにした ビタミンやミネラル

サブは野菜や海藻など、メインに入っていない栄養素がとれるものが◎。メインは作るのに手間がかかる場合が多いので、サブは切るだけ、ゆでるだけなど簡単に作れるものに。

メインおかず

肉や魚などの タンパク質

メインは肉、魚、卵、大豆製品などタンパク質を使ったおかずに。野菜を加えるとボリュームアップするだけではなく、栄養バランスもよくなる。油を使ったものだと満腹感あり。

全体

調理法の 組み合わせも考える

メインが炒め物なら、サブは野菜をゆでるなど調理法がかぶらないように。またオーブン料理など、セットしたら焼き上がり時間まで放っておけるものを1品入れるとラク。

汁物

おかずで使っていない 栄養素を補給する

メインやサブで使っていない野菜、海藻、大豆食品などを具にすると献立全体の栄養バランスがよくなる。メインに合わせて和風、洋風、中華風など変化をつけると味がまとまる。

主食

エネルギー源となる 炭水化物

主食ではエネルギー源となる炭水化物をとる。メインが洋風の場合はパンにしても。具だくさんの炊き込みご飯やパスタならメインを兼ねることができる。

料理

食材の切り方

食材は切り方ひとつで仕上がりに差が出ます。食材や調理法に合った切り方をするだけで、おいしさがグンとアップ！

切り方で食感や火の通りやすさが違う

ごぼうやにんじんなど火が通りにくいものは小さく、じゃがいもやかぼちゃなど火が通りやすいものは大きめに切ると、同じタイミングで火が通ります。また食材の繊維を切るとやわらかく、繊維に沿って切ると歯ごたえのある食感に。肉も、切り方しだいでやわらかく仕上がります。

check!

包丁以外に便利な道具

キッチンばさみ

万能ねぎや水菜はキッチンばさみを使い、鍋の上でカット。早いだけでなく、まな板も不要。

ピーラー

皮むきだけではなく、にんじんや大根を薄く長くスライスするのにも便利。

野菜の切り方

輪切り

にんじんなど切り口が円形の野菜を、端から均一の幅で切る。厚さは料理によって異なる。

みじん切り

細切りにした野菜をさらに細かく切る。玉ねぎのみじん切りはひき肉と混ぜて肉ダネに。

せん切り

葉野菜は数枚重ねて、根菜は板状に切ってから重ね、端から1～2㎜の幅に切る。

小口切り

ねぎなど切り口が円形で細長い野菜を端から薄く切る。薬味にするときなどによく使われる。

斜め切り

野菜の切り口が楕円形になるように斜めに切る。表面積が大きくなり、味がしみやすい。

薄切り

野菜を端から薄く切る。玉ねぎはまず半分に切り、切り口を下にすると切りやすい。

いちょう切り

切り口が円形の野菜を縦四つ割りにしたのちに、端から一定の幅に切り四分の一円の形にする。

半月切り

切り口が円形の野菜を縦半分に切り、さらに端から一定の幅に切り半円形にする。

乱切り

野菜を手前に回しながら斜めに切る。表面積が大きくなり味がしみやすい。

+more

電子レンジを利用するとラクになる

かぼちゃのカット

生のままだと固くて切りにくいので、耐熱皿にのせラップをして半加熱する。やわらかくなり切りやすい。

里いもの皮むき

洗った里いもを耐熱皿にのせラップをして、完全にやわらかくなるまで加熱。布巾やキッチンペーパーを使って皮をむく（火傷に注意）。

そぎ切り

厚みのある野菜に斜めに包丁を入れて、切り口の面積が広くなるように切る。味がしみやすくなる。

拍子木切り

細長い棒状の形にする切り方。にんじんや大根などを4～5cm長さ、1cm幅、1cm厚さを目安にして切る。

ささがき

鉛筆を削るように野菜を回しながら細く薄く切る。主にごぼうに用いられる切り方。

くし形切り

トマトや玉ねぎなど球状の野菜を縦半分に切り、中心に向かって均等に切り分ける。

コツがある！

肉の切り方

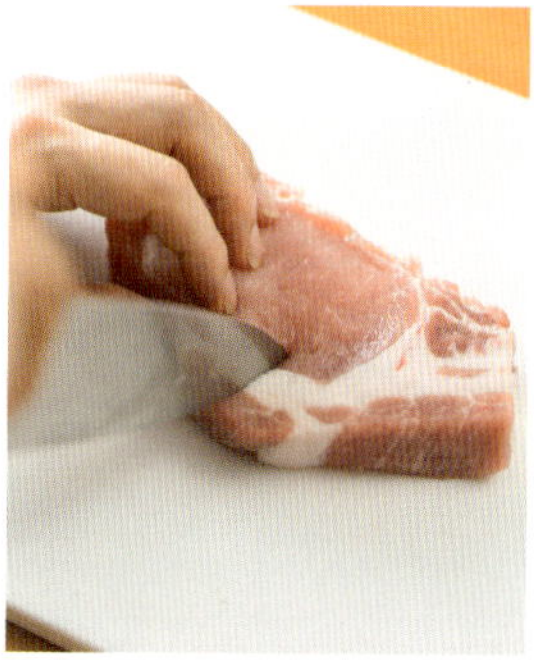

牛・豚ロース肉

筋を切る

赤身と脂身の間に包丁を入れて、白い筋を切る。肉を加熱したときに縮んだり、そり返ったりするのを防ぐ。

鶏もも肉

ひと口大に切る

ひと口大とは、3cm角が目安で、箸でつまみやすい大きさ。皮を下にすると包丁がすべらず切りやすい。から揚げや水炊きなどに。

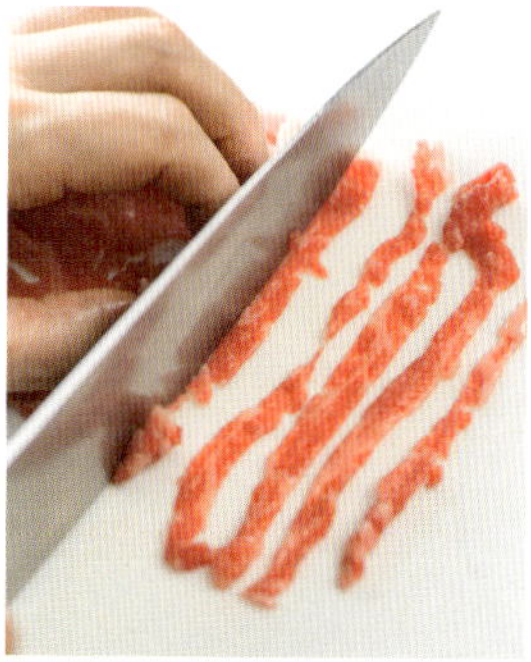

牛・豚薄切り肉

細切り

肉を広げて、端から6～7mm幅に切る。ピーマン、にんにくの芽、もやしなどと炒めたり、春巻きの具に。

鶏むね肉

そぎ切り

皮を下にしてまな板の上にのせ、包丁を寝かせて、手前にそぐようにして切る。表面積が大きくなり火の通りがいい。

料理

生鮮食材の選び方と保存法

食材の鮮度は、料理のおいしさに大きく影響します。
鮮度のいい食材の色や形のポイントをつかみましょう。

鮮度を見極めて味を損なわずに保存

肉はドリップ（赤い水分）が出ていない、魚は一尾なら目が澄んでいる、切り身は切り口にハリがあるのが鮮度の目安。鮮度のいい野菜は、色が鮮やかでみずみずしさがあります。

せっかく鮮度のいいものを買っても保存の仕方が悪いと台なし。どんどん鮮度が落ちてしまいます。保存したい期間と食材に合った保存法で、おいしさを長持ちさせましょう。

食材保存の方法

1. **常温保存** 温度：15～25℃
いも類、泥つきの根菜類などに
2. **冷蔵保存** 温度：0～10℃
肉、魚、野菜、乳製品、卵、大豆製品などに
3. **チルド・冷凍保存** 温度：－19～0℃
肉、魚、野菜、加工食品などに

色がポイント

肉の選び方

豚肉

薄切り肉

弾力があってキメが細かい

赤身は淡いピンク色

脂身は白か乳白色で赤身との境目がハッキリ

肉汁が出ていない

ブロック肉

ツヤと弾力がある

脂身と赤身の分量のバランスがよい

肉の保存法

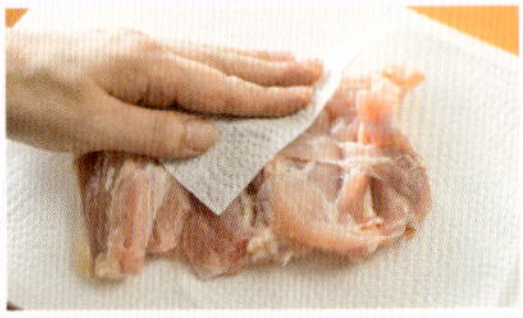

①水分をよく拭き取る

傷みの原因になる水分をキッチンペーパーでよく拭き取る。

②ラップで包む

肉をできるだけ平らにして、ラップでピッチリ包む。

保存期間の目安 チルド室で2～3日

＋more

「下味保存」が便利

しょうゆ、おろししょうが・にんにくなどで下味をつけて保存しておけば、焼くだけで1品完成。保存期間が長くなるメリットも。

料理に適した部位

- **とんかつ：ヒレ、ロース**
- **炒め物：バラ、肩ロース**
- **カレー、シチュー：ロース、もも**
- **チャーシュー：バラ、肩ロース、もも**

鶏肉

手羽先

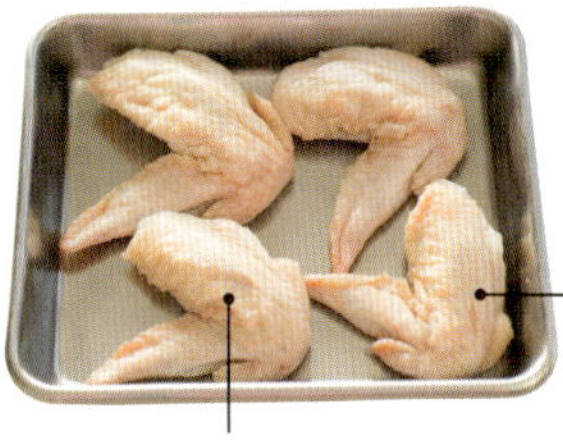

皮は毛穴が盛り上がっている

身が締まって弾力がある

むね肉

淡いピンク色で透明感がある

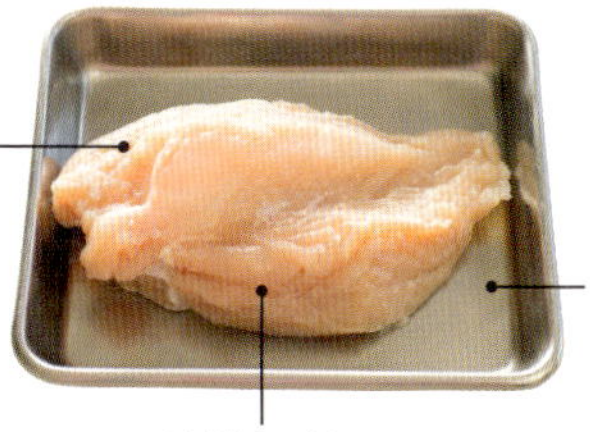

肉汁が出ていない

ハリと弾力がある

料理に適した部位

- から揚げ：もも、むね、手羽
- カレー、シチュー：もも、手羽
- ソテー：もも、むね
- サラダ：ささ身、むね

もも肉

厚みがあり身が引き締まっている

むね肉よりは濃いめのピンク色

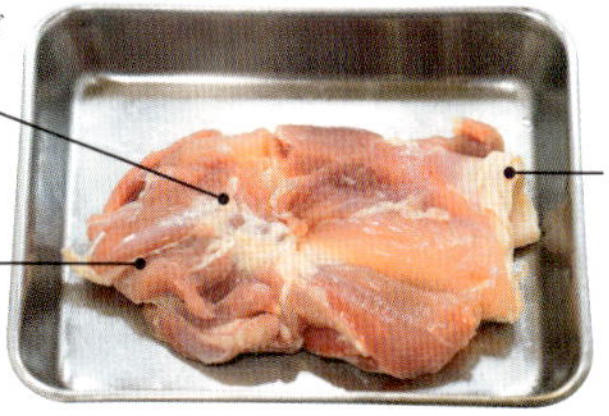

脂身はツヤのあるクリーム色

ひき肉

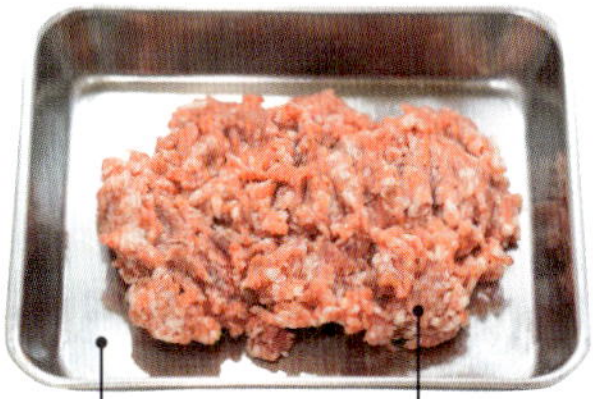

肉汁が出ていない

色が均一で黒ずんでいない

牛肉

薄切り肉

脂身（サシ）が均等に入っている

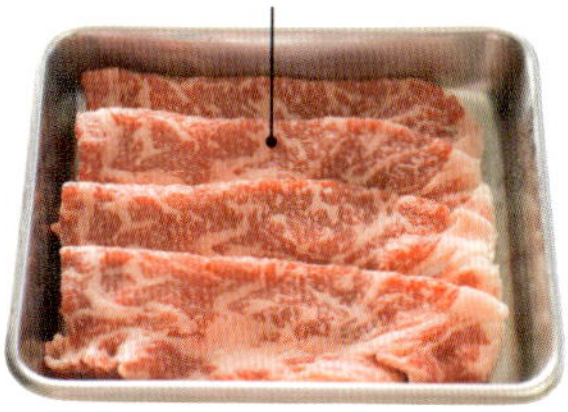

ロース肉

脂身は白か乳白色でツヤがある

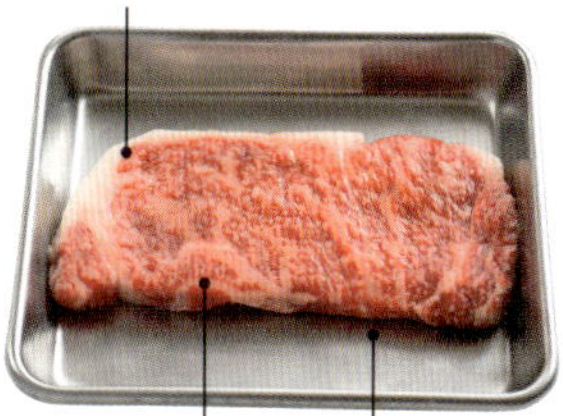

赤身は鮮やかな赤色

肉汁が出ていない

+more

ひき肉はそぼろにすると長持ち

生のまま冷蔵保存するより、加熱してそぼろにしたほうが長持ちする。濃いめに味をつけ、水分をしっかり飛ばすと冷蔵で5〜6日保存可。常温保存はNG。

料理に適した部位

- ステーキ：サーロイン、ヒレ
- ローストビーフ：ヒレ、もも
- すき焼き：リブロース、肩ロース
- カレー、シチュー：すね、肩

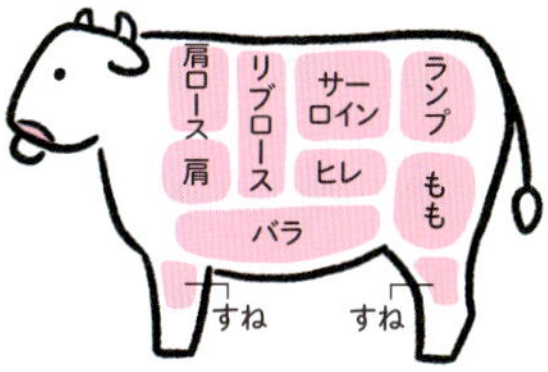

角切り肉

ハリと弾力がある

魚介の選び方

一尾（あじ・いわし・さんまなど）

保存法

内臓などを取る

頭、内臓、ウロコを取り除いて、流水でよく洗う。鮮度のいいうちに処理する。

▼

ラップ＆保存袋に

水けや内臓の汚れなどをきれいに拭き取り、1尾ずつラップで包み、保存袋に入れる。

保存期間の目安 チルド室で2～3日

目に透明感があり、黒目がハッキリ
尾びれがピンとしている
水分が出ていない
色や模様が鮮やかでみずみずしい

切り身（鮭・ぶり・さわら・たら・めかじきなど）

ぶり

身は透明感のあるピンク色
血合いの部分の色が鮮やか

鮭

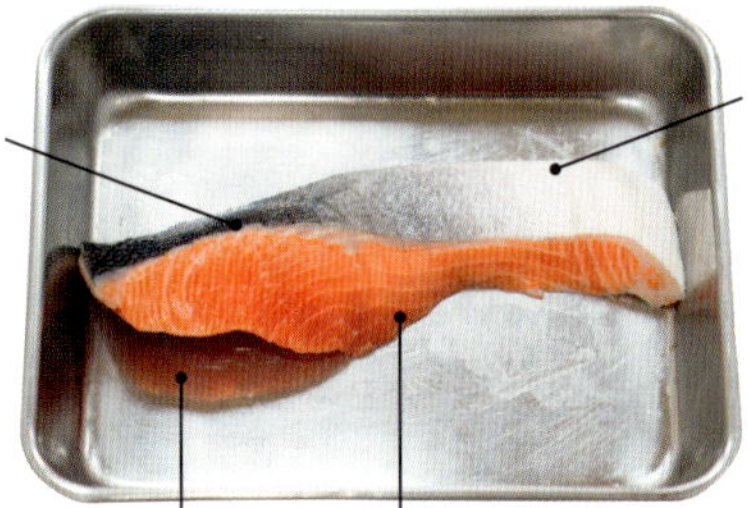
切り口がなめらかで、ツヤがある
皮は白とグレーの違いがハッキリ
水分が出ていない
鮮やかなオレンジ色

保存法

水けを拭く

ペーパーで表面の水けを拭き取る。流水で洗うと水っぽくなるのでNG。

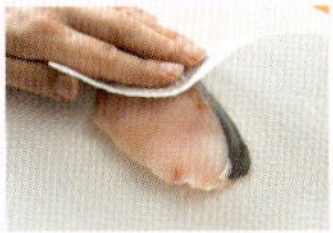

▼

ラップ＆保存袋に

1切れずつラップでピッチリと包み、保存袋に入れてチルド室へ。

保存期間の目安 チルド室で2～3日

白身魚

水分が出ていない
皮の模様がハッキリ
身はピンク色
皮より身が張り出している

刺身のさく

残ったら

保存期間の目安　チルド室で翌日まで

しょうゆに漬ける

当日食べきるのが基本。残ったらしょうゆなどに漬けてチルド室へ。翌日、フライパンでサッと焼いてから食べる。そのままラップをして冷蔵保存はNG。

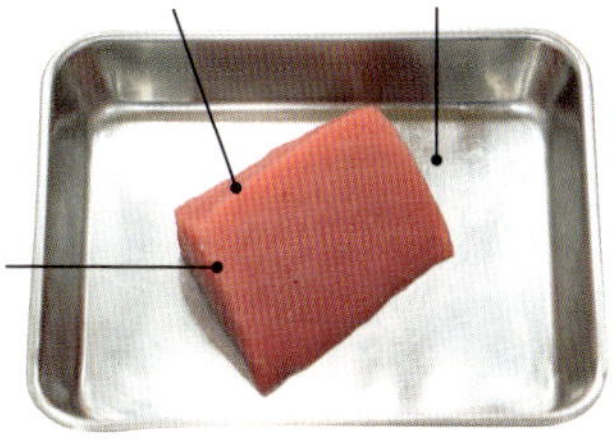
筋は薄いものが身がやわらかく、濃いものは歯ごたえがある
水分が出ていない
色が鮮やかで透明感がある

いか

保存法

保存期間の目安　チルド室で2～3日

内臓を取り出す

内臓と軟骨を取り除き、包丁の背で足の吸盤をこそげ落として洗う。表面と内側の水けを拭き取り、ラップで包み、保存袋に入れてチルド室へ。

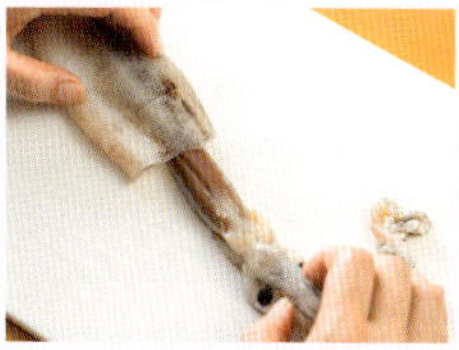

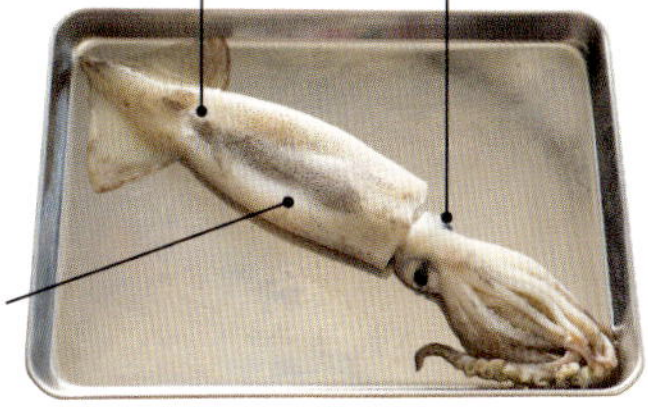
胴が濃い茶色
目が澄んでいて、黒目がハッキリ
透明感、ハリ、ツヤがある

えび

保存法

保存期間の目安　チルド室で2～3日

頭を取る

有頭えびの場合は、頭の部分は傷みやすいので取る。キッチンペーパーで汚れと水けを拭く。まとめて保存袋に入れてチルド室へ。

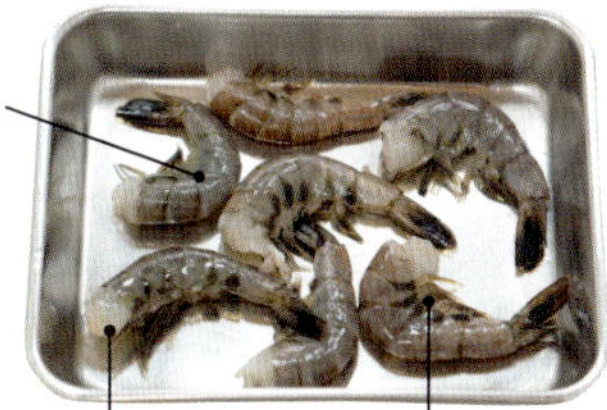
透明で殻にツヤがある
無頭のものは切り口が透明
尾や足のつけ根が黒く変色していない

貝（あさり・しじみ）

保存法

保存期間の目安　毎日塩水を替え冷蔵室で2～3日

流水で洗う

殻をこすり合わせるようにして洗う。海水と同じ3%くらいの塩分の水（しじみは真水）につけ、常温で約30分置き砂抜きをしてそのまま冷蔵室へ。

模様がハッキリ
濁った水分が出ていない
殻にツヤがあり、全体に丸みがある
口が開いていない

長持ちする

野菜の選び方

青菜（ほうれん草・小松菜・チンゲン菜など）

保存法　保存期間の目安　野菜室で4～5日

根をよく洗う

根に土が残らないようによく洗う。水けをよく切り、キッチンペーパーで包み、ポリ袋に入れる。根元を下にして、野菜室で立てて保存。

葉脈がしっかりしている
軸が太くてしっかりしている
緑色が鮮やかでみずみずしい
根元がカサカサしていない

レタス

保存法　保存期間の目安　野菜室で1週間

芯に小麦粉を塗る

芯の切り口を2～3㎜切り落とし、断面に小麦粉を塗って水分の蒸発を防ぐ。ラップで包み、ポリ袋に入れて野菜室で保存。

切り口が乾いていなくて白っぽい

巻きが軽く緩め
形が丸い

白菜

葉脈がハッキリ
切り口が割れていない
断面が平ら

保存法　保存期間の目安　カットものは野菜室で4～5日

ラップで包む

カットしたものは芯を取り、ラップでピッチリ包んで、野菜室で保存。丸ごとは新聞紙で包んで冷暗所へ（保存期間2週間）。

キャベツ

切り口が乾いていなくて500円玉くらいの大きさ

巻きがしっかりしている
葉脈がハッキリ

保存法　保存期間の目安　野菜室で1週間

芯にティッシュをつめる

包丁で芯をくり抜き、ぬらしたティッシュをつめて水分の蒸発を防ぐ。湿らせたキッチンペーパーで包み、ポリ袋に入れて野菜室で保存。

きゅうり

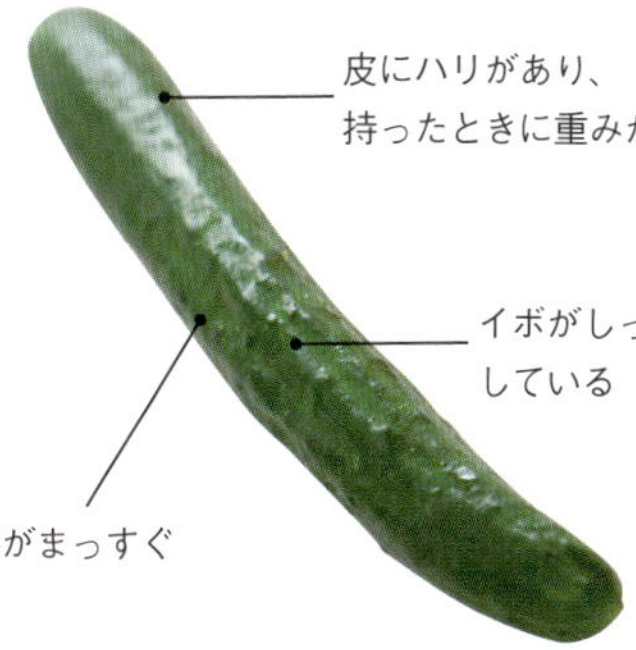
皮にハリがあり、
持ったときに重みがある
イボがしっかり
している
形がまっすぐ

保存法

保存期間の目安 野菜室で4～5日

キッチンペーパーで包む

キッチンペーパーで包み、ポリ袋に入れて保存。畑でなっていた状態と同じになるよう、ヘタを上にして立てて、野菜室で保存。

トマト

ヘタが真ん中に
あり、乾燥して
いない

赤色が鮮やか
形は丸くて、
ずっしりとした重みがある

保存法

保存期間の目安 野菜室で4～5日

トレーごとラップ

ラップで包みポリ袋に入れて、野菜室で保存。トレーつきの場合は、トレーが保護材の役割をするので、トレーごとラップをする。

ブロッコリー・カリフラワー

つぼみが固く締まり、
全体がこんもり
緑が濃く、
色ムラがない
切り口を見て、
軸にス（空洞）や
変色がない

保存法

保存期間の目安 野菜室で2～3日

ポリ袋に入れる

変色しやすいので、ポリ袋に入れて、畑に生えていた状態と同じになるよう立てて、野菜室で保存。カリフラワーも同様に保存する。

なす

切り口が乾燥し
ていない

ヘタが
みずみずしく、
トゲがある
皮にツヤと
ハリがある

保存法

保存期間の目安 野菜室で4～5日

立てて保存

ポリ袋に入れて保存。畑でなっていた状態と同じになるよう、ヘタが上になるようにケースなどに立てて、野菜室で保存する。

大根

保存法

保存期間の目安 野菜室で実は1週間、葉は2～3日

葉を切り離してラップ

葉が実の水分を吸い上げ、実にス（空洞）が入ることがあるので、葉と実を切り離す。それぞれラップで包んで保存。

葉は放射状に広がり、ピンとしている

形がまっすぐで太い
ひげ根の跡がまっすぐについている

かぶ

保存法

保存期間の目安 野菜室で実は4～5日、葉は2～3日

葉は切り落とす

大根と同様に葉と実を切り離し、それぞれラップで包み、野菜室で保存。葉は切り口を下にして立てて保存。

葉のつけ根が乾燥していない

実の形が丸く、ハリがある
葉の緑色がみずみずしく、まっすぐに伸びている

ごぼう

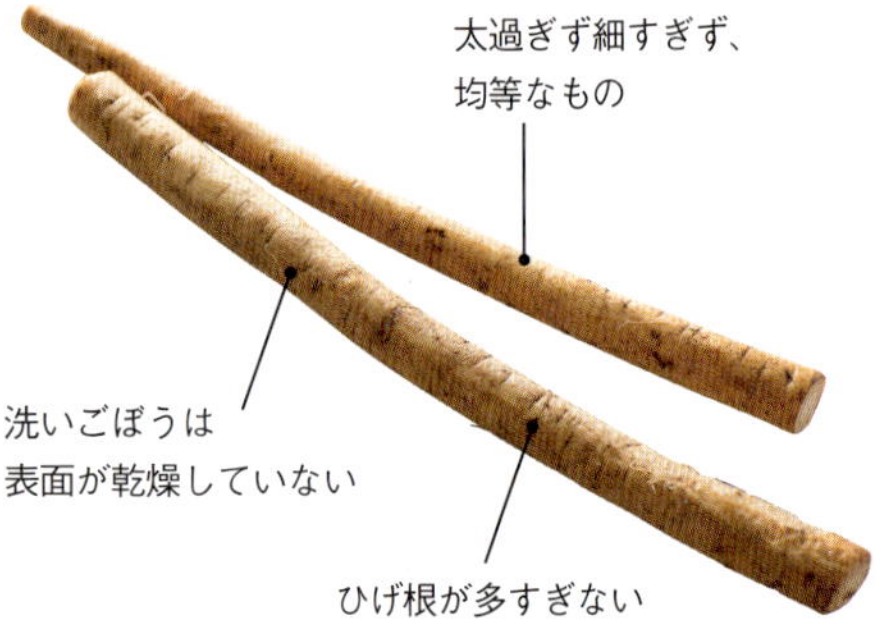
太過ぎず細すぎず、均等なもの
洗いごぼうは表面が乾燥していない
ひげ根が多すぎない

保存法

保存期間の目安 洗いごぼうは野菜室で4～5日、泥つきは冷暗所で1～2週間

洗いごぼうはポリ袋、泥つきは新聞紙

洗いごぼうは野菜室に入る長さにカット。ポリ袋に入れて立てて保存。泥つきは新聞紙で包んで冷暗所へ。

にんじん

芯の切り口が中心にあり小さい

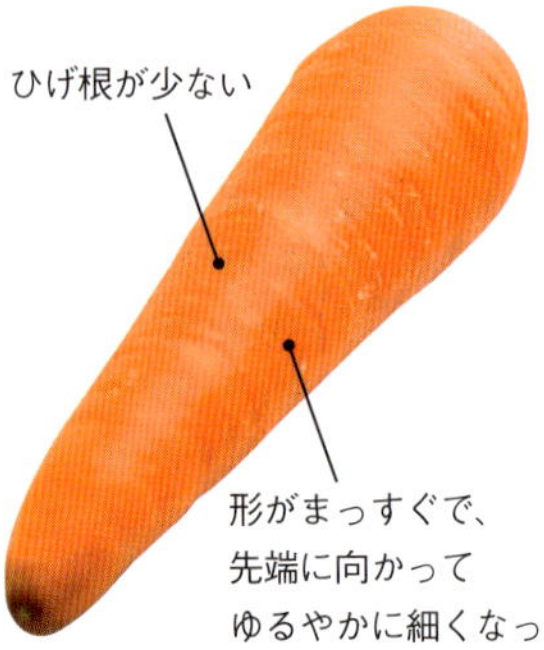
ひげ根が少ない
形がまっすぐで、先端に向かってゆるやかに細くなっている

保存法

保存期間の目安 野菜室で1週間

立てて保存

ポリ袋に入れて保存。畑に生えていた状態と同じになるよう、葉のついていた方を上にして立てて、野菜室で保存。

ピーマン

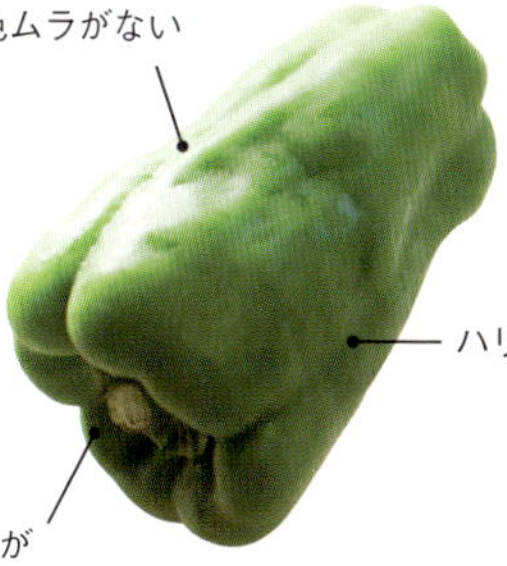
鮮やかな緑色で
色ムラがない
ハリとツヤがある
ヘタの部分が
黒ずんでいない

保存法　保存期間の目安　野菜室で丸ごとは4～5日、カットしたものは2～3日

半分だけ余ったら種を取る

丸ごとはポリ袋に入れて野菜室で保存。半分だけ余ったものは種とワタを取り、切り口が乾燥しないようにラップで包み、ポリ袋に入れて保存。

かぼちゃ

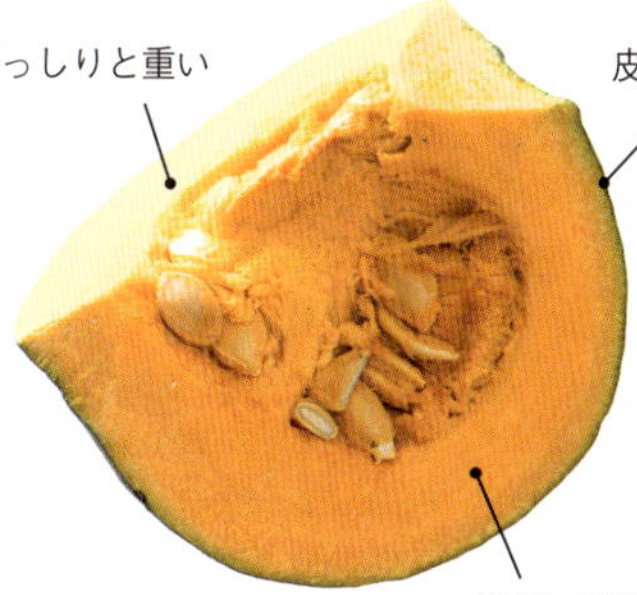
ずっしりと重い
皮は濃い緑色
切り口が乾燥していない

保存法　保存期間の目安　丸ごとは冷暗所で2週間、カットしたものは野菜室で4～5日

種とワタを取る

カットしたものは種とワタを取り除く。切り口が乾燥しないようにラップで包みポリ袋に入れて保存。丸ごとは新聞紙で包んで冷暗所へ。

長ねぎ

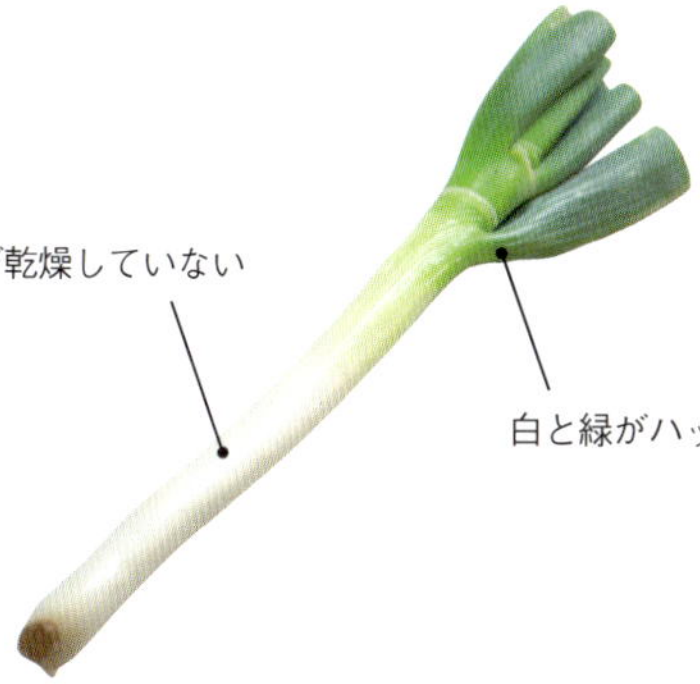
軸が乾燥していない
白と緑がハッキリ

保存法　保存期間の目安　泥つきは冷暗所で2週間、カットしたものは野菜室で4～5日

ラップをして立てて保存

長ねぎは野菜室に入るくらいの長さにカットして、根のほうを下にしてラップに包む。泥つきは新聞紙で包み、冷暗所へ。どちらも立てて保存。

もやし

ひげ根が伸びていない
色が白く太め

保存法　保存期間の目安　冷蔵室で3～4日

保存容器に入れて水を張る

1～2日使う予定がない場合は、保存容器に入れ替え、かぶるくらいの水を注ぎ入れる。水は1日置きを目安に交換すること。

生鮮食材の選び方と保存法 料理

玉ねぎ

保存法 | **保存期間の目安** 冷暗所で2〜3週間 使いかけは野菜室で3〜4日、新玉ねぎは1週間

常温でもOK
買ってきたポリ袋のまま冷暗所で保存もOK。使いかけはラップで包みポリ袋に入れて野菜室へ。新玉ねぎは冷暗所ではなく野菜室へ。

- 皮がよく乾燥している
- 根が伸びていなくて、乾燥している
- 形が丸く、固く締まっている

じゃがいも

保存法 | **保存期間の目安** 冷暗所で2〜3週間 野菜室で1週間

常温の場合はりんごを1つ
りんごと一緒に冷暗所で保存。りんごが放出するエチレンガスがじゃがいもの発芽を抑制。暑い時期はポリ袋や新聞紙で包んで野菜室へ。

- ずっしりと重い
- 発芽する前の芽の数が多く、ごつごつしている

しいたけ

- 軸が太くてしっかり
- カサが肉厚で丸みを帯びている
- カサの内側が変色していない

保存法 | **保存期間の目安** 野菜室で4〜5日

ひだを上に向ける
ひだを下にすると胞子が落ちて傷みが早くなるので、ひだを上にする。トレーが保護材の役割をするのでトレーごとラップしてもよい。

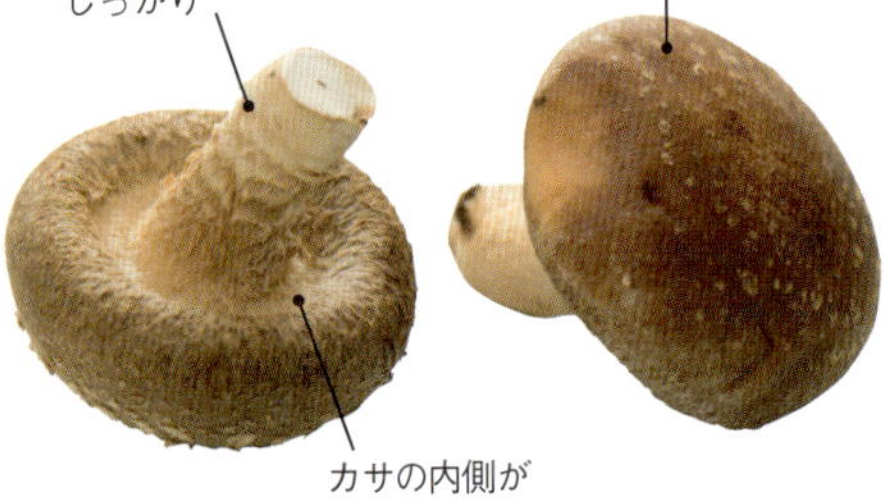

さやいんげん

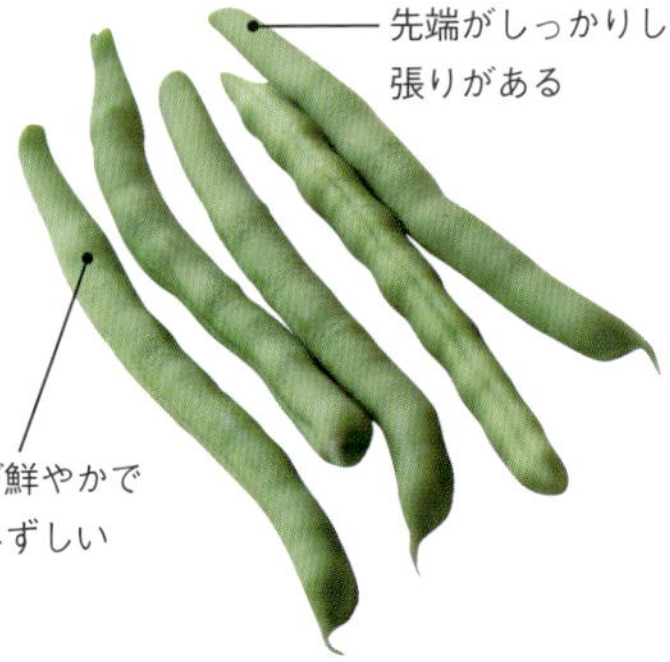

- 先端がしっかりして張りがある
- 緑色が鮮やかでみずみずしい

保存法 | **保存期間の目安** 野菜室で4〜5日

ヘタを上にして立てる
ラップで包み野菜室へ。畑でなっていた状態と同じになるよう、ヘタを上にしてケースなどに立てて保存すると長持ちする。

重さも大切

くだものの選び方

バナナ

つけ根がしっかりしている
皮に傷がない

りんご

全体的に鮮やかな赤色
形が丸くて、ずっしりと重い

いちご

ヘタが緑色でピンとしている
ヘタの付近が白くない
つぶつぶが均一についている

キウイフルーツ

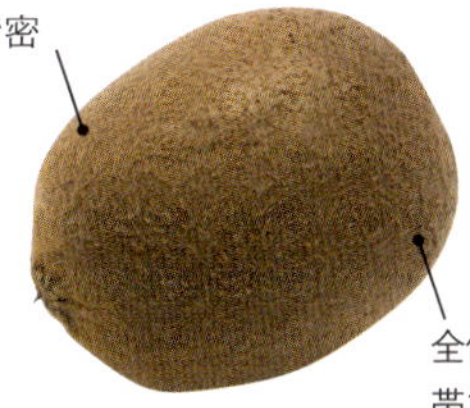
薄茶色でうぶ毛が均一で密
全体的に丸みを帯びている

メロン

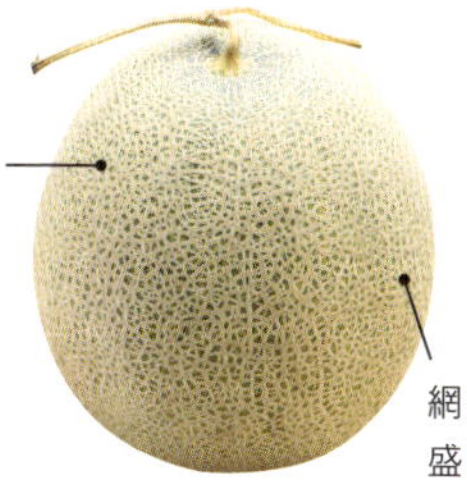
ずっしりと重い
網目模様が細かく、盛り上がっている

グレープフルーツ

ハリとツヤがある
丸くてへこみや変色した部分がない

ぶどう

表面に白い粉がついている
実にハリがある

check!

覚えておきたい保存法

いちごやぶどうはトレーごとポリ袋に	トレーが保護材の役割をするので、トレーごとポリ袋に入れてもよい。
バナナはつるす	ものに接触した部分から傷むのでつるすとよい。低温に弱いので常温で。
カットメロンは種を取る	カットしたら種とワタを取りラップで包み、野菜室へ。

料理

生鮮食品以外の保存法

生鮮食品以外の食材も、おいしさを保つための保存法があります。消費・賞味期限を目安にして食べ切りましょう。

密閉して適した温度で保存する

生鮮食品以外の食品も、おいしさを保つためには適切な方法で保存することが大事です。食品は空気が触れることで酸化して傷み始めるので、空気に触れないように密閉して保存するのがポイント。

米、乾物、粉類、茶葉など湿気を嫌うもの、反対に練り物や肉加工品のように乾燥を嫌うものなど、食品によって適した保存状態が異なります。なんでも「冷蔵庫に入れればOK」というわけではありません。それぞれ適した場所で保存しましょう。

また、多くの食材では開封前と後で保存法が異なります。パッケージに記載されている「消費期限」や「賞味期限」は、未開封で保存した場合の期日。開封したらできるだけ早く食べきります。

麺

生麺

未開封はそのまま、使いかけはポリ袋に入れて冷蔵か冷凍で。

保存期間の目安 開封後は冷蔵で2～3日、冷凍で2週間

蒸し麺・ゆで麺

未開封はそのまま、使いかけはポリ袋に入れて冷蔵か冷凍で。

保存期間の目安 開封後は冷蔵で3～4日、冷凍で2週間

乾麺

開封後は密閉できる袋か容器に入れ、湿気の少ない場所で保存。

保存期間の目安 開封後は1カ月程度

パン

冷蔵はNG、冷凍で

乾燥するので冷蔵しない。冷凍保存ならトーストすればふっくら。

保存期間の目安 冷凍で3～4週間

米

冷暗所で保存

買ってきた袋から保存容器に移して冷暗所へ。夏場は冷蔵庫の野菜室で。

保存期間の目安 冷暗所で1～2カ月

納豆

パックのまま冷蔵

常温だと発酵が進むので、買ってきたパックのまま冷蔵室へ。

保存期間の目安 冷蔵で賞味期限まで

豆腐

水を張った容器に

保存容器に移し替え、ひたひたの水を入れて冷蔵。水は毎日交換。

保存期間の目安 冷蔵で2～3日

卵

とがったほうを下に

ドアポケットは温度変化が大きいので△。冷蔵室の棚の上がよい。

保存期間の目安 冷蔵で2週間

こんにゃく

水を張った容器に

未開封は冷蔵室へ。使いかけは水を張った保存容器に入れ冷蔵室へ。

保存期間の目安 開封後は冷蔵で2～3日

練り物

使いかけはラップする

未開封はそのまま冷蔵室へ。開封後はラップで包んでから冷蔵室へ。

保存期間の目安 開封後は冷蔵で2～3日

お茶

湿気の少ない場所で

湿気を嫌うので、開封後は袋ごと密閉容器か茶筒に入れて冷暗所または冷蔵室へ。

保存期間の目安 開封後は冷暗所で2週間、冷蔵で1〜2カ月

粉類

密閉容器に

開封後は袋ごと密閉容器に入れて冷暗所または冷蔵室へ。

保存期間の目安 開封後は冷暗所で1〜2カ月、冷蔵で半年

※ミックス粉は冷蔵で早めに消費。

かつお節

密閉保存で冷蔵

開封後は酸化しやすく風味が変化するので、密閉できる袋か容器に入れて冷蔵室へ。

保存期間の目安 開封後は冷蔵で3〜4週間

ハム

ラップで包む

未開封はそのまま冷蔵室へ。開封後はラップで包み、ポリ袋に入れて冷蔵室へ。

保存期間の目安 開封後は2〜3日

+more

余ったおかずの保存

お弁当用カップに入れて冷凍

お弁当用の小さいカップに入れて冷凍し、お弁当のおかずに。冷凍のままお弁当箱に入れて、自然解凍でOK。

カレーは鍋ごと冷蔵室へ

大きめの鍋で作ったものが余ったら、鍋ごと冷蔵室へ。そのためにも、冷蔵庫内は整理して空けておきたい。

わかめ

乾燥わかめ

湿気を避ける

開封後は口をしっかり閉じるか、保存容器か保存袋に移し替えて冷暗所へ。

保存期間の目安 開封後は冷暗所で1カ月

塩蔵わかめ

冷蔵保存

開封後は買ってきた袋のまま保存容器か保存袋に入れて冷蔵室へ。

保存期間の目安 開封後は冷蔵で3カ月〜半年

生わかめ

チルド室で保存

鮮魚と同じ生ものとして扱い、保存袋に入れてチルド室へ。

保存期間の目安 チルド室で3〜5日

調味料

開封前 冷蔵
開封後 冷蔵

みそ

開封前 常温
開封後 常温

塩

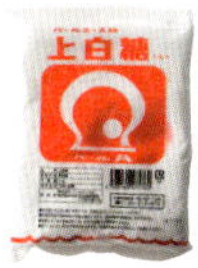

砂糖

開封前 冷暗所
開封後 冷暗所

本みりん

酢

開封前 冷暗所
開封後 冷蔵

カレールウ

ソース

みりん風調味料

料理酒

しょうゆ

ケチャップ

焼き肉のたれ

マヨネーズ

ドレッシング

料理

冷凍保存と解凍

食材を冷凍することで保存期間を長くすることができます。適切な冷凍法と解凍法をマスターしましょう。

素早く冷凍して食材に適した解凍をする

鮮度と味を損なわずに冷凍するポイントは、急速冷凍にあります。とはいえ、家庭用冷蔵庫の冷凍機能には限度があるので、ひと工夫を。

まず食材を密閉袋に入れて空気を抜くこと。空気には熱伝導率を下げる作用があるので、冷気の伝わり方が悪くなるからです。さらに解凍法もポイント。それぞれの食材に合った解凍法で、鮮度と味を保ちましょう。

冷凍保存のポイント

1 新鮮なうちに冷凍する

消費期限ギリギリになってからあわてて冷凍するのはNG。新鮮なうちに冷凍してこそ、鮮度とおいしさをキープできる。

2 使いやすく小分けにする

ひき肉やこま切れ肉などはトレーに入っている固まりのままではなく、小分けしてラップに包んで冷凍。使う分だけ解凍できて便利。

3 冷凍した日がわかるようにする

食材名と冷凍した日付を書いたラベルを貼っておく。冷凍しても保存期限があるので、日付の古いものから早めに消費。「冷凍化石化」を防いで。

4 空気に触れないようにする

ラップは食材に密着するように包み、保存袋に入れる場合は中の空気を抜いて密閉。酸化、乾燥、霜の付着を防ぐことができる。

5 早く凍るようにできるだけ平らにする

食材をできるだけ薄く平らに広げると、短時間で均一に冷凍できる。熱伝導率のいいステンレス製のトレーにのせて、冷凍スピードを加速。

+more

下味をつけて冷凍しておくと便利

保存袋に肉や魚と一緒に調味料を入れて、もみ込んでから冷凍しておくと、半解凍の状態で焼いたり炒めるだけで、おかずが1品完成。

4通りある！

解凍の方法

加熱解凍

凍ったまま調理する

食材を凍ったまま鍋やフライパンに投入。食材の中心と周りとでは、火が通るまでに時間差があるので注意。

適した食材 火が通りやすい野菜や薄切り肉など

冷蔵室解凍

冷蔵室でゆっくり解凍する

低温で時間をかけて解凍するので食材へのダメージが小さい。夕飯に使うものは午前中のうちに冷蔵室に移して。

適した食材 生の状態に戻したい肉や魚など

流水解凍

少し急いで解凍したいときに

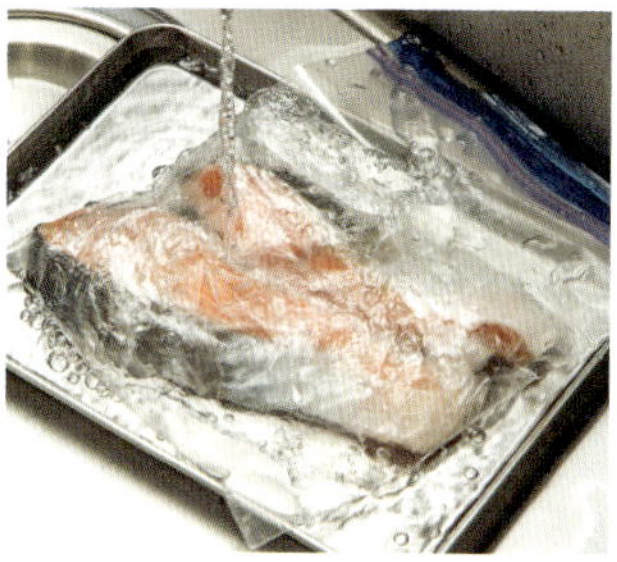

密封した保存袋のまま水道水をあてて解凍。冷蔵室解凍よりも短時間で解凍できる。袋の中に水が入らないように注意して。

適した食材 冷凍したものはなんでもOK

電子レンジ解凍

レンジで短時間に解凍する

電子レンジの解凍モードを使用。加熱時間は最初短めに設定して、様子を見ながら時間をのばすと失敗が少ない。

適した食材 冷凍したものはなんでもOK

+more

冷凍＆解凍Q&A

Q 常温で解凍してもいいの？

A 食材が傷むのでNG

肉や魚などは、常温で長時間放置すると傷むことがあるのでNG。とくに夏場は雑菌が繁殖しやすいので、常温解凍は避けて。

Q 再冷凍してもいいの？

A 1回解凍したら食べきる

解凍すると食材の組織が壊れ、再冷凍すると2回壊れることになり味が劣化する。衛生面も心配なので、解凍したものは食べきって。

Q 冷凍に向かないものは？

A 水分や繊維が多いもの

水分が多いレタス、キャベツ、きゅうりは冷凍するとベチャッと、繊維の多いごぼうやたけのこは筋っぽく、じゃがいもはぼそぼそした食感に。

食材別冷凍・解凍のコツ

肉

豚薄切り肉

冷凍法 1回分ずつ小分けにして、薄く平らになるように広げる。ラップで包み、保存袋に入れて密閉する。

冷凍期間の目安 2～3週間

解凍法 冷蔵室、流水、加熱

鶏もも肉

冷凍法 1回分ずつ小分けにしてラップで包み、保存袋に入れて密閉する。調理しやすいように切ってから冷凍しても◎。

冷凍期間の目安 2～3週間

解凍法 冷蔵室、流水

肉加工品（ベーコン、ハムなど）

冷凍法 1回分ずつ小分けにして、薄く平らになるように広げる。ラップで包み、保存袋に入れて密閉する。

冷凍期間の目安 1カ月

解凍法 冷蔵室、流水、加熱

ひき肉

冷凍法 1回分ずつ小分けにしてラップで包み、保存袋に入れて密閉する。

冷凍期間の目安 2週間

解凍法 冷蔵室、流水、電子レンジ

魚介

あさり（しじみなど）

冷凍法 砂抜きしたあと、洗って水けを拭き取る。保存袋に入れ、貝同士が重ならないように並べて、密閉する。

冷凍期間の目安 2～3週間

解凍法 加熱

一尾（さんま、あじなど）

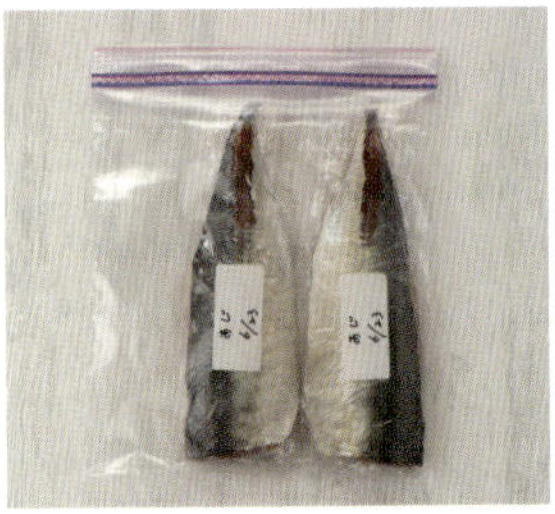

冷凍法 一尾のままではなく、おろしてから冷凍。水けを拭き取り、半身ずつラップで包み、保存袋に入れて密閉する。

冷凍期間の目安 2～3週間

解凍法 冷蔵室、流水

しらす

冷凍法 ラップの上で薄く平らに広げてから包み、保存袋に入れて密閉する。使う分だけパキッと折って使用。

冷凍期間の目安 2～3週間

解凍法 冷蔵室、流水、加熱

切り身（鮭、ぶりなど）

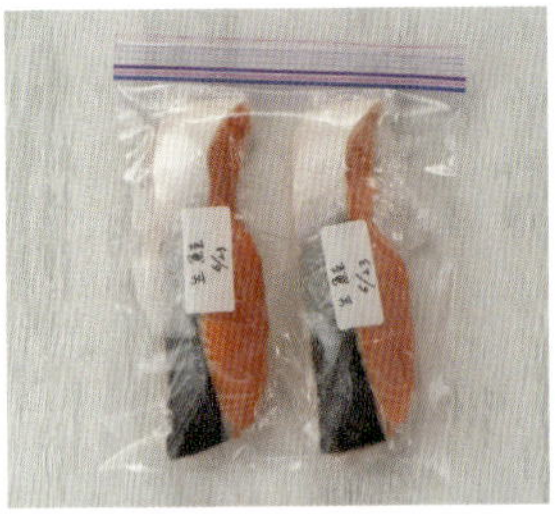

冷凍法 1切れずつラップで包み、保存袋に入れて密閉する。

冷凍期間の目安 2～3週間

解凍法 冷蔵室、流水、電子レンジ

野菜

トマト

冷凍法 ヘタを取って丸ごとラップで包み、保存袋に入れて密閉する。凍ったまま水に数秒つけると、皮がスルリとむける。

冷凍期間の目安 1カ月

解凍法 加熱

ほうれん草

冷凍法 固めにゆでて、3～4㎝長さに切る。1回分ずつ小分けにしてラップで包み、保存袋に入れて密閉する。

冷凍期間の目安 1カ月

解凍法 加熱、電子レンジ

しょうが

冷凍法 しょうがは薄切り、細切り、すりおろしなどにする。ラップの上に薄く平らに広げて包み、保存袋に入れて密閉する。

冷凍期間の目安 1カ月

解凍法 加熱

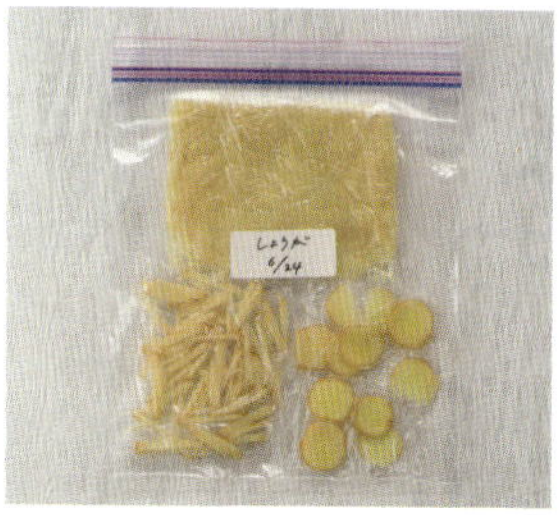

ブロッコリー（カリフラワー）

冷凍法 小房に分けて、固めにゆでる。保存袋に入れ、重ならないように並べて密閉する。

冷凍期間の目安 1カ月

解凍法 加熱、電子レンジ

パセリ

冷凍法 葉の部分だけをちぎり、キッチンペーパーで水けを取る。保存袋に入れて密閉。使うときは袋の上からもむとパラパラに。

冷凍期間の目安 1カ月

解凍法 凍ったまま使用

しめじ

冷凍法 石づきを取って小房に分ける。保存袋に入れ、平らに広げて密閉する。しいたけ、しめじ、まいたけを混ぜてもよい。

冷凍期間の目安 1カ月

解凍法 加熱

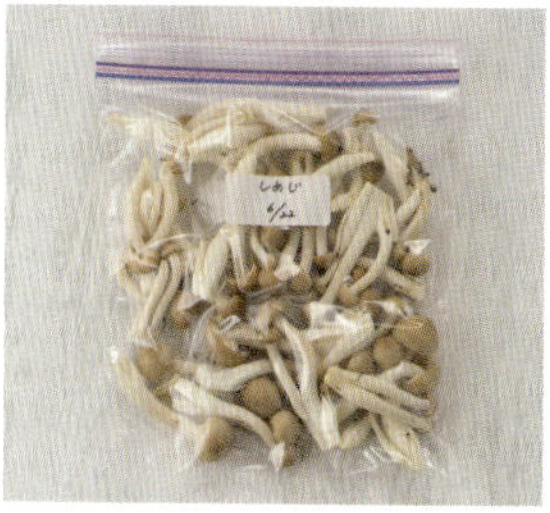

その他の食材

油揚げ

冷凍法 1食分ずつラップで包み、保存袋に入れて密閉する。

冷凍期間の目安 1カ月

解凍法 加熱

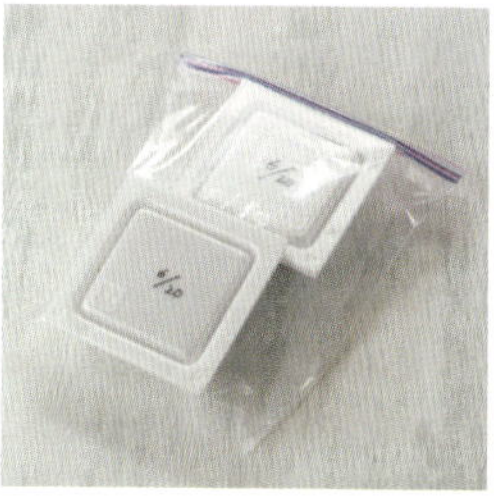

納豆

冷凍法 パックごと保存袋に入れて密閉する。パックに直接、冷凍した日付を書いて、食べ忘れを防止。

冷凍期間の目安 1カ月

解凍法 冷蔵室

パン

冷凍法 1枚ずつラップで包み、保存袋に入れて密閉する。

冷凍期間の目安 1カ月

解凍法 凍ったままトースターで焼く

ご飯

冷凍法 炊きたてのご飯を1食分ずつ、ラップの上に平らになるように広げてから包む。保存袋に入れて密閉する。

冷凍期間の目安 1カ月

解凍法 電子レンジ

料理

冷蔵庫の収納

冷蔵庫の中を整理整頓することで、使いたい食材の出し入れがスムーズに。使い忘れもなくなります。

食材ごとに定位置を決めて出し入れしやすく

使いたい食材がなかなか見つからなかったり、使い忘れて賞味期限切れになったものが出てきたことはありませんか？　その原因のひとつが、食材の置き場所を決めずに、その都度なんとなく入れていること。冷蔵室内の置き場は、①ドアポケット、②上のほうの棚、③下のほうの棚の3つのゾーンに大別して、入れるものをだいたい決めましょう。使いたいものがすぐ取り出せると、ドアを開けている時間が短く、節電にもなります。

よく使うものは目線より下の位置の手前に置くと、すぐ手に取れて、しまうときもラクです。同じタイミングで使うものやこまごましたものは、ケースにまとめて入れると迷子や使い忘れがなくなり、食品ロスが防げます。

①ドアポケット（右）

チューブ入りの薬味は立てる

ドアポケットに寝かせて入れると取りづらくなるので、ケースに立てて収納。ふたを下にすると中身が絞りやすい。

ケースで奥と手前を仕切る

ドアポケットに奥行きがある場合は、細長いケースを入れ、手前と奥を仕切って使用。手前によく使う調味料などを。

③下段

早めに食べたいものは手前に

早く消費したいものは手前に。ふたを開けなくても、横から見ただけで中身がわかるように透明の容器に入れて。

「朝食セット」をケースに

チーズ、ヨーグルト、バターなど朝食で食べるものはケースにまとめる。ケースごと出して食卓へ。

②上段

乾物を入れてもOK

風味が落ちるのが気になるのりやかつお節などの乾物も冷蔵庫へ。使用頻度がそれほど高くないので、上段に。

缶ビールはケースに入れて

350mℓ缶なら一般的な棚板の間隔に収まるので、細長のケースに入れて2段目の棚を定位置に。

①ドアポケット（左）

開封したものはピンチで留める

開封した袋物の口はピンチなどで留める。1つでは自立しないので、定位置を決め、まとめてドアポケットへ。

たまにしか使わない調味料をまとめて

使用頻度は低いけれど常備しておきたい調味料はここへ。庫内を掃除するときに賞味期限をチェックして。

細長ケースを使って奥も使いやすく

奥のものは手前に置いたものをどかさないと取れないが、細長いケースに入れると、ケースを引き出すだけで取れる。

毎日使うみそは手前に

ほぼ毎日使うみそは手前に置いて、ワンアクションで取れるように。

一時置きのためにスペースを空ける

できるだけ空いたスペースを確保しておき、肉や魚の下ごしらえ、サラダやフルーツを冷やすときの一時置きに。

野菜室収納のポイント

下段

大物野菜は下に入れる

キャベツ、レタス、ブロッコリーなどは下段に。上に他の野菜を重ねると傷みと使い忘れの原因になるのでNG。

野菜をトレーに立てる

深さのある下段には、大物と長めの野菜を収納。野菜は寝かせずに、高さのあるケースに立てると長持ちする。

上段

使いかけはまとめる

使いかけをまとめるトレーを1つ決めて集合させる。献立を立てるときは、ここにある食材を使う料理を考えて。

小さい野菜は上段に

上段は深さがないので背の低い小さめのものを置く。だいたいの定位置を決めておくと使いやすい。

冷凍室収納のポイント

下段

冷凍保存袋はブックエンドで仕切る

重ねるより立てるほうが見やすく、使い忘れがない。ブックエンドを使うとスッキリ立てられる。

アイスは箱から出して省スペースに

箱入りの冷凍菓子は、中身だけをカゴにIN。箱は場所を取るし、熱伝導率が悪く冷えにくい。

上段

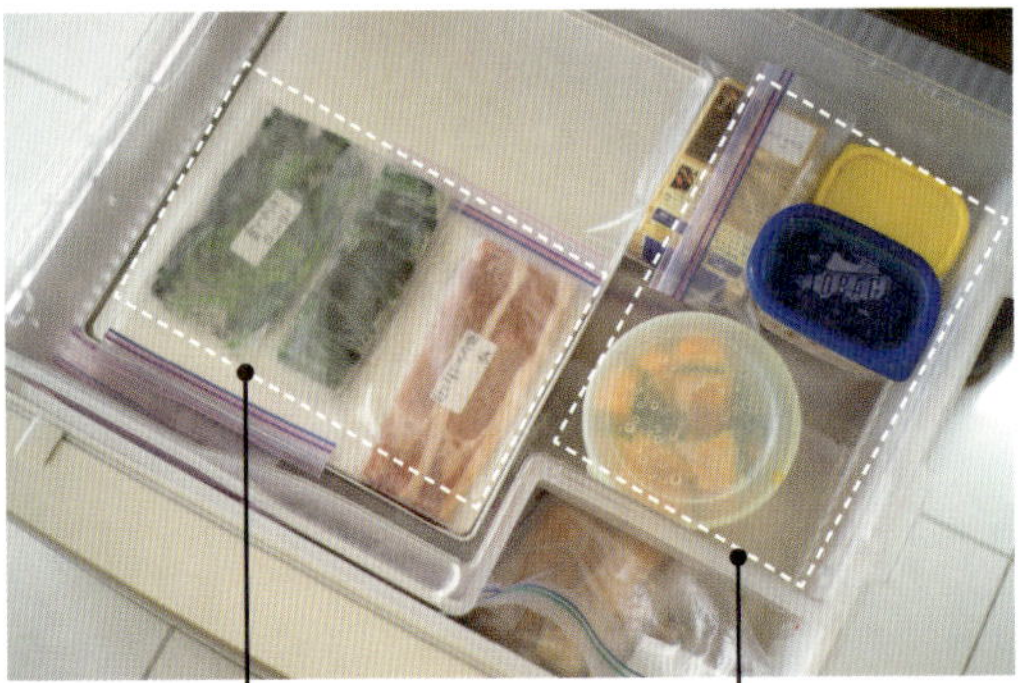

冷凍中のものを置く場所を確保

冷凍する食材をのせるトレーを置く場所を空けておく。上にものを置かないよう深さのない上段が◎。

早めに食べたいものは目につく位置に

おかずの冷凍など早めに食べたいものは、上段に定位置を確保。

column

冷蔵庫の掃除

月に１回と半年に１回のお手入れで、清潔に保ちましょう。
掃除の際に、食材の賞味期限をチェックして、過ぎたものは処分を。
期限が近いものは、まとめて見えやすい場所に移動します。

月に1回

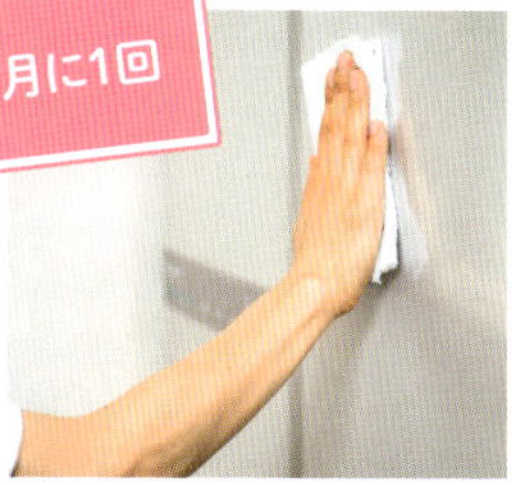

ドアを拭く

ドアは取っ手だけではなく、表面にも手アカがついているので水拭きを。取っ手にはアルコール除菌スプレーを。

水拭きでもOK

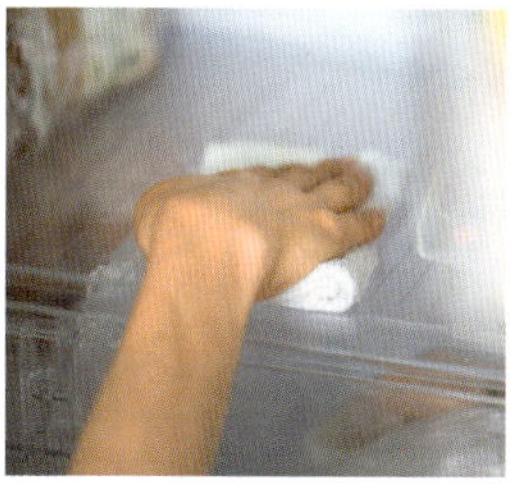

棚の上を拭く

調味料の液だれや食材のくずなどを拭き取る。水拭きでもいいが、アルコール除菌スプレーを使用するとより衛生的。

半年に1回

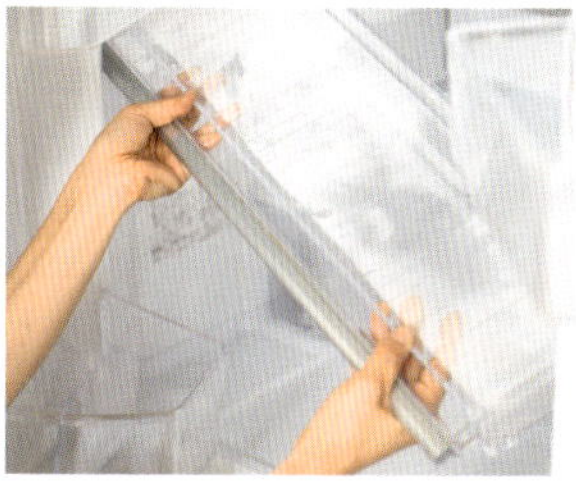

パーツを外す

掃除を始める前に電源プラグを抜く。冷蔵室、野菜室、冷凍室それぞれ取り外せるパーツはすべて外す。

パーツを洗剤で洗う

スポンジに食器用洗剤と水を含ませ、よく泡立ててから１つずつパーツを洗う。よくゆすぎ、乾かす。

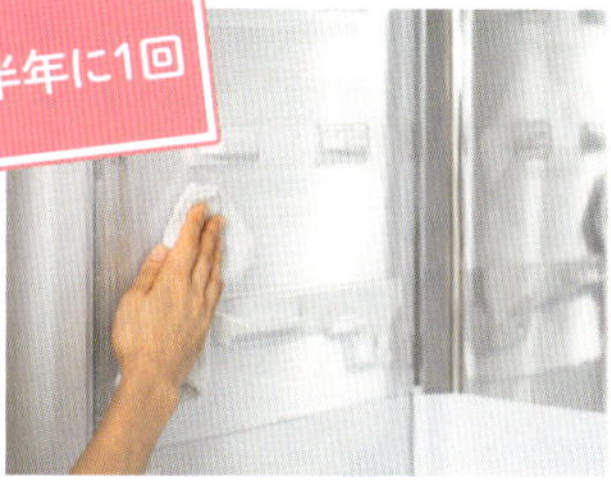

庫内をアルコールで拭く

取り外せないものは、アルコール除菌スプレーを使って拭き掃除する。庫内の内側の壁も拭く。

冷蔵庫の下の掃除

掃除機をかける

掃除機の先端をすき間用ノズルに替えて、冷蔵庫と床の間のホコリを吸い取る。

カバーを外す

カバーを手前に引いて外す。ホコリは掃除機で吸い取り、汚れは水洗いする。

ドアパッキンの掃除

すき間は綿棒で

すき間に入り込んだ汚れは綿棒で。竹串を使って、汚れをかき出してもよい。

水拭きする

パッキンに汚れがついているとドアがしっかり閉まらなくなるので、水拭きを。

料理

食器・調理道具の洗い方

食器や調理道具の毎日の洗い方のポイントと、ふだんの洗い方では取れない汚れの落とし方を紹介します。

洗う順番が肝心 まな板は定期的に漂白を

後片づけを面倒に感じている人は多いもの。食器洗いをラクにするポイントは、洗う順番にあります。

スポンジの泡持ちをよくするために、汚れの少ない食器から洗い始め、油のついたものは後回しにします。油汚れはペーパーなどで拭き取ってから洗うと、スポンジが油まみれになったり泡がヘタることがなく、洗剤も水も少量ですみます。

ふだんの洗い方だけでは汚れが落ちきらない場合は、漂白したり、クレンザーやメラミンスポンジを使うなどのお手入れが必要。汚れをためずに、気づいたときにササッと落とすのが、洗い物をラクにするコツです。すぐに洗えないときは水につけておくと、汚れが落ちやすくなります。

食器を洗う順番

1 こびりつきは水につける

ご飯がこびりついている茶わんなどは、水につけると5分ほどでするりと落ちる。

2 軽い汚れは水洗いする

洗剤を使わなくても汚れが落ちるので流水で。

3 油汚れは拭き取る

いきなりスポンジを使わずペーパーなどで拭き取る。

4 洗剤をよく泡立てる

スポンジに水を含ませ、食器用洗剤を1〜2滴たらす。クシュクシュしてよく泡立てる。

5 流水ですすぐ

食器に流水を5秒以上あてながら指でこすって、洗剤分をよく落とす。

6 水けを切る

水切りカゴなどに食器を並べて水けを切る。ご飯茶わんや汁わんは下に向ける。

清潔に保とう

食器の洗い方

カップ

漂白剤につける

重曹で落ちない場合は、キッチン用の漂白剤を表示通りに希釈して、カップをつける。

重曹でこする

茶渋は重曹を振りかけて指でこする。スポンジを使用しても可。水でよくゆすぐ。

茶わん

裏も洗う

内側だけではなく外側の底も忘れずに。底には汚れがたまりやすい。

水につけておく

ご飯のデンプン質が乾くと落ちにくくなるので、食べ終わったらすぐに水につける。

保存容器

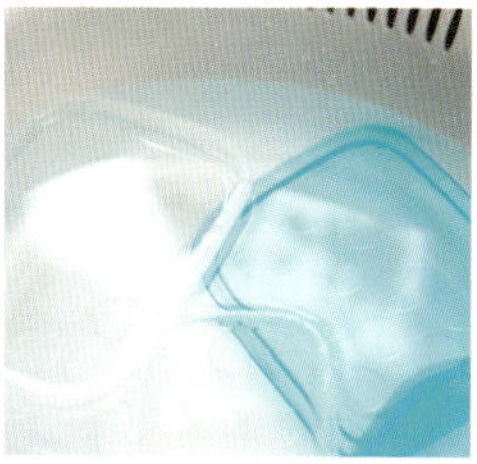

ニオイがついたら漂白

ニオイが気になる場合は、キッチン用の漂白剤をパッケージの表示通りに希釈して漂白。

グラス

よく乾かす

布巾で拭かずに、布巾の上に伏せて自然乾燥すると、拭きムラや指紋がつきにくい。

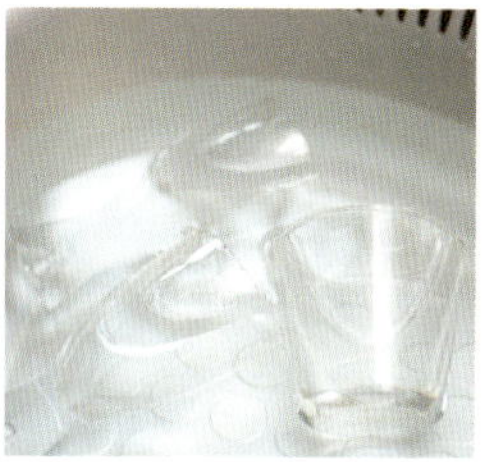

くもりは漂白して取る

くもりが気になる場合は、キッチン用の漂白剤を表示通りに希釈して漂白する。

一番最初に洗う

ほかの汚れがつかないように、最初に洗う。スポンジでやさしく洗い、ぬるま湯で流す。

カトラリー

くすみは重曹で取る

くすみが気になるときは重曹を振りかけて指やスポンジでこすり、水でよくゆすぐ。

箸

先端をよく洗う

食器用洗剤をつけたスポンジで洗い、ご飯のこびりつきなどは水につける。

漆器

布巾で水けを拭く

完全に乾いたのち、やわらかい布で拭くと、漆器特有のツヤがよみがえる。

スポンジで軽くこする

傷つきやすいのでスポンジのやわらかい面で。油汚れは食器用洗剤を使用。

調理道具の洗い方

まな板

週1で除菌

肉や魚を切るまな板は菌が繁殖しやすい。泡タイプのスプレー式漂白剤で除菌を。

基本は洗剤で

食器用洗剤を泡立てたスポンジでこすり洗いする。流水で洗剤分をよく流す。

包丁

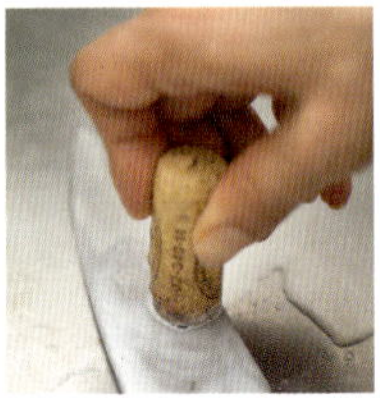

サビはコルク栓で

クリームクレンザーを少量つけてワインのコルク栓でこすり、流水でゆすぐ。

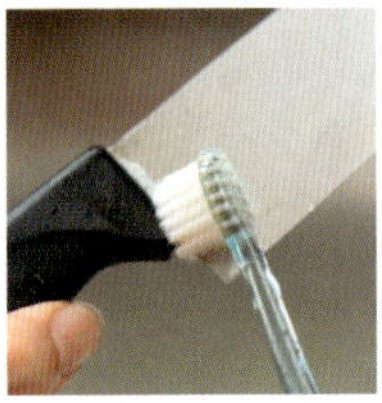

境目は歯ブラシで

刃と柄の境目にたまった汚れは、歯ブラシでこする。食器用洗剤を使っても。

やかん

アルミホイルでこする

クレンザーで落ちない汚れやつなぎ目の汚れは、丸めたアルミホイルでこする。

クレンザーでこする

黒い汚れは、スポンジの固い面にクリームクレンザーを少量つけてこすり落とす。

鍋

頑固な焦げはメラミンスポンジで

スポンジで落ちない焦げつきは、メラミンスポンジで。

洗剤につけ置き

取れない汚れはつけ置き用の洗剤で。湯と洗剤を入れ、約30分置く。

水筒

+more

重曹液を入れる

湯を注ぎ、小さじ1～2杯の重曹を入れてよく振る。30分～1時間放置してすすぐと、着色汚れや気になるニオイもスッキリ。

柄つきブラシで洗う

柄つきブラシを使用して、水筒内部の底まで洗剤でよく洗う。

フライパン（フッ素樹脂加工）

やわらかいスポンジで

食器用洗剤を泡立てたスポンジのやわらかい面でこすって洗う。

油汚れはウエスで

油のベタベタ汚れは、スポンジを使う前にウエス（古布）やペーパーで拭く。

ざる

タワシでこする

ざるの目についた汚れは、洗剤も水もつけず小さめのタワシでゴシゴシこすって落とす。流水でゆすいで乾かす。

布巾

よく乾かす

洗剤で洗ったり漂白してすすいだあとは、できれば天日でよく乾かす。生乾きは細菌の繁殖の原因に。

週１回は漂白

キッチン用漂白剤を表示通りに希釈して漂白。色柄ものは色落ちする可能性があるので酸素系漂白剤を使用。

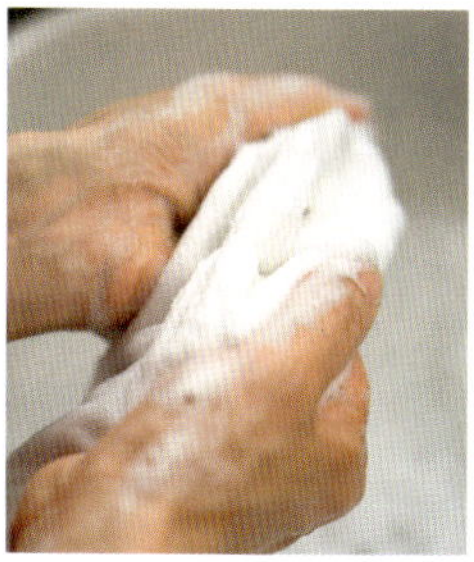

食器用洗剤で洗う

夕食の後片づけの最後に、食器用洗剤をつけて洗う。洗剤分が残らないようによくすすいで、天日に干す。

おろし器

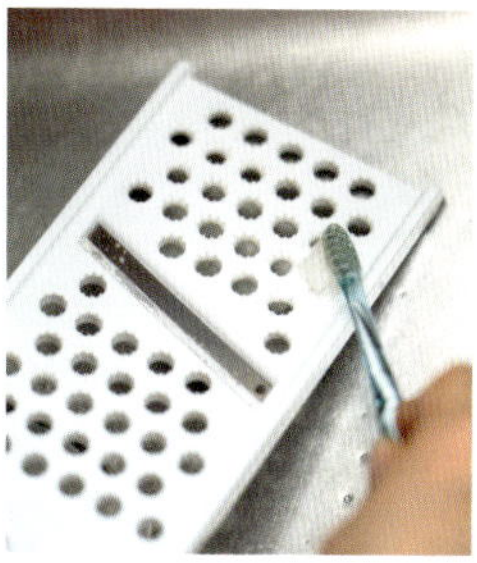

歯ブラシでこする

細かい突起部分についた汚れが、スポンジでこすっただけでは落ちないときは、歯ブラシを使ってこすり落とす。

ピーラー

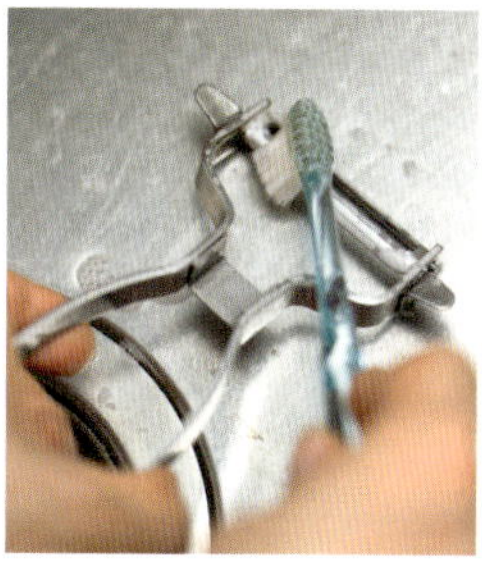

すき間は歯ブラシで

すき間や凹凸についた汚れは、歯ブラシでこすって落とす。野菜の皮が残りやすいので、念入りにこする。

土鍋

スポンジでこする

ゆるんだ焦げは、スポンジでこすって落とす。ゆすいで、布巾でよく拭く。乾燥させてカビやヒビ割れを防ぐ。

ひと晩水につける

焦げつきが落ちない場合でも、ゴシゴシこするのはNG。ぬるま湯を注いでひと晩置き、焦げをゆるませてから落とす。

check!

ニオイは茶葉で取る

土鍋に水を張り、茶葉を少々入れて火にかけ、沸騰したら中火にして約10分煮立たせる。そのあと、湯はすぐ捨てる。茶葉の代わりに茶がらでもよい。

カビには酢が◎

土鍋に水を張り、酢大さじ2～3を入れて火にかけ、沸騰したら中火にして約10分煮立たせる。その後、湯はすぐ捨てる。

料理

調理家電のお手入れ

汚れが軽いうちなら簡単に落とせます。こまめにお手入れして、衛生的に使用しましょう。

すき間の汚れをしっかり落とす

調理家電はすき間や溝などが多く、そこに汚れがたまりやすい構造になっています。ふつうにスポンジでこすったり、布巾で拭いても落ちない細かい部分の汚れには、ひと工夫が必要です。

電気製品なので水けを嫌いますが、安全性に注意しながら、取り外せるパーツはできるだけ外して洗い、清潔さを保ちましょう。

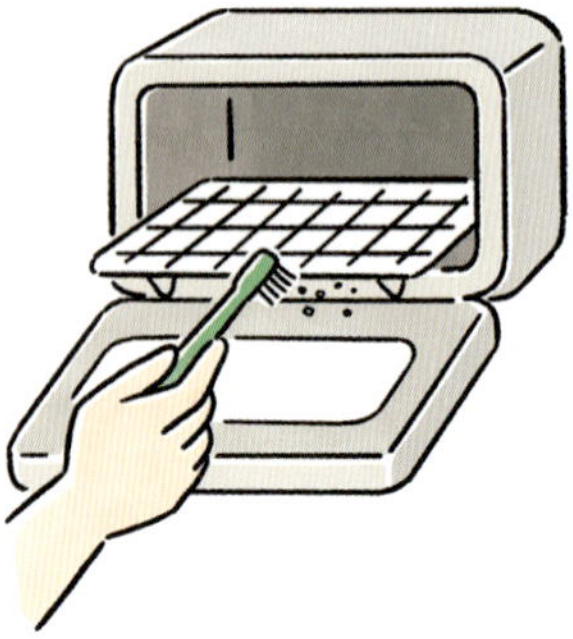

電子レンジ

容器に水を入れて加熱

耐熱容器に水1カップを入れ、庫内に蒸気が充満する程度に加熱する（600Wで3分が目安）。

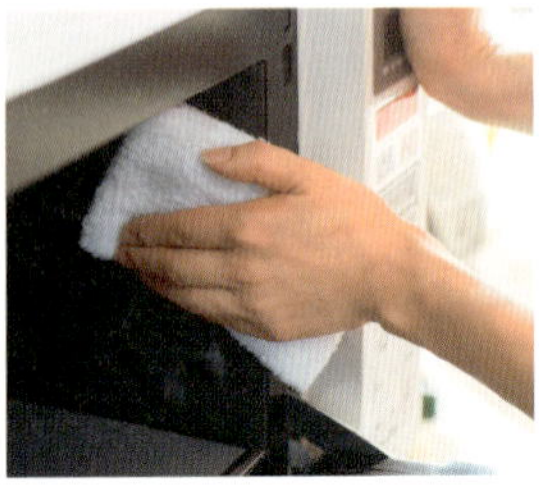

温かいうちに拭く

蒸気で庫内の汚れがゆるんだら水拭きする。使うたびに水拭きするのを習慣にすると、汚れがたまらない。

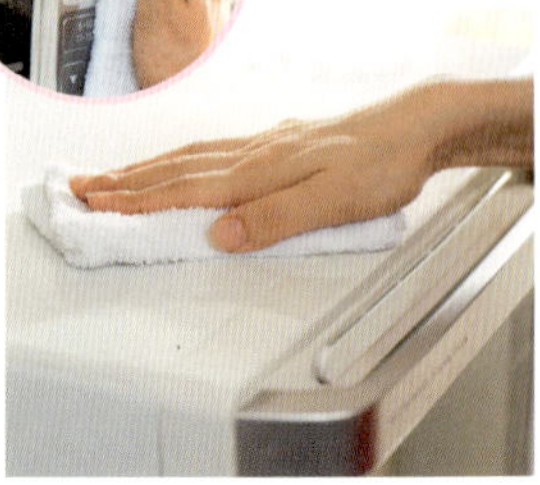

外側は水拭きする

油汚れや手アカが気になる部分は、アルコール除菌剤をスプレーした布で拭く。レンジに直接スプレーするのはNG。

食器洗い乾燥機

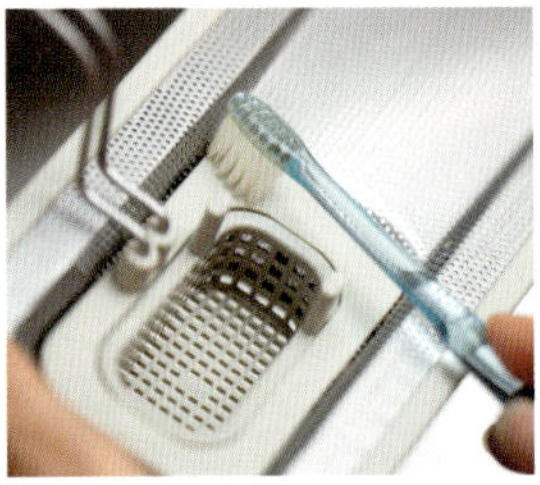

残菜フィルターを洗う

使用するたびに、残菜フィルターにたまったゴミを取り除き、歯ブラシでこする。

カゴを外して洗う

月1回程度、取扱説明書を見ながら、カゴや回転ノズルを外して、スポンジや歯ブラシでこすり洗いする。

内側は水拭きする

庫内は水拭きして汚れを取る。専用洗剤を洗剤口に投入して、何も入れずに通常コースで運転するのもよい。

炊飯器

内釜と内ぶたを洗う

内釜を取り出し、内ぶたも外して食器用洗剤を泡立てたスポンジで洗い、流水でゆすぐ。乾かしてから元に戻す。

▼

蒸気口を外して拭く

蒸気口のふたを取り外して、食器用洗剤を泡立てたスポンジで洗い、流水でゆすぐ。本体は水拭きする。

フードプロセッサー

ふたや容器を洗う

使用後は、ふたや容器を取り外して、食器用洗剤を泡立てたスポンジで洗ったのち、ゆすいで乾かす。

▼

カッター部分を洗う

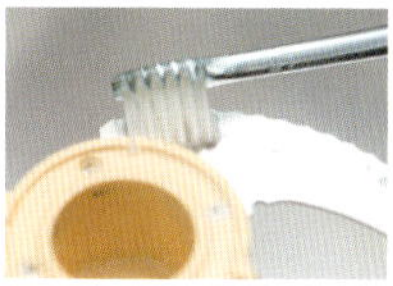

カッター部分を外して歯ブラシと食器用洗剤で洗う。すき間はゴミがつまるのでていねいに洗う。

▼

本体は水拭きする

外側は水拭きする。ホコリやゴミがたまりやすいすき間は、水で湿らせた綿棒でこすって汚れを取る。

電気ケトル

満水にしてクエン酸を入れる

ケトルを満水にして、クエン酸を大さじ1入れ軽く混ぜる。スイッチを入れ、沸騰したら約1時間放置。

▼

中はスポンジで外は水拭きする

酸で水アカがゆるんだら湯を捨て、スポンジで軽くこすり、水でゆすぐ。本体の外側、ふた、電源プレートを水拭きする。

オーブントースター

受け皿を外して洗う

受け皿や網など外せるものは外して、食器用洗剤を泡立てたスポンジで洗う。流水でゆすぎ、乾かしてから元の位置にセットする。

▼

内部のゴミをかき出す

扉の下部分のすき間はパンくずなどがたまりやすいので、歯ブラシでかき出す。焦げつきは丸めたアルミホイルでこすって落とす。

料理

ゴミの処理

キッチンから出るゴミを少しでも減らしたり、捨てやすくするための工夫を紹介します。生ゴミのニオイ対策も。

分別のルールを守って捨てやすいゴミにする

生ゴミ、発泡トレー、アルミ缶、びん……キッチンから出るゴミはさまざま。各自治体によってゴミの分別法が異なるので、自治体のルールに従って分別をします。

ゴミを減らす工夫も大事です。食品ロスを少なくすることで生ゴミを減らすことができたり、缶、びん、ペットボトルは洗って乾かすことで、リサイクル資源になります。ゴミが増えると、捨てるときの袋代もかかります。

毎日出る生ゴミをぬらさないようにしたり、水けをしっかり切るだけでもゴミ減量につながり、嫌なニオイや菌の発生を防ぐことができます。キッチンの衛生のためにも、環境のためにも、ゴミを減らし、きれいにまとめることを心がけましょう。

ゴミのまとめ方

生ゴミ

野菜の皮はぬらさない

三角コーナーや排水口のゴミ受けにためないこと。調理台の上で皮をむいて、直接ポリ袋へ。

水けをしっかり切る

水切りネットを使用する場合は、ギュッと絞って水分を減らす。コンパクトになるうえニオイの発生も抑制。

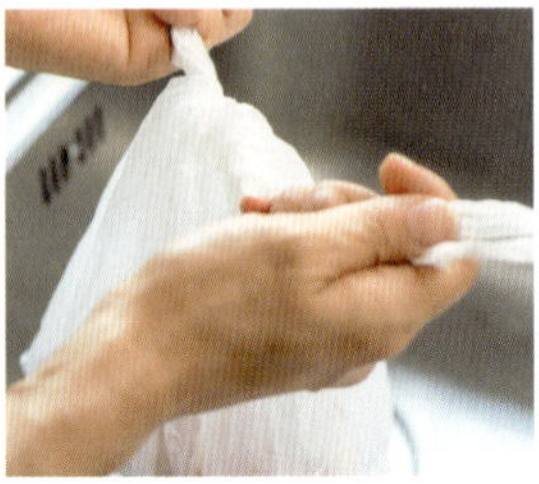

1日分ずつまとめる

1日の終わりにはゴミを袋にまとめて、しっかり口を縛る。市販の消臭スプレーを使ってもよい。

check!

生ゴミのニオイを抑えるコツ

ゴミ箱に大きめのゴミ袋をセットして、1日分のゴミを入れたポリ袋をIN。ゴミ袋が大きめのものと1日分のポリ袋の二重になり、ニオイもれを防止。ふたに消臭剤をつけると◎。

+more

新聞紙で作るゴミ入れ

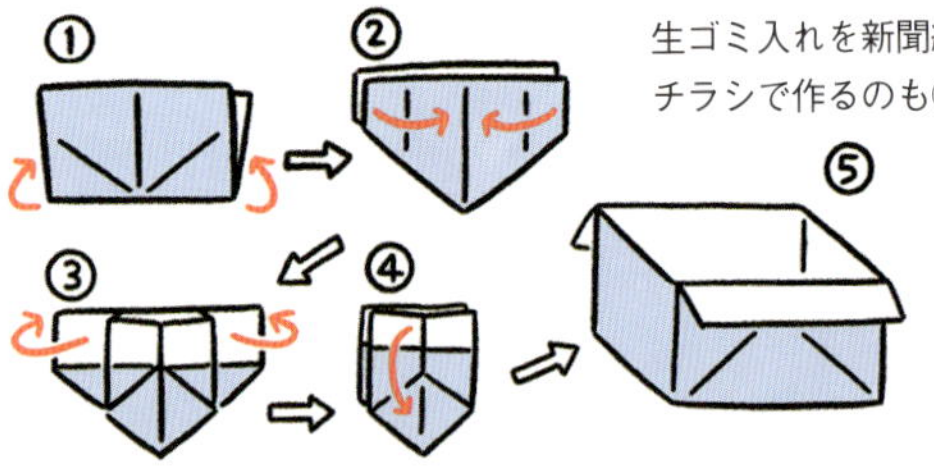

生ゴミ入れを新聞紙やチラシで作るのも◎。

アルミ缶

中をゆすいで乾かす

ペットボトルと同じように中に少量の水を入れ、よく振ってゆすぐ。乾かしてから資源回収へ。

ペットボトル

中をゆすいで乾かす

中に水を少量入れ、よく振ってゆすぐ。乾かしてから資源回収へ。自治体によっては平たくつぶす。

ラベルをはがす

キャップを取って、本体からラベルをはがす。キャップやラベルは自治体のルールに沿って分別を。

揚げ油

廃油処理剤で固める

揚げ油がまだ熱いうちに廃油処理剤を入れ、よくかき混ぜる。冷めて固まったらはがし、燃えるゴミとして処分。

牛乳パック

よく乾かす

まな板スタンドに立てたり、洗濯ハンガーなどにつるすなどしてよく乾かし、資源回収へ。

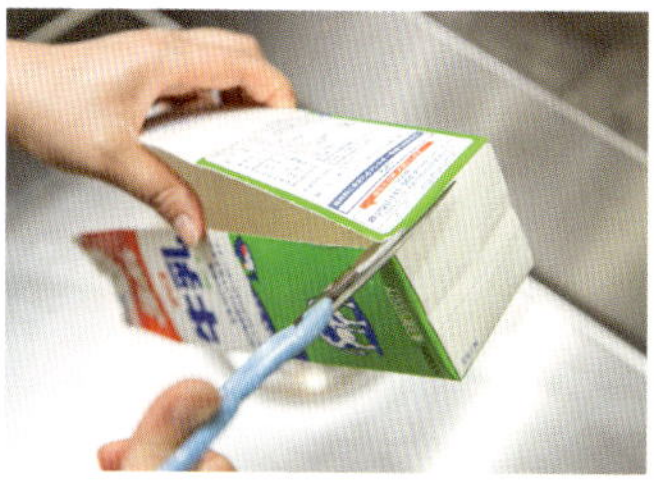

平らに開く

水を入れて洗う。側面と底面をへりに沿ってはさみで切り、平らになるように開く。

+more

ふだんの生活の中でゴミを減らす工夫

ゴミの捨て方も大事だが、そもそもゴミの量を少なくする工夫と努力も欠かせない。

使い捨てのものはできるだけ買わない

使い捨て製品はゴミを増やす原因。ラップ、アルミホイル、キッチンペーパーの使い方を工夫したり、他のもので代用することも考えて。

外出時はマイボトルを携帯する

家で淹れたお茶やコーヒーを水筒に入れて外出時に携帯。外出先で飲み物を買わずにすみ、ゴミも余計な支出も減らすことができる。

食べきれる量を買う

消費期限や賞味期限内に消費できる量を買うこと。買いすぎは食品ロスにつながる。献立で使いまわしも工夫して。

コンビニで箸やスプーンをもらわない

コンビニでお弁当を買って自宅で食べる場合は、割り箸やスプーンなどはもらわない。家の箸を使えばゴミを出さずにすむ。

ちょっとした工夫で
平日の夕食準備を時短にする

共働きの夫婦にとって、平日の家事は大きな負担です。とくに夕食の支度は、少しでもラクに、時短にしたい。でもちゃんと栄養バランスを考えたいし、手作りにもこだわりたい。そんな人は、食事作りのやり方を見直してみましょう。こんなアイデアを取り入れれば、30分以内で夕食が完成します。

【料理を時短にするコツ】

コツ1 多めにおかずをつくって「ついで作りおき」にする

おかずの作りおきがあると便利だが、わざわざ「作りおきをしよう」と思うと面倒なもの。そこで、時間がある休日には、おかずをいつもの倍量作り、半分は平日用にとっておく。

コツ2 「自家製冷凍食材」で材料を切る手間なし

材料をカットして、下味をつけ、保存袋に入れて冷凍。「あとは火を入れるだけ」という状態の「自家製冷凍食材」を作っておこう。まな板や包丁も不要で、後片づけもラクに。

コツ3 できあいの総菜にプラスひと手間で手作り風

できあいの総菜だけの夕食には、抵抗がある……、そんな人は、ひと手間をプラス。とんかつは、卵でとじてかつ丼に。野菜炒めには、ゆで野菜を一種類ミックスすれば、栄養も◎。

4章

収納・片づけの基本

監修　小宮真理

整理収納アドバイザー２級認定講師、二級建築士。訪問したお宅は250軒以上、セミナー受講者は8000人以上。オンラインでの整理収納レッスンも人気。
https://ameblo.jp/kaiteki-marisroom/

収納・片づけの基本

今使うものを家の収納スペースに見合った適量所有し、それぞれのものを使いやすい場所に使いやすくしまうこと。これが収納・片づけの基本です。

1 ものを整理する

整理とは不要なものを取り除くこと。すっきり快適に暮らすには、不要なものを処分することが第一歩です。ものを収納したり、片づける前に、まずはものの整理から始めましょう。

2 どこでどう使うか考える

ものの収納場所を決める際は、だれが、どこで、どう使うのかイメージ。使う場所の近くにものの指定席をつくれば、使ったあと元に戻しやすいので散らかりにくくなります。

3 出し入れしやすくしまう

ものの収納場所が決まったら、どの位置に、どう置くと出し入れしやすいかを考えて収納します。使うときだけでなく、使ったあと元に戻しやすいかどうかも、重要なポイントです。

家の中の収納INDEX

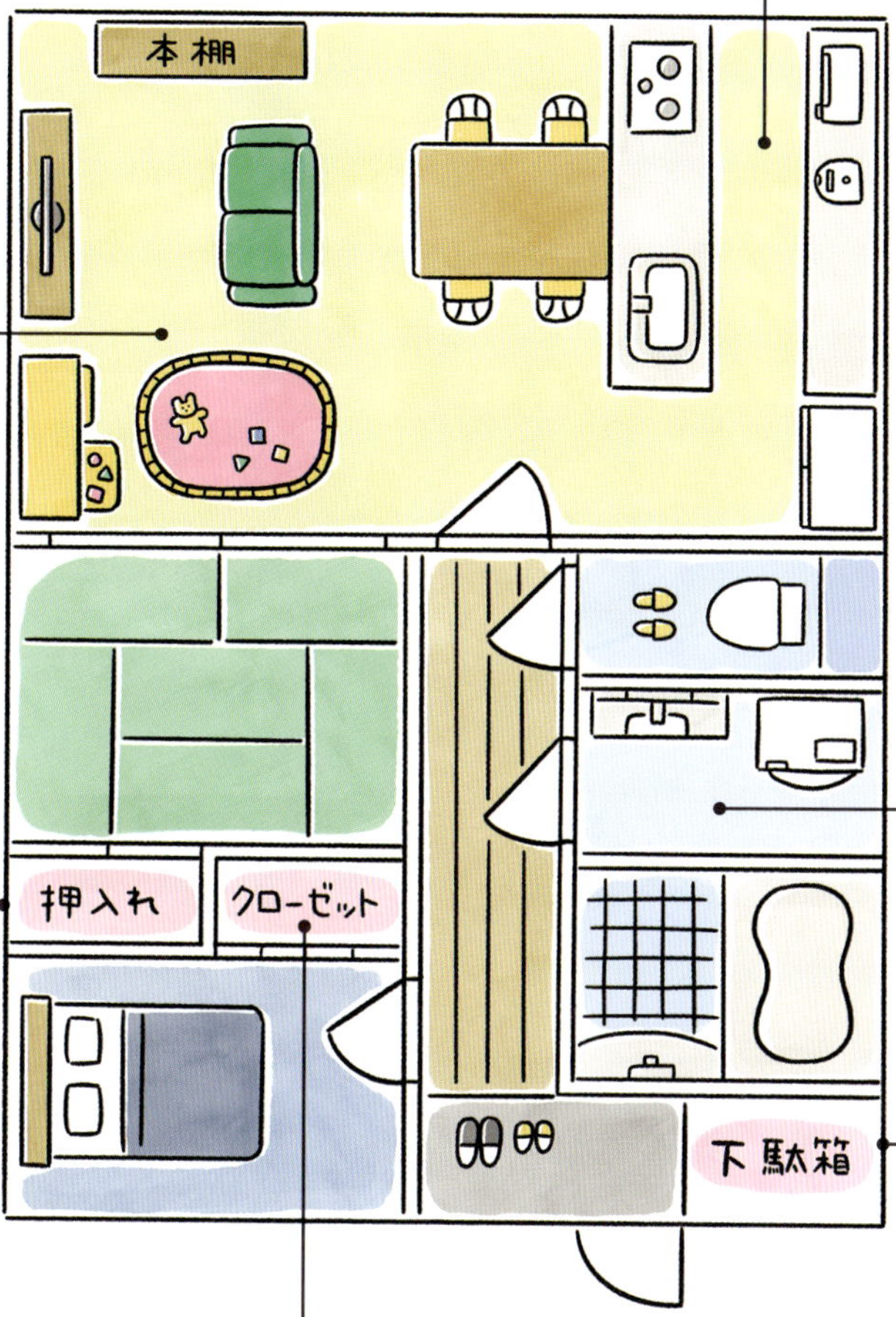

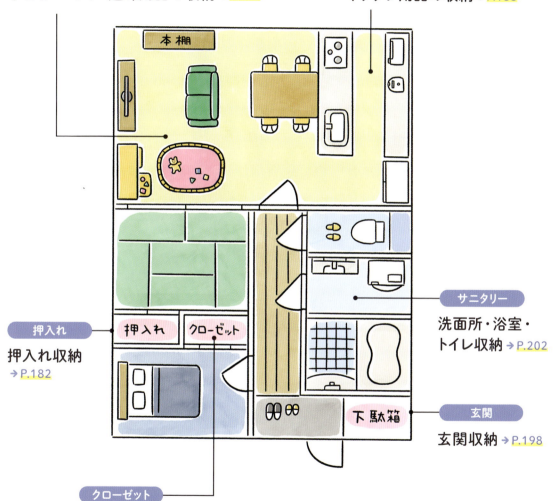

収納・片づけの手順

いい収納とは、たくさんしまうことではありません。「元に戻しやすい収納」を常に意識しましょう。

ステップ 1 ものを整理する

1 ものの全体量を把握する

片づけたい場所の引き出しや棚、収納ボックスなどの中身をすべて出し、何をどれくらい持っているのか全体量を客観的に把握する。

2 ものの要・不要を判断する

すべて出したら、1つずつ「いる・いらない」を判断する。「使える・使えない」ではなく、「今使うかどうか」で判断するのがポイント。

➔もの別の見極めポイントはP.166をチェック

- **要・不要の判断は小さな場所から始めるのがコツ**
  最初は練習感覚で、コスメポーチや引き出し1段分など、短時間でできる小さな場所から始めてみよう。

ステップ 2 ものを収納する

1 ものの収納場所を決める

必要なものを選んだら、1つずつ使うシーンや頻度をイメージしてみる。どこにあると使いやすいか考えると、最適な収納場所（指定席）が見えてくる。

収納場所の決め方のポイント

- **使う場所の近くや動線がスムーズな位置に**
  使う場所と収納場所が近いほど、元に戻しやすくなる。ちょうどいい収納場所がなければ、新たにつくっても。
- **ライフスタイルや家族の成長に合わせて見直す**
  使う人や使い方、使う場所、使用頻度は時とともに変化することも。不便を感じたらその都度見直そう。

❷ ものを使いやすくしまう

同じ場所に収納するものを集めたら、使用頻度を考えて配置したり、収納グッズを使ったりして、取りやすく、元に戻しやすいように収納する。

使いやすくしまうポイント

- **よく使うものは手が届きやすい位置に**

  使用頻度が高いものは、出し入れしやすい位置に収納。引き出しなら手前、棚なら目線の高さにしまうのがコツ。

- **少ないアクションで取れるようにする**

  扉を開ける、引き出しを開ける、ふたを開けるなど、ものを取るまでの動作が少ないほど出し入れしやすくなる。

- **中身がわかるようにする**

  引き出しにラベルを貼る、中身が見える透明ケースにしまう、人別に収納場所を決めるなど、家族みんながひと目でわかる収納を目指す。

- **ギチギチにつめ込みすぎない**

  収納スペースにぎっしりつめ込みすぎると、使ったものを元に戻すのが大変。たくさんしまうことより、戻しやすさに重点を置いて。

＼ステップ／ 3 ものを片づける

❶ 使ったものを元に戻す

ものを収納することがゴールではなく、使ったものを元に戻すことがゴールと心得ること。部屋が散らかってしまう場合は、元に戻せないものの収納場所や収納方法をもう一度見直す必要あり。

片づけられないときは？

- **なぜ元に戻せないのか考えてみる**

  ものの指定席があいまい、決まっていない、戻しにくいということがほとんど。いつも同じ場所に放置してしまうなら、その放置場所の近くに収納場所をつくるという方法も。

- **ステップ2と3を繰り返し、よりよい収納場所を見つける**

  一度決めた収納場所や収納方法に固執せず、片づかないものは臨機応変に見直して、ベストなものの指定席を見つけよう。

ものの整理

使わないものを収納するのは手間とスペースの無駄に。不要なものを見極めるポイントをチェックしましょう。

1年着ていない、使っていないものは処分を検討

ものの要・不要の判断は、「この1年のうちに使ったかどうか」を基準に考えましょう。一度も出番がなかったものは「この先も使う可能性は低く、なくても困らない」と判断できます。家族のものは勝手に処分せず、本人に要・不要を判断してもらいましょう。

check!

処分に迷うものは一定期間保管して改めて判断

紙袋や段ボール箱にまとめる際は日付を明記し、半年や1年など期間を決めて保管。再度チェックしたとき存在を忘れていたものは、処分しても困らないと判断できる。

もの別　要・不要の見極めポイント

衣類

- この1年で一度も着ていない。
- シミや黄ばみ、汚れ、虫食いなどがある。
- 体形が変わって着られなくなった。
- デザインが古い。
- 着心地が悪い。
- 似合わない。
- 他の服と合わない、組み合わせが難しい。
- いただきもので趣味に合わない。

ファッション小物

- この1年で一度も使っていない。
- シミや汚れがある。型くずれしている。
- 壊れている。
- デザインが古い。
- いただきもので趣味に合わない。

靴

- この1年で一度もはいていない。
- はくと足が痛くなる。足に合わない。
- ヒール部分や靴底がはがれたり、すり減ったりしている。
- シミや汚れがある。型くずれしている。
- 合う服がない。服の好みが変わり、靴が合わなくなった。

寝具

☑ この1年で一度も使っていない客用寝具がある。

☑ この1年で一度も使っていない家族の寝具がある。

☑ シミや黄ばみ、汚れ、虫食い、破れなどがある。

キッチン用品

☑ この1年で一度も使っていない調理家電や調理器具、ツールがある。

☑ 同じ種類、サイズの調理器具やツールを2つ以上持っている。

☑ 壊れたり、汚れたり、使い勝手が悪い調理器具やツールがある。

☑ この1年で一度も使っていない食器やカトラリーがある。

☑ 欠けたり、ヒビが入っている食器がある。

☑ この1年で一度も使っていない客用やレジャー用の食器がある。

☑ この1年で一度も使っていない弁当箱や水筒がある。

☑ 色やニオイがついたり、変形している密閉容器がある。

☑ 割り箸やレジ袋のストックが大量にある。

☑ おまけでもらった小袋タイプの調味料が大量にある。

☑ 賞味期限が切れている食品や飲料、調味料がある。

日用品

☑ 読み返す可能性の低い本や雑誌、漫画がたくさんある。

☑ 情報が古い雑誌やガイドブック、書類がある。

☑ この1年で一度も手にしていないCDやDVD、ゲームソフトがある。

☑ 同じ用途の文房具や筆記具がたくさんある。

☑ 古い処方薬や消費期限が切れたサプリメントがある。

☑ この1年で一度も使っていないコスメや美容グッズがある。

☑ ホテルのアメニティやコスメのサンプルが大量にある。

☑ 肌触りの悪いタオルがある。

☑ ビニール傘がたくさんある。

その他

☑ この1年で一度も使っていない家具や家電がある。

☑ この1年で一度も使っていないレジャー・アウトドア用品、スポーツ用品、趣味のグッズなどがある。

☑ 壊れたり、何年も使っていない子どものおもちゃがある。

☑ 子どもの作品が増えて収納に困っている。

Check!

まだ使える不要品は、賢く売って処分

不要品はフリマアプリや宅配買取、リサイクルショップなどを利用して処分。季節アイテムはシーズンの少し前が一番の売りどき。人気ブランドのものは、購入後2～3年以内なら高値で売れる可能性も。

収納片づけ

クローゼット収納

服をたくさん収納することよりも、服をいい状態で見やすく、出し入れしやすく収納することが重要です。

つるし方を工夫し、残った空間を有効活用する

丈の長さ別や色別にするなど、服のつるし方しだいで、見やすさや収納力が格段にアップします。ただし、服をすき間なくぎっしりつるしてしまうと、出し入れしにくいだけでなく、生地が傷んだり、シワや型くずれの原因になるので気をつけて。下やサイドの空きスペースは、たたんだ衣類や小物などの収納に活用しましょう。

こんな衣類はつるして収納

- コートやスーツ、ジャケット、ワンピースなど、かさばる、丈が長い、型くずれしやすいもの。
- シャツやブラウス、スカートやパンツなど、たたむとシワが気になるものやデリケート素材のもの。

知っておこう！

クローゼット収納の基本

❶ 空間をゾーン分けする

下図のように空間を区切って考え、どこに何をしまうと出し入れしやすいかをイメージ。服は丈の長さ別につるすと、下の空間が無駄なく使いやすくなる。

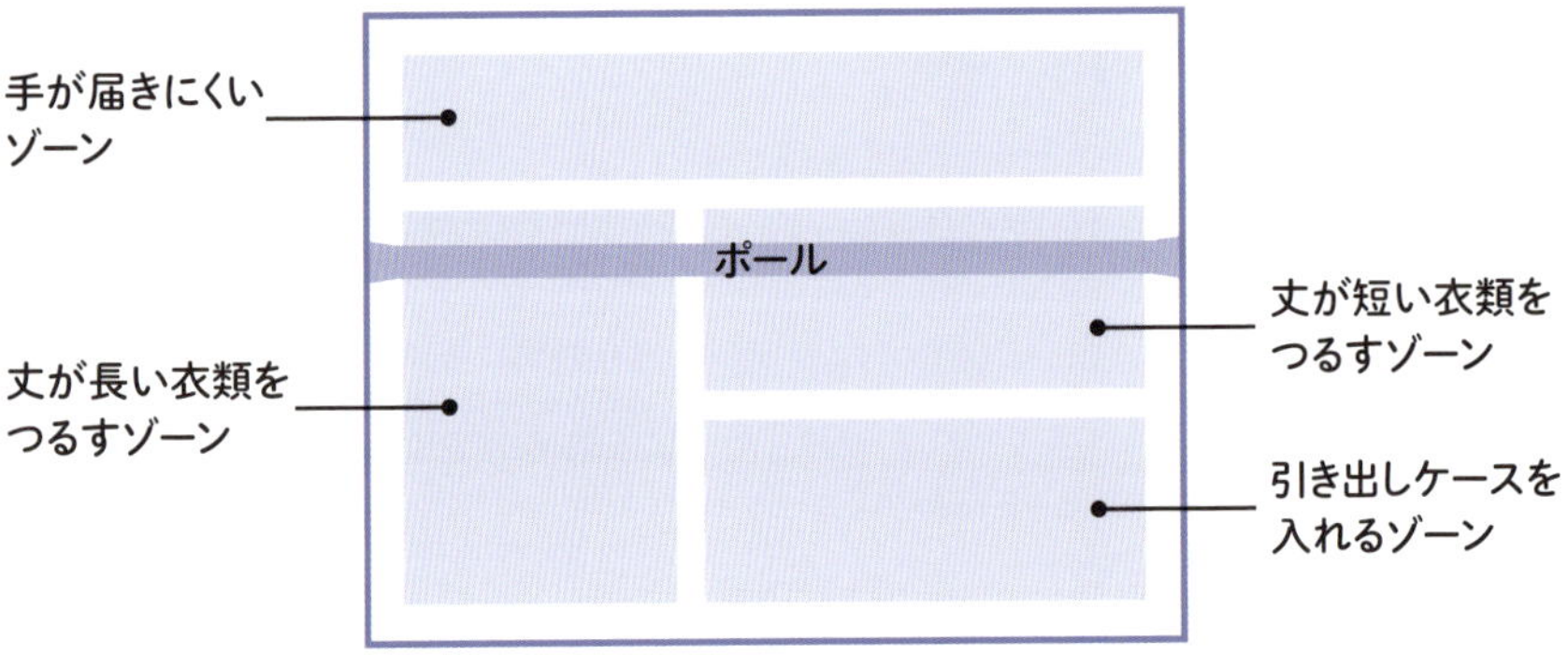
手が届きにくいゾーン
ポール
丈が短い衣類をつるすゾーン
丈が長い衣類をつるすゾーン
引き出しケースを入れるゾーン

❷ 7～8割収納でつめ込みすぎない

服をすき間なくつるすとシワや型くずれの原因になり、いい状態で保管できない。目当ての服を探しにくく、元に戻しにくくもなるので、量は7～8割を目安に。

❸ デッドスペースを有効活用する

つるした衣類の下にできる空間には、引き出しケースをセットするのがおすすめ。サイドの壁や扉裏などのデッドスペースも、小物の収納スペースとして役立てよう。

クローゼット収納のコツ

オフシーズンの服は奥や端の取りにくいゾーンに

中央の取りやすい位置はオンシーズンの服のスペース。オフシーズンの服や礼服は、クローゼットの奥や端の取りにくい位置に配置を。

上の棚には出番の少ないアイテムを

手が届きにくい上の棚には、オフシーズンの服、旅行やパーティー用のバッグなど、頻繁に出し入れしないものをしまうのがおすすめ。

つるす服は人別や丈の長さ別にする

人別、丈の長さ別に並べると管理しやすい。また、アイテム別や色別に並べると数が把握しやすく、目当てのものを探しやすくなる。

サイドのデッドスペースをうまく活用

両サイドの壁面はファッション小物をかけたりするのに重宝。クローゼット内に指定席をつくると、コーディネートもしやすくなる。P.180も参考にして。

下の空間には引き出しケースを入れて、たたむ収納

重ねられる収納ケースを組み合わせて配置しよう。ふたつきだと下のものが取りにくいので、引き出しタイプのケースを選んで。

よく使う小物は取りやすい位置に配置

帰宅後、放置しがちな普段使いのバッグやアクセサリーは、出し入れしやすい位置に置き場を確保し、部屋が散らかるのを防いで。

指定席があいまいな服の一時置き場があると便利

脱いでもまだ洗わない服やアイロン待ちの服などは、指定席がなく放置しがち。クローゼット内に置き場をつくると、部屋がすっきり。

収納片づけ

衣類のつるし方

丈の長いもの、かさばるもの、型くずれさせたくないもの、シワをつけたくないものを優先的につるしましょう。

最適なハンガーを選び、きれいな形をキープする

ハンガーには素材や形状、機能など、さまざまな種類があるので、つるす服の特徴に適したものを選ぶことが大切。服がずり落ちたり、型くずれしたりするのを防ぎ、形をきれいに維持することができます。

また、種類ごとにハンガーをそろえると、肩の高さや幅、色がそろって、すっきり見やすくなる効果があります。より多くの服をつるしたい場合は、厚みが薄いスリムタイプのハンガーを選ぶのがおすすめです。

check!

つるす収納なら洗濯物を戻す作業がラクに

つるす収納は、見やすくてシワになりにくく、たたまなくていいのが利点。収納と洗濯用のハンガーを統一すれば、洗濯した服をそのままクローゼットに収納できて、さらにラク。

コート・スーツ・ジャケット

ジャケットやスーツ

ハンガーにかけてボタンを閉め、肩のライン、上襟、下襟の順に整える。ポケットの中身を空にし、ポケットのふたの形を整える。

コート

肩のラインをまっすぐそろえ、襟元がくずれないよう整える。重いロングコートは、重さに耐えられる丈夫なハンガーを選ぶ。

使用するハンガー

厚みと丸みのあるハンガー

衣類の重みに耐えられる丈夫で厚みのあるハンガーを選んで。肩のラインに丸みがあり、自然に前側にカーブした形状のものが最適。

check!

スーツのパンツは布をはさむと、折りジワ防止に

パンツを二つ折りにしてかけるときは、パンツとハンガーの間に布をはさむと折りジワ防止に。毎回ハンガーにあたる部分を少しずつずらす方法も有効。

シワを防ごう

スカート・パンツ

使用するハンガー

かけるタイプのハンガー

丈が長いパンツは、二つ折りにしてかけられるスラックス用ハンガーにかけるのも手。すべり止め機能がついているタイプが◎。

パンツ

裾のほうを長めにしてハンガーにかけると、重さのバランスがとれて落ちにくい。折りジワが気になる場合は、布をはさむのがおすすめ。

ピンチつきハンガー

ボトムスをつるすときは、ウエスト部分をピンチではさめるハンガーが便利。ピンチの強さに差があるので、ずり落ちにくく、跡がつきにくいものを選んで。

使用するハンガー

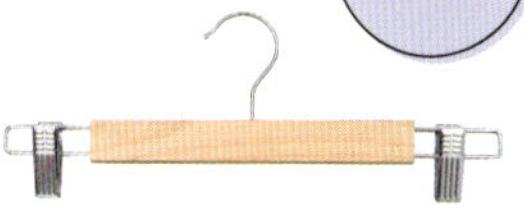

check!

ピンチ跡を残したくないなら、あて布をはさんで

はさむ力が強かったり、生地が厚手だと、跡がつきやすくなるので注意。少し厚みのある布をピンチにはさんで留めれば、跡がつくのを防げる。

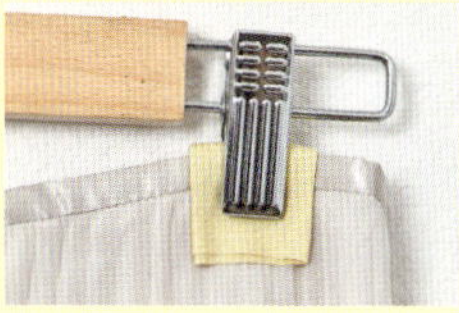

パンツ

ウエストがたるまないようにはさむ。裾をはさんで逆さ向きにつるしてもOK。

スカート

ウエストにたるみやシワが出ないようにはさみ、プリーツや裾を整える。

ずり落ちやすい服

すべり止めつきハンガー

すべりやすい素材のワンピースやブラウス、襟ぐりの開きが広いデザインの服には、すべり止め機能がついたハンガーがベスト。

使用するハンガー

ブラウス

テロンとした生地やつるつるした素材のブラウスやトップスにも、すべり止めつきハンガーが◎。ハンガーにかけたら、肩のラインを左右対称に整えて。

ワンピース

肩のラインをまっすぐにし、手で裾を伸ばして全体のシワを取って形を整える。すべり止めつきなら襟ぐりが広く開いたものもずり落ちず、ノンストレス。

check!

連タイプやフックつきハンガーで省スペース収納

フックつきハンガー

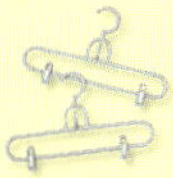

中央部分にフックがついたハンガーは、縦に連結して使うことも可能。シャツなど薄手のトップスをコンパクトにかけられる。

連タイプのハンガー

高さのあるクローゼットには、2段や3段タイプのボトムス用ハンガーが有効。丈が短めのボトムスをまとめてかけるのに便利。

衣類の引き出し収納

衣類は引き出しのサイズに合わせてコンパクトにたたみ、人別やアイテム別に引き出しを分けて収納しましょう。

立てて見やすくが基本。仕切りを上手に使って

たたんだ衣類を平置きして重ねると下のものが取りにくいので、立てて並べるのが全体を見やすく、取りやすくするコツです。手作りや100円グッズなどを使った仕切りで引き出し内を区切ると、より使い勝手よく分類できます。家族にわかりやすいよう、引き出しにラベルをつけるのもおすすめ。

こんな衣類はたたんで収納

- Tシャツやカットソー、ニットなど、やわらかい素材でシワが気にならないもの。
- 下着や靴下などの小物や部屋着。
- 生地が厚いデニムやシワになりにくいジャージー素材のボトムス。

立てて収納する

グラデーションで並べると手持ちの服の傾向がわかる

色のグラデーションで並べると、手持ちの服の傾向を客観的に把握できておすすめ。お目当てを探しやすくなり、同じような服を買う失敗も防ぎやすくなる。

折り山を上にして並べると取りやすい

引き出しの幅や高さに合わせて衣類をたたみ、折り山を上にして立てて並べる。たたみ方はP.174をチェックして。

深さのある引き出しでは丸めて立ててもOK

シャツやトレーナーなどをたたむのが面倒なら、深さのある引き出しに丸めて立てる方法もあり。

check!

たんすの肥やしを作らない並べ方

縦向きに並べると、奥が死角になりにくい

たたんだ服を2列に並べてしまう際は、横向きではなく縦向きにすると、奥のものも見やすくなる。横向きだと全部引き出さないと奥が見えないため、死蔵品が生まれやすい。

しまうときは一番奥に戻してバランスよく着る

つい引き出しの手前にある服ばかり着てしまう人は、洗濯後の服を一番奥に収納してみよう。これでかたよりなくローテーションできる。

仕切りを活用する

仕切りたい幅に合わせて調節できるタイプも

引き出し内をフレキシブルに仕切りたいなら、好きなサイズにカットして使える仕切り板がおすすめ。

小物は仕切りつきケースで分類

下着や靴下などの小物は、100均などの仕切りつきケースで分類すると収納しやすくなる。

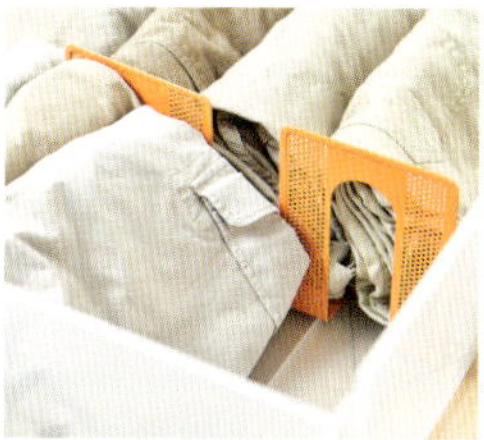

ブックエンドをストッパーにする

ブックエンドなら衣類が少なくても倒れず、位置を自由にずらせる。引き出しの高さに合ったものを選んで。

厚紙や段ボールで仕切りを作る

引き出しの幅や奥行きに合わせて切った厚紙や段ボールを引き出しの高さに合わせて折り、テープで固定。

check!

お金をかけずに家にある紙袋で仕切りを作る

❶持ち手のひもを切り、引き出しの高さに合わせて折り目の目印をつける。引き出しの高さよりやや低くするのがポイント。

❷紙袋を目印に合わせて内側に折り込む。高さのある紙袋の場合は三つ折りにすると強度が増す。これを引き出し内にセットする。

紙袋を折るだけで、箱状の仕切りが完成。紙袋はなるべくしっかりした紙質のものを選ぶのがコツ。さっそく引き出しやたたんだ服のサイズに合う大きさの紙袋を探してみよう。

+more

引き出し以外にも！　たたんだ衣類の収納法

ポールにつり下げるホルダー収納

クローゼットのポールにつり下げて使えるホルダー収納なら、つるす×たたむの合わせ技で収納可能。

ワイシャツはウォールポケットに

たたんだワイシャツをウォールポケットに入れてスリム収納。ポールにつるしたり、壁にかけて使う。

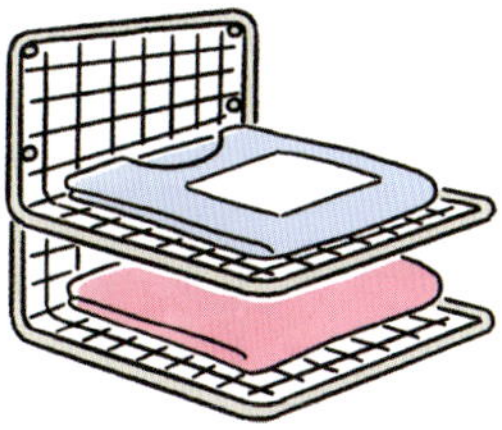

折り曲げた100均のワイヤネットを棚代わりに

ワイヤネットをL字形に折り曲げ、壁に耐荷重があるフックなどで取りつける。縦や横に並べて棚代わりに。

収納片づけ

衣類のたたみ方

アイテムごとに形とサイズを整えてたたむと、見やすくたっぷり収納でき、すっきり整然とした印象になります。

収納スペースの幅や高さに合わせ、四角くたたむ

衣類や下着は四角くたたむのが基本で、たたみ方を統一することで収納スペースに効率よく収まります。立てて収納するなら、引き出しケースやたんすの高さより少し短かめにたたむのがポイント。幅は引き出しに何列並べるかを考え、ぴったり収まるように微調整しましょう。折り山を上にして立てて並べると、取り出しやすいのはもちろん、衣類の色や柄が見やすく、お目当てのものを探しやすくなります。

check!

たたむことでコンパクトにたくさんしまえる

たたむ収納のメリットは、限られたスペースにたくさんしまえること。また、洗濯物をたたむとき、取れかけのボタンや糸のほつれ、破れ、虫食いなどの点検もできる。

たたみ方の基本

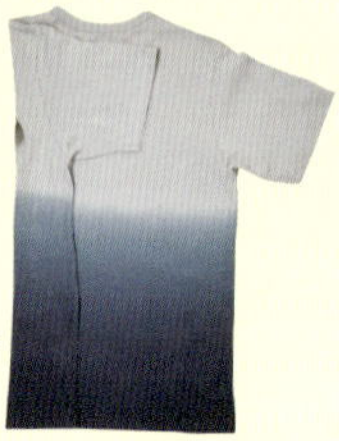

❶ 前身ごろを下にして広げ、シワを伸ばす。左袖と身ごろを背中側に折る。

▼

背面を上に

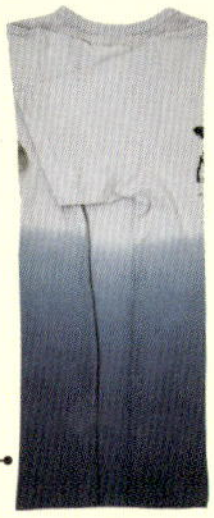

❷ 左右均等になるよう右袖と身ごろを背中側に折り、全体が長方形になるようにする。

▼

全体を長方形に

❸ 裾を肩に合わせるように二つ折りにする。

▼

折り山

❹ 折り山を持って、さらに二つ折りにする。折り山を上にして、立てて収納する。

たたみ方をマスター

シャツ・ブラウス

❶ 一番上のボタンを留め、残りのボタンを1つ置きに留める。前身ごろを下にして広げてシワを伸ばし、左袖と身ごろを背中側に折り、袖をつけ根から折り返す。

▼

❷ 左右均等になるよう右袖と身ごろを背中側に折り、袖をつけ根から折り返す。

▼

❸ 裾のほうから二つ折りにする。(平置き収納の場合はこのままでもOK)。

▼

❹ 折り山を持って、さらに二つ折りにし、襟の形を整える。

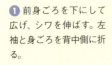

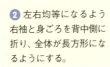

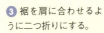

靴下

❶ 左右を重ねて、シワを伸ばす。

❷ つま先のほうから二つ折りにする。

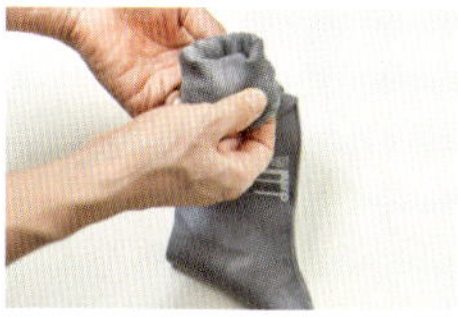

❸ 上のゴム部分をクルッと裏返して、全体をくるむ。

❹ これで左右がひとつにまとまり、収納しやすい。立てて収納するときは折り山を上にする。

ショーツ

❶ 前面を上にして広げてシワを伸ばし、左側を⅓ほど折る。

❷ 右側も⅓ほど折り、全体が長方形になるようにする。

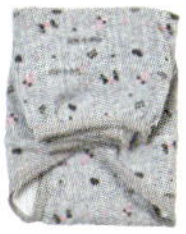

❸ 上から⅓ほど折る。

❹ 下からも⅓ほど折り、ゴム部分に入れ込む。

❺ 全体が平らになるように形を整える。折り山を上にして収納する。

ブラジャー

❶ 裏返して広げ、カップの脇のラインで左右を折り返す。

❷ 中央から二つに折る。

❸ ストラップ部分をカップの中に入れ、上側のカップのふくらみに合わせるように下側のカップの形を整える。

パンツ

❶ 中央で半分に折って左右の脚を重ね、シワを伸ばす。

❷ 上のほうから⅓ほど折る。

❸ 左右の裾を持って⅓ほど折り、❷で折った部分の間に入れ込む。

❹ これで全体が一体化する。収納スペースに合わせて、さらに二つ折りにしても。

+more

くるぶし丈の靴下もドッキングする

片方をもう一方に入れ込み、つま先部分がかかとの中に入るように折り込む。

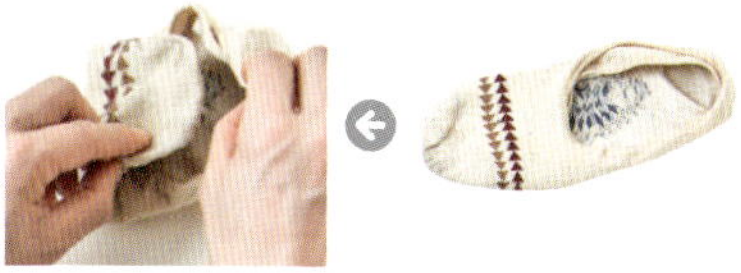

+more

フードやネック部分も背中側に折る

パーカーやタートルネックは、右ページの「たたみ方の基本」の❷のあとに、フードやネック部分を背中側に折って全体を長方形にするのがポイント。

収納片づけ

衣替え

汚れやほつれを点検し、きれいな状態でしまいましょう。収納場所に合ったケースや最適な防虫剤選びも重要に。

衣替えは増えすぎた衣類を整理するチャンス

服を整理するなら、衣替えのタイミングがベストです。体形の変化で着られなくなった服は、「やせたら着よう」と思いがちですが、ダイエットに成功したら新しい服が欲しくなるはず。P.166の「要・不要の見極めポイント」を参考に、着ていない服や着古した服、サイズアウトした服などは処分を検討しましょう。また、オフシーズンの服を衣装ケースなどにぎゅうぎゅうつめ込むと、シワや型くずれの原因になるので、ゆとりを持った収納を心がけて。

Check!

収納が足りないなら、保管もしてくれるクリーニング店を活用

クリーニング業者には、クリーニングした衣類を翌シーズンまで保管してくれるところもあるのでチェック。かさばる冬物アウターなどは、この保管サービスを利用してみても。

習慣にしよう!

しまう前のチェックポイント

一度も着なかった服は実際に着てチェックする

シーズン中、一度も着なかった服は実際に着て鏡の前でチェック。年齢的に似合わない、時代遅れ、体形の変化で着られなくなったアイテムなどは、この機に手放そう。

シミやほつれをチェックし、きれいに洗濯&修繕

汗や皮脂汚れ、飲食物のシミなどは虫食いや黄ばみの原因になるので、しまう前にきれいに洗濯する。白物衣類は液体の酸素系漂白剤をプラスして洗うこと。ポケットの中に何もないか確認し、ほつれや取れかけのボタンがないかも点検して。

収納用品の選び方

押入れや納戸では引き出しケースやふたつきケース

重ねられる引き出しケースやふたつきの衣装ケースを活用。サイズを計測してから購入を。

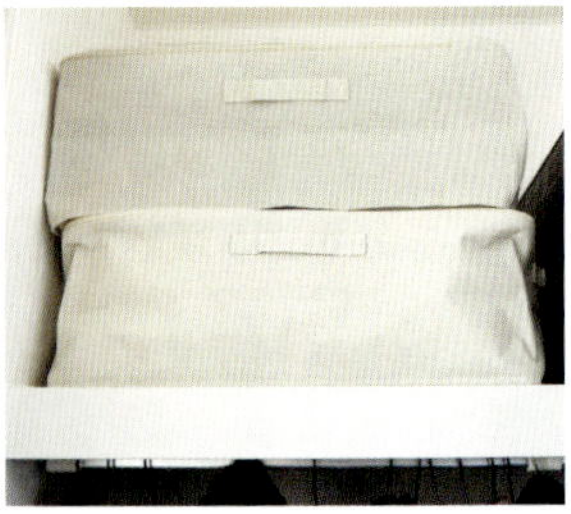

高い場所では持ち手つきのソフトケース

クローゼットの上段や押入れの天袋には、軽量で持ち上げやすいソフトケースがおすすめ。

つるす衣類には不織布の衣類カバーをかける

つるして収納する服には、ホコリよけになる不織布の衣類カバーをかけて。中身がわかるビニールの小窓つきタイプが便利。

上手に選ぼう！

防虫剤の使い方

check!

使い勝手がいいのは無臭タイプのピレスロイド系

パラジクロロベンゼン、ナフタリン、しょうのうなど、異なる薬剤を使った防虫剤を併用すると、シミや変色の原因になることがあるので注意。ただし、無臭タイプで最近主流のピレスロイド系防虫剤は、他の種類の防虫剤と併用することが可能。

引き出しでは衣類の上にのせる

防虫成分は空気より重く、上から下に広がるので、引き出しの中では衣類の上にセット。有効期間は半年～1年くらいが多く、取り替えサインつきを選ぶと安心。

たんすやクローゼットのサイズに合ったものを選ぶ

ウォークインクローゼットに洋服だんす用の防虫剤を使っても、成分が全体にいきわたらず、効果を発揮できないので注意。収納場所の広さに合った防虫剤を選んで。

+more

面倒な衣替えはしないという選択もあり

服があまり多くない人や子どもの服などは、奥行きがある引き出しケースを利用するのがおすすめ。手前にオンシーズン、奥にオフシーズンの衣類を収納すれば、衣替えのときに前後を入れ替えるだけでOK。

+more

衣類を圧縮袋でしまうときは脱酸素剤で防虫する

衣類を圧縮袋に入れてしまう場合には、ふだん使っている揮発タイプの防虫剤では効果を発揮できないので気をつけて。圧縮袋内の酸素をなくし、虫を窒息させることで防虫効果を発揮する「脱酸素剤」を使うのが効果的。脱酸素剤つきの衣類圧縮袋をチェックしてみよう。

収納片づけ

大切な衣類の収納

礼服、レザーアイテムや毛皮、着物などの高価な衣類は、湿気や防虫対策を万全にすることが長持ちの秘訣です。

湿気対策と防虫対策をしっかり行う

長く愛用したい大切な衣類は、必ずクリーニングに出してから収納すること。ただし、湿気が多い場所に長期間保管すると、カビが発生したり、ニオイがついたりする危険があるので注意が必要です。湿気がたまりやすい押入れやクローゼットには除湿剤をセットし、定期的に扉を開けて扇風機などで風を通しましょう。また、直射日光があたる場所での長期保管は、色あせの原因になるので避けるのが賢明です。

収納する際は、クローゼットや引き出しに防虫剤をセットするのも忘れずに。着る機会がないからとしまいっぱなしにせず、年に数回は風通しのいい場所で半日ほど陰干ししましょう。お手入れは衣替えのタイミングで行うのがおすすめです。

礼服

葬儀の小物類はバッグの中に

ふくさ、数珠、ハンカチやアクセサリーなどの小物は、葬儀用のバッグに収納しておくと、いざというときあわてずにすむ。バッグに入りきらないときは、箱などにまとめておく。

不織布の衣類カバーをかける

一度でも着たら、しまう前にクリーニング。湿気やニオイがこもるのでクリーニング店のカバーは取り、ホコリよけの不織布の衣類カバーに。衣替えのついでに陰干しすると◎。

毛皮・ファー

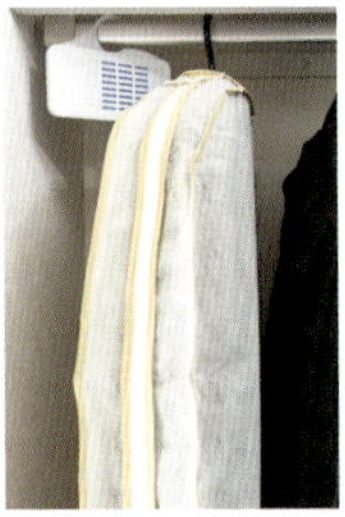

毛皮専用のカバーをかける

毛皮は汚れをきちんと落としてから、市販の毛皮専用の衣類カバーをかけてつるし収納。虫に弱いので防虫剤を忘れず、前後にゆとりを持って保管する。

ファー小物も防虫剤を忘れずに

汚れを落とし、毛皮専用のカバーや不織布の袋に入れ、引き出しやケースに保管。防虫剤は毛皮に直接触れない位置に。

レザージャケット

定期的に陰干しする

乾いた布ややわらかいブラシでやさしく拭いてお手入れ。カビを防ぐため、数カ月に1回は風通しのいい場所で陰干しを。

厚みのあるハンガーにかける

レザージャケットは重みのあるものが多いので、頑丈で厚みのある木製ハンガーなどにつるし、型くずれを防ぐ。

着物

脱いだら、ひと晩風を通してからたたむ

着用時間が短くても、着物を脱いだら和服用ハンガーにかけ、ひと晩しっかり風を通してからたたむ。たたむ前に、着物を広げるたたみや床の上を掃除して。

Check!

防虫剤は着物専用のものを使う

着物には「しょうのう」という専用の防虫剤を使う。着物を桐の箱にしまったら、防虫剤は着物に直接触れない位置にセットする。

【着物のたたみ方】

❶ 襟が左、裾が右になるように広げる。手前側の下前を脇線で折る。

▼

❷ 下前のおくみを手前に折り、襟を身ごろに折り返す。

▼

❸ 上前の襟、おくみ、裾を下前に重ね合わせ、襟先をそろえる。

❹ 上前の脇線を下前の脇線に重ね合わせ、上の袖を身ごろの上に折り返す。

▼

❺ たとう紙（保管用の和紙製の包み）のサイズに合わせ、裾を持って身ごろを二つ折りか三つ折りにする。

▼

❻ 下にある袖を上に折り返し、身ごろに重ねる。この状態でたとう紙に包む。

和装小物

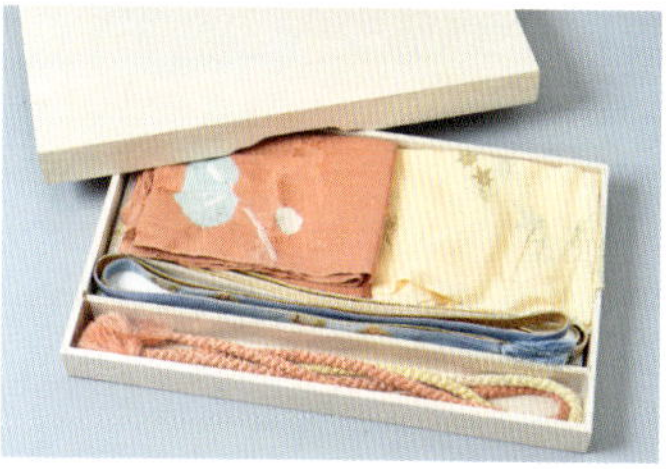

伊達締めや半襟は箱の中に

伊達締めや半襟は、手洗いしてしっかり乾かす。シワにならないようにきれいにたたみ、帯締めなどの小物と一緒に箱などにまとめて保管する。

帯や長じゅばんはたとう紙に包む

帯や長じゅばんも着物と同様に、ひと晩風を通し、湿気や水分を取り除いてからしまう。着物とは別のたとう紙にそれぞれを包む。

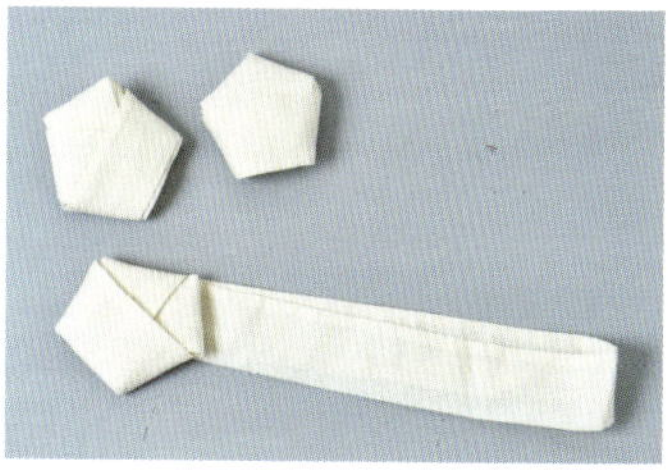

腰ひもは五角形に折る

二つ折りにし、輪になっていないほうの端を少し斜めに折ってから、五角形に折っていくとシワがつきにくくなる。最後の輪になった部分は折り目の間にはさむ。

収納片づけ

ファッション小物の収納

バッグや帽子は型くずれに気をつけて収納。便利グッズを使ったり、見せる収納にするのもおすすめです。

身近なグッズで見やすく収納して迷子をなくす

ファッション小物は意外とかさばって場所を取るのが特徴です。いろいろな種類があり、それぞれに合った収納法が必要になるので、家にあるものや100均の便利グッズを使って、なるべくお金をかけない収納を目指しましょう。クローゼット内の空きスペースや周辺のちょっとした壁面を利用して置き場をつくると、毎日のコーディネートもしやすくなります。

check!

型くずれが気にならないものは引き出しにまとめて収納

ニットや布、ナイロン製のバッグや帽子など型くずれが気にならないものは、引き出しケースにまとめるとコンパクトに収納できる。

バッグ

クローゼットのポールにつるす

右は枕干しネット、左はS字フックで、クローゼットのポールにつるし収納。よく使うバッグは手が届きやすい位置に置くのがおすすめ。

仕切りスタンドで立てる

棚に並べる場合は、仕切りスタンドやブックエンドを使って立てると転倒防止になり、型くずれもしにくい。

バッグ in バッグで省スペース

大きなバッグに、使用頻度が低く、型崩れが気にならないバッグを入れると、つめもの代わりになる。

帽子

check!

手作りスタンドで型くずれを防止

型くずれさせたくない帽子はお手製のスタンドに。25㎝×50㎝に切った厚紙を丸めて筒形にし、テープでとめる。

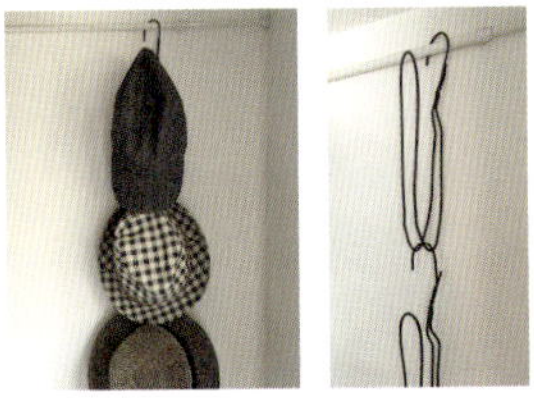

ワイヤハンガーでスタッキング

ワイヤハンガーを半分に折り曲げ、縦につなげるだけ。フック部分に帽子を引っかけて。

つっぱり棒×カーテンクリップでつるす

S字フックだと帽子が落ちやすい場合は、カーテンクリップをつっぱり棒に通して使うのも手。

アクセサリー

からまりやすいネックレスはつるすか小袋に

コルクボードにピンで留めてディスプレー収納したり、透明のジッパーつき小袋で分類するのもよい。からまり対策でノンストレス。

check!

銀製品はラップで包んで黒ずみを予防

銀製品は空気に触れると黒ずんでしまうので要注意。密閉できる小袋やラップで包んで保管すれば、簡単に輝きをキープできる。

指輪やピアスは製氷皿で分類

リングやピアス、イヤリングなどの収納には、市販の仕切りケースがお役立ち。冷蔵庫の製氷皿も小さなアクセサリーの分類にぴったり。

メラミンスポンジでリングケース

適当な大きさのメラミンスポンジに、カッターでリングを差し込むための切り込みを入れれば完成。ピアスやブローチを収納しても。

ネクタイ・ベルト

専用ハンガーにつるす

ネクタイやベルトを複数つるせる小物専用ハンガーは、100円ショップにも種類豊富にそろう。

マルチハンガーにかける

スカーフなどもかけられるマルチハンガーは、ポールにつるすより、壁づけしたほうが使いやすくなる。

丸めて箱やケースに

くるくる巻いて、箱やケースに並べてもOK。ネクタイはつめ込みすぎるとシワになるので気をつけて。

ストール・スカーフ・マフラー

すべり止めつきハンガーにかける

かけて収納するのがシワ対策のコツ。ずり落ちにくいよう、すべり止めつきのボトムス用ハンガーにかけて。

ふんわりたたんで引き出しに

四つ折りや六つ折りにしたり、ゆるく巻いたりして引き出しに収納しても。折り目がくっきりつかないようふんわりたたみ、つめ込みすぎないこと。

収納片づけ

押入れ収納

押入れのように広い空間はゾーンを分けて収納するのがコツ。アイデアしだいで多目的に使うことも可能です。

ゾーン分けと奥行きの攻略で見やすくたっぷり収納

押入れは収納力たっぷりのスペースですが、高さや奥行きがあるので、場所ごとに出し入れのしやすさに差があります。空間を区切ってゾーン分けし、それぞれの場所の特徴を生かしたものの配置や収納をします。また、オフシーズンの寝具は圧縮してスリム化するのがおすすめ。出番のない客用布団は思いきって処分し、必要なときはレンタルを活用するのも手です。

check!

マステのラベルで何がどこにあるか早わかり

高い位置や奥に何を収納したかわかるよう、マスキングテープのラベルを棚板部分にペタリ。マステなら簡単に貼り換えられて便利。

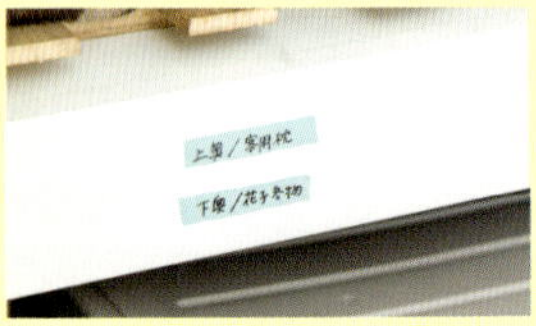

知っておこう!

押入れ収納の基本

❶ 空間を5つのゾーンに分ける

下図のように、スペースを天袋、上段の左・右、下段の左・右の5つのゾーンに分けて考えるのがポイント。収納するものをそれぞれのスペースに割り振っていく。

❷ 使用頻度に応じ、収納場所を決める

押入れには使いやすいゾーンと使いにくいゾーンがあるので、ものの使用頻度に応じて収納場所を決める。よく使うものは、目線の高さで腰をかがめずに出し入れできる上段がおすすめ。

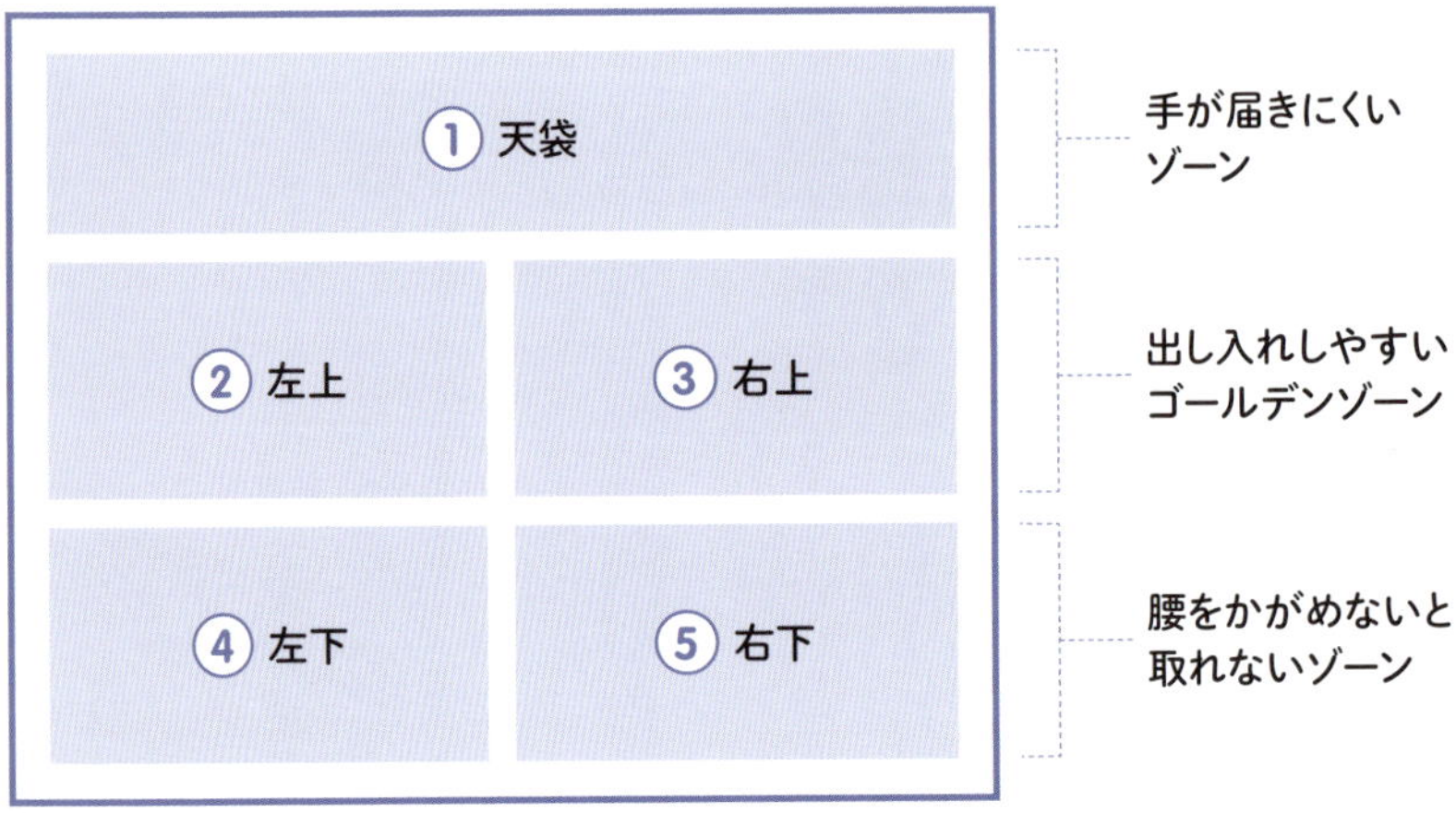

① 天袋
② 左上
③ 右上
④ 左下
⑤ 右下
手が届きにくいゾーン
出し入れしやすいゴールデンゾーン
腰をかがめないと取れないゾーン

❸ 奥行きを生かせるよう、出し入れしやすく工夫する

押入れの特徴である奥行きの深さを生かすことで、格段に収納力が増す。見にくく、取りにくい奥のものをどう取りやすく工夫するかが、押入れを100%活用する重要なカギに。

押入れ収納のコツ

使用頻度に応じ、手前と奥の前後使いも

よく使うものを手前、あまり使わないものを奥に置くなど、スペースを手前と奥に区切って前後使いするのもいいアイデア。

天袋には使用頻度の低いものを

踏み台がないと出し入れできない場所なので、年に数回しか使わないもの、しばらくは使わないものなどをしまう。

毎日使う寝具は出し入れしやすい上段に

パッと取りやすい上段は、押し入れの中で一番使いやすいゾーン。普段使いの布団や衣類など、頻繁に使うものはここに収納。

重いものは下段に置く

重いものを上段にしまうと上げ下ろしが大変なので、下段にしまうのが得策。オフシーズンの家電や掃除機なども下段を指定席に。

子どもが出し入れするものは手が届く下段に

子どもの服やおもちゃなどを押入れに収納するなら、子どもの手が届きやすい下段に配置。自分で選んだり、片づけたりできる。

下段は引き出しケースやキャスターつき収納で出し入れしやすく

かがまないと出し入れしにくく、奥も見にくいので、手前にスライドできる引き出しケースやキャスターつきの収納用品を活用して。

使いこなそう！

エリア別のしまい方

天袋

収納するもの
- 季節の飾りもの・オフシーズンの衣類
- 使用頻度の低い旅行やレジャー用品・思い出グッズなど

高い場所では持ち手つきのソフトケースが便利

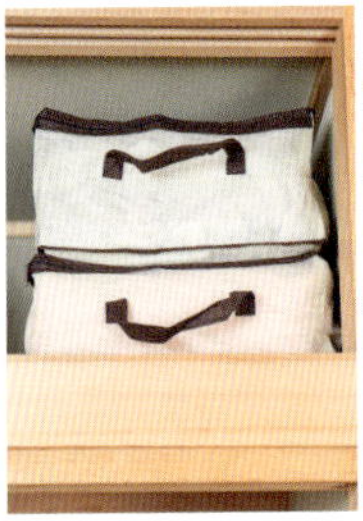

固くて重いケースだと上げ下げの作業が大変だったり、落下の危険も。軽量で持ち手がついたソフトケースなら扱いやすくて機能的。

透明ケースやラベルつきでわかりやすく

中身がわかる透明ケースにしたり、ラベルをつけたりして、いちいち出して開けなくても中身がわかるよう工夫。

上段

収納するもの
- 布団・衣類・洗い替えのシーツやカバー類・よく使う家電など

つっぱりラックで空間を区切る

広い空間を仕切りたいときは、つっぱりラックを縦に使ってパーテーションとして活用。重ねた布団がくずれるのを防ぐストッパーの役割にもなって一石二鳥。

引き出しケースで収納力アップ

空間に余裕があるなら、布団の下に引き出しケースをセットし、シーツなどを収納するのも手。ケースの上にすのこをのせ、その上に布団を収納して。

布団の下にすのこを敷いて湿気対策

普段使いの寝具は一番出し入れしやすい上段に置くのがベスト。湿気対策用のすのこを敷き、その上に布団を収納。

下段

収納するもの
- 衣類・洗い替えのシーツやカバー類・重い家電・子どものものなど

キャスターつきで奥も取りやすく

下段には直接ものを置かず、キャスターつきのラックやワゴンを活用。手前にスライドすることで、取りにくい奥のものもスムーズに出し入れできる。

ふたつきよりも引き出しケースが◎

ふたつきだとケース全体を取り出す必要があるので、引き出しケースが便利。ケースは奥行きに合ったサイズを選び、奥まで無駄なく使いきって。

空間の前後使いで奥行きを使いこなす

カラーボックスをあえて手前に置くのがポイント。奥の空いたスペースには、すぐには使わないものを配置する。

column

押入れを書斎やクローゼットにする

**押入れをデスクスペースやクローゼットとして活用するアイデアをご紹介。
ふすまを取り外すことで、押入れの無限の可能性が広がります。**

中板をテーブルにして勉強やパソコンデスクに

中板は机として使うのにいい高さなので、イスをセットすれば、子どもの勉強スペースやワークスペースとしても利用可能。本棚や電気スタンドを置いて、機能的に仕上げて。

ポールやハンガーラックでクローゼットに

上段はハンガーラックで衣類をつるし、下段は引き出しケースでたっぷり収納するのが王道スタイル。市販の収納アイテムを活用すれば、賃貸でも大改造せずにチャレンジできる。

上段はハンガーラックで衣類をつるし収納

押入れで使えるタイプのハンガーラックがたくさん市販されているので、わざわざポールを取りつけなくてもOK。

下段は引き出しケースを置いて、たんす仕様に

下段に引き出しケースを複数並べれば、たくさんの衣類を収納可能。ケースは押入れの奥行きに合ったものを選んで。

ふすまを外してカーテンにすると、中央も取りやすい

片面ずつ開けるふすまのままだと中央のものが取りにくいので、ふすまを外し、カーテンにつけ替えるのも手。

中板を外して本格的なクローゼットに改造しても

丈の長い服もかけられるようにしたいなら、中板を外して本格的なクローゼットに。意外と簡単に外せるので、持ち家なら挑戦してみて。

中板の外し方

1. 中板の左右を留めている角材をバールで押し上げ、釘抜きで釘を抜いて外す。

2. 中板の下側を金づちでたたき、上から釘のまわりをたたいて釘を浮かす。釘抜きで釘を抜き、板を外す。

3. 中板の下の桟がはめ込み式なら、金づちで下からたたいて外す。釘で固定しているなら釘抜きで抜いて外す。

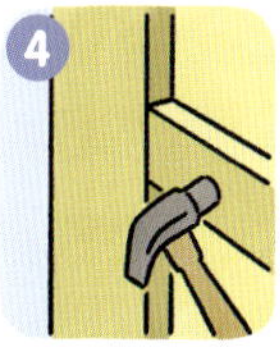

4. 前板は大きな釘で左右の柱に留めてあるので、金づちで手前からたたいたあと、釘抜きで釘を抜いて外す。

収納
片づけ

キッチン収納

目指したいのは料理がしやすく、後片づけがしやすいキッチン収納。調理効率や時短家事にもつながります。

適材適所の配置で調理効率がアップ

キッチンで要・不要のチェックをする際は、賞味期限があって判断しやすい調味料や食品から始めるのがコツ。調理器具や食器などは「まだ使えるか」ではなく、「今使っているか」を基準に考えましょう。

食品や消耗品のストックは収納スペースを限定し、必要以上に買いだめしすぎないことも、適量をコントロールする秘訣です。

各アイテムの収納場所は、使う場所の近くに置くのが基本。調理効率を上げるには、手の届く範囲や作業の動線上に必要なもの、使用頻度の高いものを配置することが大切です。また、キッチンは清潔さをキープすることが不可欠なので、掃除のしやすさも考慮すべきポイントになります。

キッチン収納の基本

使い勝手がアップ！

❶ ジャンル別に要・不要をチェックして見直す

キッチンには多種多様なものが置いてあるので、ジャンルごとに整理するのが正解。下記のジャンル例を参考に、それぞれの全体量を把握し、要・不要の判断をしていく。

ジャンル例

- 食品・調味料
- 調理家電
- 調理器具・ツール
- 食器・カトラリー
- 保存容器
- クロス類
- 洗剤類
- 消耗品（ゴミ袋、ラップなど）

❷ 調理効率を意識してものを配置する

キッチンを飛行機のコックピットのようにイメージ。作業する場所を起点に、無駄な動きをせずにスムーズに調理できるようにするには、何がどこにあると便利か考えてみよう。

❸ 使いやすさと掃除のしやすさを両立させる

油汚れや水はねなど、キッチンは汚れがつきやすい場所。取りやすいからと何でも出しっぱなしにすると掃除が大変になるので、機能面と衛生面の両立を意識することも大切。

キッチン収納のコツ

よく使う家電は使いやすい高さに配置

高いと中の様子が見にくく、低いといちいち腰をかがめなくてはならないので注意。自分が使いやすい高さをチェックして配置を。

調理台の上はものを厳選してスペースを確保

作業スペースをなるべく広く確保するためにも、調理台の上にはなるべくものを置かないのが理想。調理も掃除もしやすくなる。

高い棚には軽いものや使用頻度の低いものを

つり戸棚など高い位置には、使用頻度が低めの調理器具などを収納。紙皿などのレジャーグッズ、密閉容器など軽いものをしまっても。

食器棚は7～8割収納で出し入れしやすく

ワンアクションで取り出すには、食器の上に少し空間が必要。ぎっしりつめ込まずに、ややゆとりを持たせた収納量を心がける。

ガス台下には火のまわりで使うものを収納

フライパンや鍋など、火にかけて使うものをしまうのがセオリー。油類やボトル調味料などもここにしまうと調理効率がアップ。

引き出しは上段に小物、下段に重いものを

上段の浅い引き出しにはカトラリーやツールなどの小物、下段の深い引き出しにはフードプロセッサーなどの調理家電をしまうと◎。

シンク下には水まわりや調理台で使うアイテムを

ボウルやざる、包丁、まな板など、水まわりや調理台で使うものを収納。排水管があり湿気がこもりやすいので、食品は置かないのがベター。

収納
片づけ

キッチン用品の収納

種類が多く、形状も異なるキッチン用品は、収納グッズの助けを借りて、使い勝手のいい収納を実践しましょう。

立てる収納で見やすく。使用頻度で置き場を分ける

キッチン用品は衣類と同様に、重ねるよりも立てる収納を意識すると見やすく、出し入れしやすく収納できます。また、食器やカトラリー、ツールなどはよく使う「1軍」とたまに使う「2軍」という具合に、使用頻度で分けて考えるのもいいアイデア。1軍は取りやすい位置に出しっぱなしにし、2軍は引き出しや棚にしまうなど、収納場所を分ける方法がおすすめです。

check!

調理中のツールの一時置きがあると便利

菜箸やおたま、鍋のふたなどは、調理中の一時置き場があると作業がスムーズ。専用グッズは100円ショップなどで購入できる。

鍋・フライパン

鍋はコの字ラックで個別に指定席を

鍋を重ねると下のものが取りにくくなるので、コの字ラックを使って、それぞれの指定席をつくるのが得策。

ボックスやラックで鍋のふたを収納

意外とかさばる鍋のふたは、ファイルボックスにひとまとめにしたり、扉にかけられるラックを使うと省スペース。

フライパンは仕切りスタンドに立てる

フライパンや中華鍋、卵焼き器などは、仕切りスタンドやファイルボックスで、持ち手を前にして立てて収納する。

キッチンツール

check!

薄いものはタオルハンガーで立てる

まな板やトレーなどは、タオルハンガーをストッパーにして立てて収納。

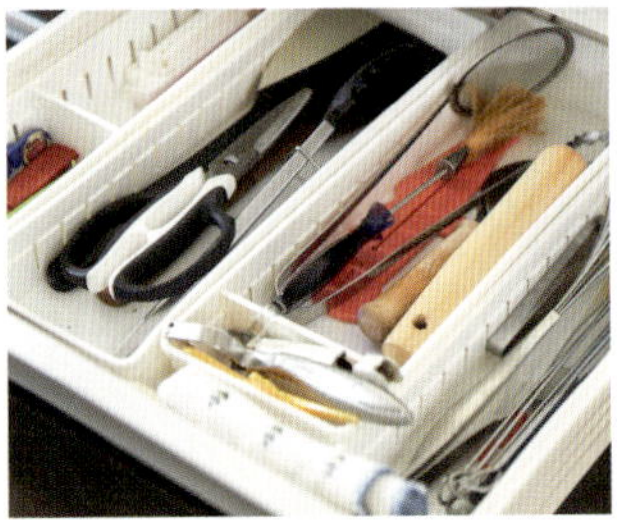

使用頻度が低いものは引き出しに

たまに使うツールは引き出しにひとまとめ。仕切りでスペースを区切って、使いやすく分類しよう。

よく使うものは出しっぱなし収納

出番が多いものはフックでつり下げたり、ツール立てにまとめてコンロ脇に。

食器・カトラリー

重ねられないコップ類は同じ種類を縦に並べる

コップ類は同じ種類を横に並べず、縦に並べるのが基本。ひと目で何がどこにあるかわかり、必要なものを複数取り出すのもスムーズ。

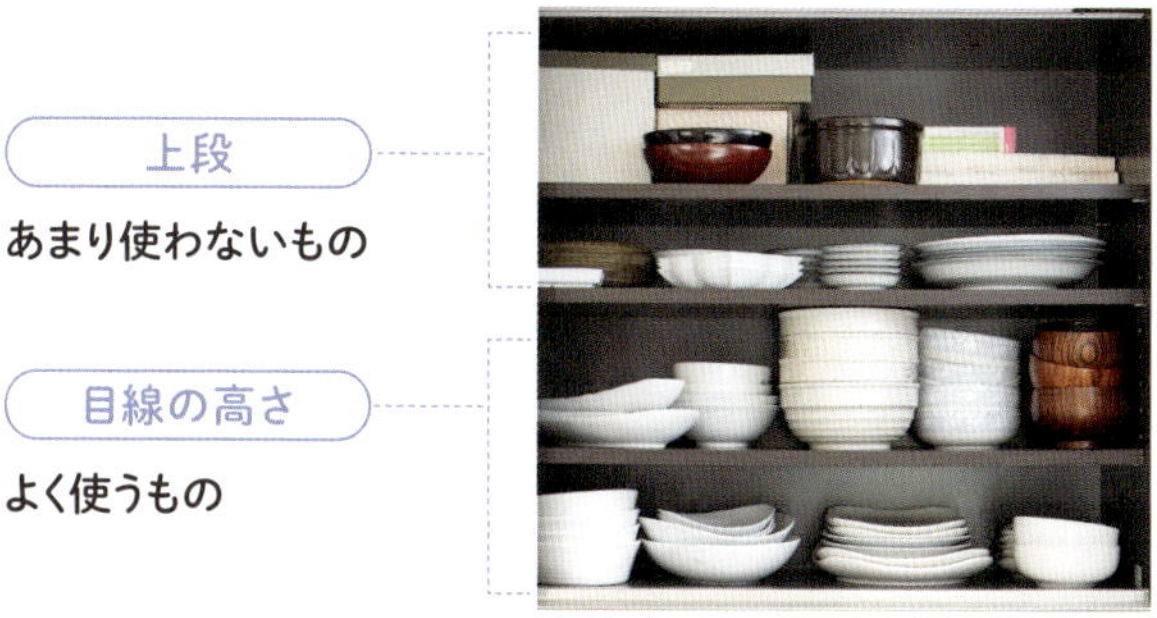

普段使いは目線の高さ、重ねるのは2種類までに

普段使いの食器は目線の高さにしまい、手が届きにくい上段や腰をかがめなくては取れない下段には使用頻度が低いものを収納。食器を重ねると下のものが取りにくくなるので、重ねるなら2種類までに限定して。

よく使うグラスはしまわずに見せる収納

毎日使うグラスをいちいち食器棚に戻すのが面倒なら、トレーなどにまとめ、作業台やカウンターの上に出しておく方法もあり。

大皿はボックスに立てる

大皿は布を敷いたファイルボックスに立てて収納すると取りやすい。ただし、薄手の皿や繊細なつくりのものには向かない。

便利なラックで空間を分割

食器の収納には、2段になる便利なラックを使うのがおすすめ。下のものを取るときに、上のものをどかさずにすむ。

check!

細長い仕切りは牛乳パックでも作れる

飲み口部分を切った牛乳パックの一辺を切り、そのまま底を斜めに切る。広げて山折りにしたら完成。使いたい場所のサイズに合わせて複数重ねて長さを調整し、テープで留める。

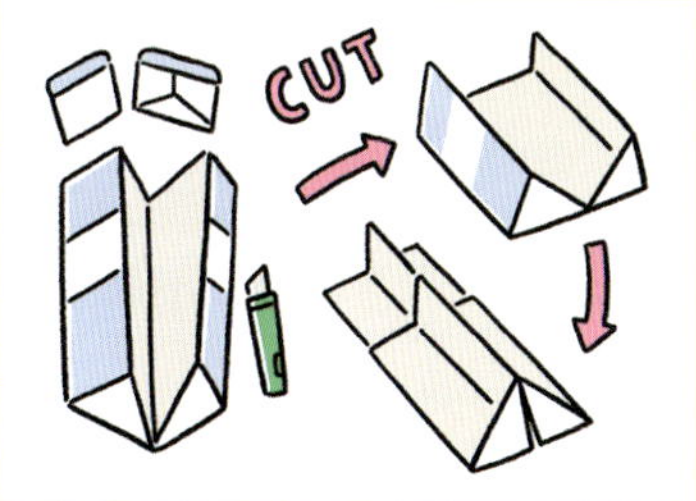

カトラリーは種類とサイズ別にケースで分類

種類別、サイズ別にケースなどで分類収納。横に仕切ると奥が見にくいので、縦に仕切るのが全体を見やすくするコツ。

普段使いの箸はカトラリー立てに

普段使いの箸などはカトラリー立てにまとめ、出しっぱなしにしても。

調味料

目線より下の引き出しではふたにラベルを

調味料をおそろいの容器に移し替えるのも◎。目線より下の引き出しにしまうなら、ラベルをふたに貼ると見やすい。

ボトル調味料はケースにひとまとめ

油類、酒やみりんなどのボトル調味料は、液だれしてもすぐ洗えるプラスチックのケースにまとめ、ガス台の下に。

よく使うものはラックで出しっぱなし

日々使う調味料は小さめのラックにまとめ、調理台やガス台の近くに。よく使うものだけ厳選して置くようにして。

ストック食品

+more

非常時用の備蓄食材はローリングストック方式で

災害時のための備蓄用の食品や飲料の賞味期限切れを防ぐには、定期的に消費すること。消費した分だけ買い足すようにすれば、備蓄分の収納スペースはつねに一定をキープでき、管理しやすくなる。

1袋丸ごと入る容器に入れる

砂糖や小麦粉などの粉ものは1袋がすっぽり入るサイズの容器を選べば、保管がラク。

種類別に立てて収納する

種類ごとにカゴなどで分類し、重ねずに立てると、何がどこにあるか見やすく、使い忘れを防げる。

密閉容器・弁当箱

check!

弁当作りのグッズは使わない密閉容器で分類

おかずカップやピックは使っていない密閉容器を収納ケースに活用。ふたはケースの下に敷いておいて。

弁当箱はカゴにまとめる

意外とかさばる弁当箱は、水筒や箸箱なども一緒に大きめのカゴにまとめて収納。

ケースとふたは別々に収納

ケースは同じ種類を重ねたり、サイズ違いで入れ子にすると省スペース。ふたはまとめて立てて収納。

ラップ・アルミホイル

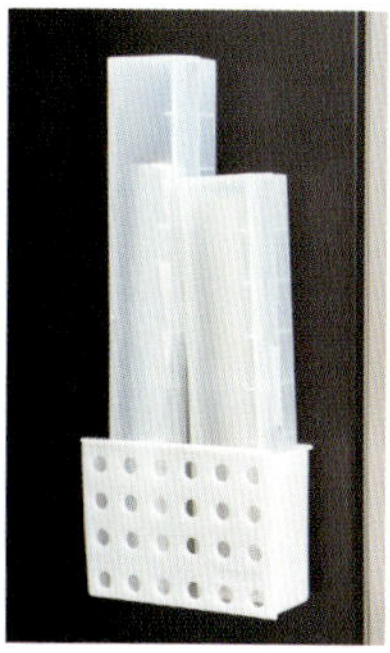

マグネットつきケースで冷蔵庫の側面に

冷蔵庫の側面に取りつけたマグネットつきケースに、ラップやアルミホイルを立てて収納するのもいいアイデア。シンプルなケースに入れ替えれば、見た目もスマート。

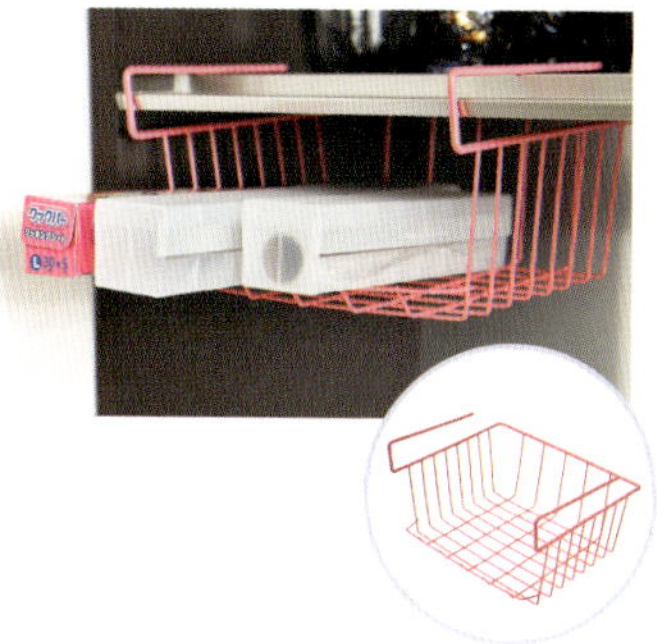

ハンギングラックでデッドスペースを活用

ラップやアルミホイルなどは、調理中ワンアクションで手に取れると効率的。棚板部分に引っかけるハンギングラックなら、ちょっとした空間に専用置き場を確保できる。

スポンジ・洗剤・ゴム手袋

吸盤式のラックにまとめる

洗剤とスポンジは、シンク内に取りつけられる吸盤タイプのラックにひとまとめ。100円ショップでも購入できるのでチェック。

珪藻土のプレートでお手入れがラクに

洗剤やハンドソープは、珪藻土のプレートやコースターの上に置くのも手。吸水速乾で、ボトルの底のヌメリ対策にも有効。

ゴム手袋はピンチでつるす

置き場に困りがちなゴム手袋は、フックつきのピンチにはさみ、収納扉の取っ手部分やタオルハンガーの端につるし収納。

レジ袋・ゴミ袋

上から入れ、下から出すストッカーが便利

上から袋を入れて下から取り出すタイプのストッカーなら省スペース。「この中に入るだけ」とストック量を限定できるのもメリット。

袋類は専用ストッカーで立てて分類

ゴミ袋だけでなく、食品の保存袋や使い捨てビニール手袋なども収納可能。書類感覚で立てて並べ、シンク下に収納するのがおすすめ。

check!

ケース+輪ゴムで水切りネットが1枚ずつ取れる

不織布の水切りネットは、一度に何枚もくっついてきてプチストレス。プラスチックケースに水切りネットを収納し、ケースの2カ所に輪ゴムをかければ、1枚ずつ取り出すことが可能に。

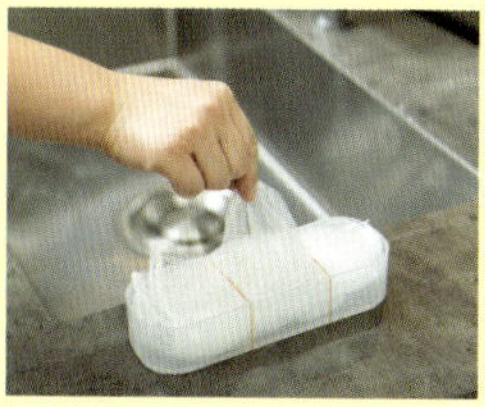

収納片づけ

日用品の収納

くつろぎスペースに置いておくアイテムは、使い勝手だけでなく、見た目のよさにもこだわって収納しましょう。

増えがちなものはスペースを限定し、量をコントロール

書籍やCD・DVDなど増えがちなアイテムは、決めた収納スペース内で管理するのが基本。スペースがいっぱいになったら不要なものをチェックし、フリマアプリや宅配買取などで売るのが賢明です。また、放置しがちなリモコンやスマホは、指定席を明確にすること。スマホやタブレット端末は「充電場所＝指定席」と考え、出しっぱなしでもすっきり見えるよう工夫してみて。

check!

使ったあと一番端に戻すと使用頻度がわかる

使ったCDや雑誌、漫画などは棚の一番端に戻すようにすると、よく使うものがそちら側に集まり、要・不要の判断をしやすくなる。

本・雑誌

+more

スキャンアプリで必要な記事や情報をスマホに保存する

新聞や雑誌は必要な記事や情報だけスクラップ感覚でスマホに保存し、処分するのが◎。スキャンアプリを使えば検索性が高く、知りたい情報をいつでも引き出せて重宝。

大量の文庫本や漫画は前後収納で奥をかさ上げ

棚に2列で収納するときは、空き箱などで奥を少しかさ上げしてみて。背表紙が少し見えることで探しやすくなる。

今、読んでいるものはマガジンラックに

読みかけの本や雑誌はマガジンラックに保管し、読後に要・不要を判断。取っておくものは本棚などに移動して。

CD・DVD・ゲームソフト

check!

よく使うものはディッシュラックにディスプレー

よく使うCDやDVDはしまい込まずに、ディッシュラックに立てて、ディスプレー感覚で楽しもう。

ケースを処分するとコンパクトに

量が多いならケースを処分し、中身のみを専用ファイルに保管することでコンパクトに。

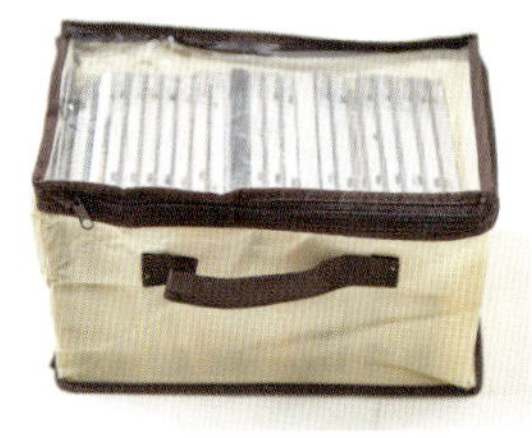

専用の収納ケースに保管

100均などにある各ソフト専用の収納ケースなら、ジャストサイズですっきり。

スマートフォン・タブレット端末

ティッシュケースをスマホなどの充電コーナーに

ティッシュケースにごちゃつくコードを収納。ティッシュの取り出し口からケーブルを出し、端末につないで。

ディッシュラックでスマホやタブレットを整然と充電

スマホやタブレットは、立てて並べるだけで整然とした印象に。ディッシュラックなら、家族の分も並べられる。

check!

デジタル機器の小物は透明の保存袋で保管

パソコンなどの電子機器の付属品は細かくて収納しにくく、行方不明になりがち。透明のファスナーつき保存袋にまとめ、ラベルをつけておくのがおすすめ。

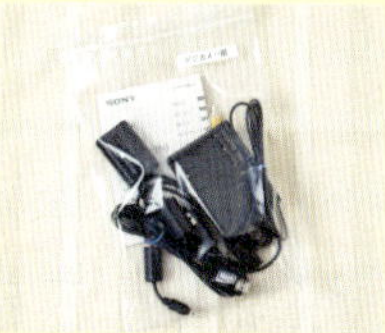

+more

空き箱でジャストサイズの仕切りを作る

空き箱を縦や横に二等分する。

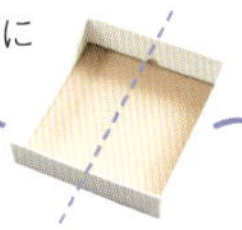

小さくする

大きくする

底面を重ね合わせれば小さい仕切りに。重ね具合を調整して好みのサイズに。

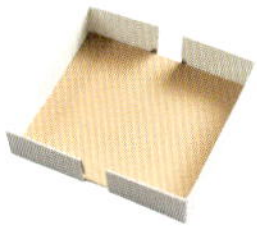

元のサイズより大きくしたい場合は、適当な大きさの厚紙を切って、底面に貼る。

リモコン

トレーにまとめて並べる

複数あって散らばりやすいリモコンをテーブルなどに出しておきたいたときは、トレーや浅いカゴに並べるだけで片づいて見える。

仕切りつきケースに立てる

専用の仕切りケースに立てれば、必要なときにサッと手に取れて便利。つい放置しがちなものは指定席を明確にすることが大切。

薬

入っていた箱を仕切りケースに

薬類はパッケージの箱をそのまま仕切りケースとして使うと◎。用法などを随時確認でき、サイズがジャストなので空間に無駄ができない。

文房具

仕切りケースや空き箱で分類

文房具や筆記具は、市販の仕切りケースや空き箱で使いやすく分類。筆記具はインク切れのものがないかなど、一度整理してみよう。

収納片づけ

書類・写真の収納

書類や写真はたまればたまるほど、目当てのものを探すのが大変なので、自分に合った管理法を確立しましょう。

分類して保管するのが基本。便利なアプリを活用し、ペーパーレス化も検討

日々増えていく書類は、新しいものをしまうタイミングで古いものを処分する習慣をつけましょう。最近は書類や写真を簡単に整理できる無料のアプリがたくさん登場しているので、使い勝手がよさそうなものを試してみるのがおすすめです。また、写真などのデータが膨大な場合は、ネット上で保存や管理ができ、家族や友人とも共有できるオンラインストレージサービスの利用を検討してみてもいいでしょう。

check!

レシート読み取り機能つき家計簿アプリが人気

レシートをスマホで撮影すると、品目や金額を読み取って記録してくれるのが特徴。費目ごとの支出合計額なども自動計算してくれる。レシートでパンパンな財布も家計もスマートに管理。

日々増える書類

「とりあえず置き場」をつくって対処

忙しくて郵便物をチェックする時間がないなら、「とりあえず置き場」で一時保管。置き場は目に触れやすい場所につくるのが、放置しないコツ。

不要なDM類は帰宅後すぐ処分

書類をためないコツは、不要なものをすぐに処分すること。玄関にゴミ箱を置き、不要なDMなどは部屋に持ち込む前に捨ててしまうのが得策。

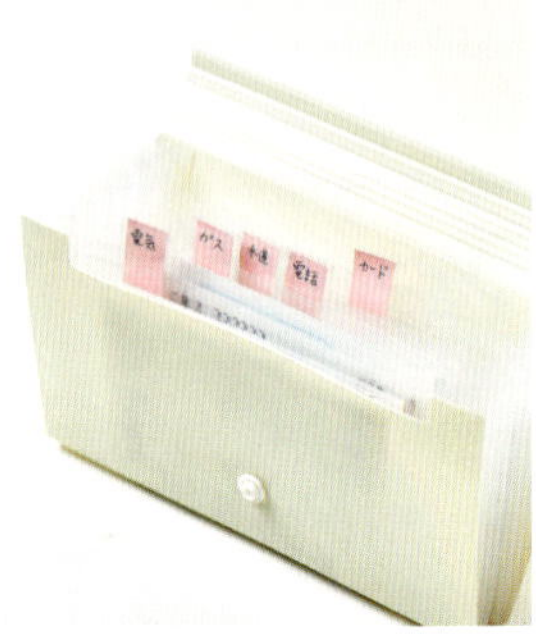

請求書などはじゃばらファイルで整理

保管しておきたい請求書や領収書などは、インデックスつきのじゃばらファイルを使えば、分類しながら1カ所にまとめて保管できる。

+more

便利なアプリでプリントや予定をペーパーレス管理

子どものプリント整理に特化したアプリも登場。きょうだい別に管理したり、夫婦で内容を共有できる。園や学校の行事など、家族の予定を共有できるスケジュール共有アプリも人気を博している。

子どものプリントはクリアファイルで

中身がわかる透明ファイルに、「学校」「塾」「習い事」などインデックスをつけて分類。チェックしたものを一番前に戻すと、よく見るものが自然と前にきて探しやすくなる。

テーマ別に分類

長期保管する書類

1ボックス＝1ジャンル管理でいざというときあわてない

長期間保管する重要書類は、家、保険、子どもといった具合に、1ボックス＝1ジャンルにして分類収納。書類が必要なときは、そのボックスだけ探せばＯＫ。

たまに見る書類

インデックスつきの個別フォルダーで分類

個別フォルダーなら、はさむだけなので出し入れがラク。クリアファイルと違って、最初からインデックスがついている点もGOOD。

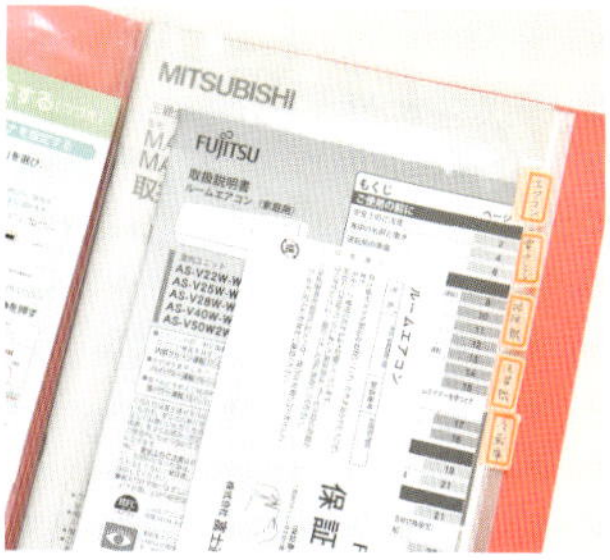

説明書と保証書はセットで保管する

トラブル時に困らないよう、家電などの取扱説明書と保証書はセットで保管しておこう。ファイルブックなどで分類すると見やすい。

写真・アルバム

+more

面倒な写真整理やアルバム作成がアプリを使えばラクになる

膨大な写真データの整理にはアプリがお役立ち。アプリ選びは、容量のほか、自分でカスタマイズして分類できるか、写真の加工ができるか、オンラインストレージに対応しているかなどをチェック。

check!

古いアルバムはページごと撮影してデータ化

古いアルバムの写真をデータ化する場合は、ページごとに撮影やスキャンするのがおすすめ。古い写真を1枚ずつはがそうとすると、破れてしまう危険があるので気をつけて。

スマホの写真は撮影時に整理する

撮影した写真はその場でベストなものを選び、不要なものはすぐに消去。子どもの写真は子どもにお気に入りを選ばせても。

スマホ内では「アルバム」で分類

端末内で写真を管理するなら、イベントや旅先などのタイトルをつけた「アルバム」を作り、入れたい写真を選べばＯＫ。

アルバムはいつでも見られる場所に置く

アルバムは何度も見返してこそ意味あり。奥にしまい込まず、いつでも手に取れる場所に置こう。

収納片づけ

子ども・ペット・趣味用品の収納

年々増えていくもの、つい増えてしまうものは、全体量を客観的に把握しやすい「一括収納」がおすすめです。

ジャンル別に棚やコーナーをつくって一括管理する

おもちゃは子どもの成長に合わせ、収納方法を見直すのがコツ。小学生になったらラベルをつけて分類収納し、徐々に片づけを覚えさせましょう。

年々増えていく子どもの作品や趣味のアイテム、種類が多岐にわたるペットやレジャー用品などは、「ボックス○個分」「棚○段分」など収納スペースを限定し、あふれたら処分を検討すること。収納場所を1カ所にまとめることで全体量を把握しやすくなり、管理しやすくなります。

check!

おもちゃボックスは、子どもの年齢や遊び方で選ぶ

子どもが小さいうちは「放り込めばOK」の大きいサイズにし、片づけられるようになってきたら、少し小さめのサイズで分類収納。ボックスごと出して遊ぶなら、子どもが持ち運べるサイズを選ぼう。

おもちゃ

持ち手つきボックスでざっくり放り込み収納

持ち手つきで引き出せるボックスに放り込むスタイルなら、小さな子でも片づけやすい。

外遊びグッズは玄関ドアにつるし収納

そのまま持ち出せるメッシュバッグにまとめ、玄関ドアにフックでつるして。

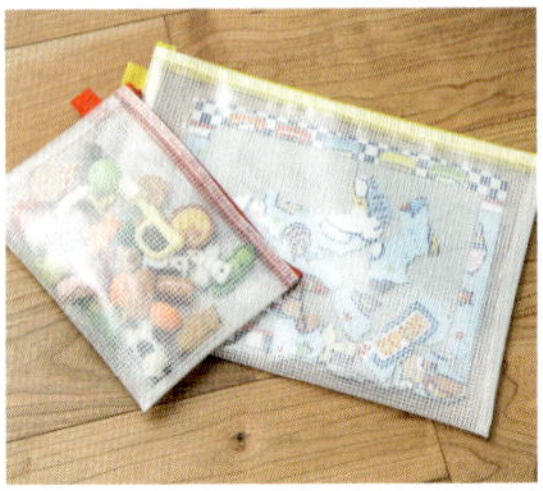

パズルや細かいおもちゃはファスナーケースに

散らばりやすいおもちゃは、中身が見えるファスナーケースにまとめると扱いやすい。

子どもの作品

check!

立体作品は子どもと一緒に撮影して残す

かさばって保存しにくい立体作品は、撮影して残そう。作品を単体で撮るのではなく、作った子どもと一緒に撮ると、子どもの成長記録としても振り返ることができる。

かわいく飾る！

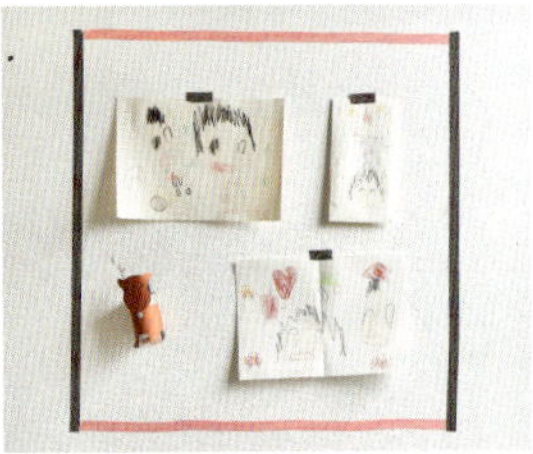

マスキングテープの額でスペースを決めて飾る

壁に飾る場合はマスキングテープで額を作り、飾る範囲を限定しながらディスプレー。

1人ずつボックスを決めて量を管理

大きめのボックスで個別に保管し、いっぱいになったら、残しておきたいものだけ厳選。

ガーデニング用品

100均のすのこで専用棚をDIY

棚を手作りするなら、軽量で扱いやすいすのこを利用してみよう。脚があるすのこならではの形状を生かすことで、棚を簡単に作れる。

重い土や肥料は屋外にも置ける収納ボックスに

重量がある土や肥料などは、頑丈な収納ボックスにしまうのが正解。収納しながらイスとしても使えるベンチタイプが実用的でおすすめ。

ペット用品

1カ所にまとめて収納すると、ストック管理がラク

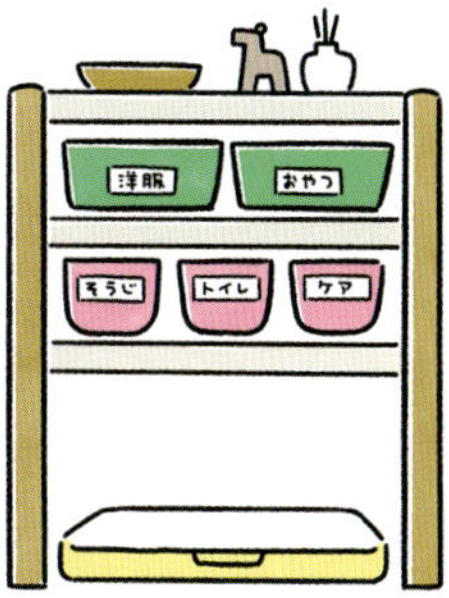

トイレスペースの近くにペットグッズ専用置き場をつくり、分類収納。トイレのお世話がしやすく、各ストックの管理もしやすくなる。

キャスターつきなら、どこでも使えて掃除もしやすい

キッチン用のワゴンなどにまとめるのもいいアイデア。小回りがきくから必要な場所に移動しやすく、掃除もラクチン。

レジャー・アウトドア用品

そのまま外に持ち運べるボックスに収納

キャンプ用品の収納には、頑丈なコンテナボックスを活用。持ち手つきでボックスごと持ち運んだり、車に積めるサイズを選ぶと◎。

ピクニック用品はクーラーボックスの中にまとめる

ピクニック用の食器やレジャーシートなどのグッズは、クーラーボックスの中にまとめて収納しておくと省スペースに。

スポーツ用品

ルックスのいいカゴやケースに入れ、部屋の一角に

室内用のトレーニンググッズは、見た目のいいカゴやボックスに立ててひとまとめ。いつでも使えるよう部屋の隅にスタンバイさせて。

外で使うグッズは玄関まわりに置き場を確保

外で使うスポーツグッズは、玄関まわりに置き場を確保すると動線がスムーズ。収納ケースは汚れても丸洗いできる素材を選んで。

収納片づけ

玄関収納

玄関には、靴以外にも置いておくと便利なものがいっぱい。収納を見直して、使い勝手がいい玄関にしましょう。

外出時の必需品の指定席を玄関につくるとスムーズ

雑菌が繁殖しやすい下駄箱内は、カビやニオイ対策が重要です。脱いだ靴はすぐにしまわずにひと晩出しておき、下駄箱の扉は定期的に開けて通気をよくしましょう。また、外出前に使ったり、外出時に携帯するアイテムは、玄関を指定席にすることで動線がスムーズになることも。玄関に置きたいものの指定席を新たに確保するなら、デッドスペースを積極的に活用しましょう。

check!

下駄箱に入りきらない靴は別の場所に収納しても

オフシーズンのブーツや出番が少ないフォーマル靴は、ラベルをつけて靴箱に入れ、クローゼットなどほかの場所に保管するのも手。

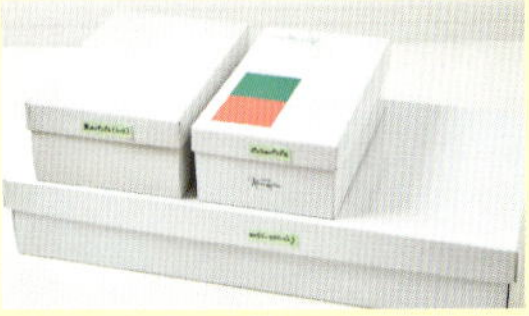

知っておこう!

玄関収納の基本

❶ 靴は人別に要・不要を判断し、量を見直す

サイズが合わない、はくと痛い、底がすり減っているなど、靴は処分を見極めやすいアイテム。はかない靴が場所を占領しているケースが多いので、人別に要・不要をチェック。

❷ 下駄箱内のカビ、ニオイ、汚れ対策をする

下駄箱は汚れや湿気がたまりやすく、菌が繁殖しがち。嫌なニオイや靴にカビが生える原因になるので、対策を徹底して。下駄箱内に重曹を入れておくと、除湿&消臭剤代わりに。

❸ デッドスペースを収納スペースとして活用する

お出かけグッズや外で使うものなど、玄関に置いておくと便利なアイテムは意外と多い。下駄箱まわりや扉裏、ちょっとした壁面などを収納に活用できると、より利便性が上がる。

玄関収納のコツ

人別や靴の種類別に分けて収納する

選びやすいよう、人別に収納するのが基本。また、かさばる靴や丈が長いものは種類別に収納場所をまとめてもOK。

デッドスペースを逃さず活用する

下駄箱内の半端に空いた空間や扉の裏などをうまく利用して、玄関まわりに置いておきたいグッズや小物を収納しよう。

便利グッズで収納力を増やす

棚板を増やしたり、便利グッズを使って収納力アップ。ぎゅうぎゅうにつめ込むと出し入れしにくく、型くずれの原因にもなるので注意。

汚れても丸洗いできる収納ケースを使う

下駄箱内の主な汚れは泥とホコリ。収納ケースを選ぶときは、汚れても丸洗いできるプラスチック素材などがベスト。

マグネットでドア裏を収納スペースに

玄関ドアにマグネットをつけられるなら、収納スペースを増やすチャンス。フックやケースを取りつけ、小物の置き場を新設しよう。

スペースを取らずに収納を増やす工夫をする

手狭なスペースなので、置きたいものをいかにスペースを取らずに収納するかも重要。つるして浮かす収納を多用するのがおすすめ。

人目に触れる部分は見せる収納を意識する

玄関は人を迎える場所でもあるので、見た目のいい収納にしたり、インテリアになじませる置き方を工夫することも意識してみて。

靴

靴専用の収納グッズで省スペースに

片足分のスペースに1足しまえるシューズホルダーを使えば、靴を効率よくコンパクトに収納可能。100円ショップでも購入できる。

板とブロックで棚板をプラスする

ブロックの上に板を渡して棚板をもう一段増やす。ブロックは100円ショップにもある発泡スチロール製のものなら手軽に使えて便利。

Check!

カビや型くずれを防ぐコツ

**大切な靴には
シューキーパーをセット**

長くはき続けるには、こまめなメンテナンスが不可欠。シューキーパーで形をきれいに整え、型くずれを予防しよう。シューキーパーは100円ショップでも購入可能。

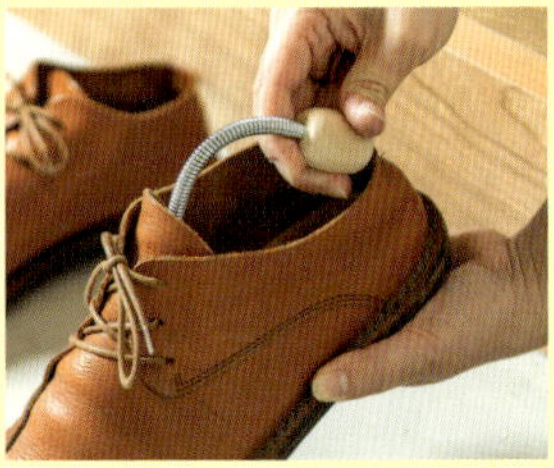

**靴がぬれたら
新聞紙を中に入れて吸湿**

ぬれたまま下駄箱にしまうと、湿気がこもってカビやニオイの原因に。ぬれた靴の中に丸めた新聞紙を入れてひと晩出しておき、中がしっかり乾いてから下駄箱に戻して。

コの字ラックで
空間を2倍活用

ブーツ用の棚などは空間が余ることも。高さのある空間にはコの字ラックを置いて、上下2段使いするのがおすすめ。

ヒールのある靴は
つっぱり棒に引っかける

下駄箱内に渡したつっぱり棒に片方のヒールを引っかけて浮かすのがポイント。片足分のスペースで1足しまえ、収納量がアップ。

サンダル類は
カゴにまとめる

型くずれが気にならないサンダルなどは、汚れても丸洗いできるプラスチックのカゴにひとまとめにするとコンパクト。

靴の向きを
互い違いにする

つま先を前にしたり、かかとを前にしたりと、向きを互い違いに並べるだけ。無駄なすき間がなくなり、スペースを最大限活用できる。

雨具

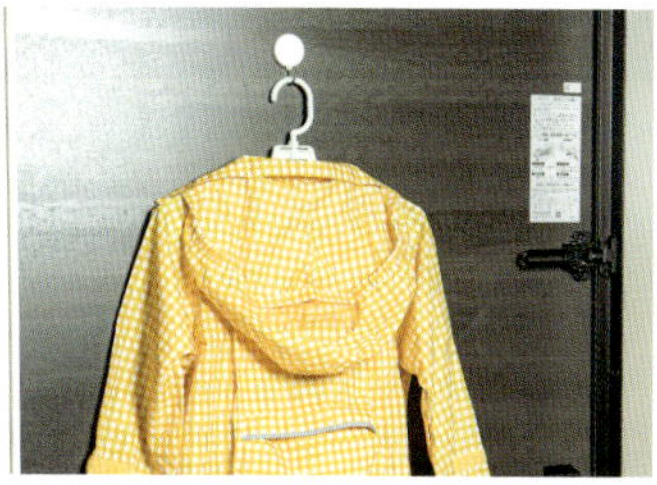

フックがぬれた
レインコートの一時置き場に

ぬれたレインコートは玄関で脱ぎ、その場で乾かすスタイルに。玄関ドアにマグネットフックなどでつるし、乾いてからしまうと効率的。

折りたたみ傘は
ハンギングラックに

棚板に引っかけて使うハンギングラックで、ちょっとしたすき間が収納スペースに早変わり。折りたたみ傘をしまうのにぴったり。

長い傘は
プラスチック
ケースに立てる

使用後にしっかり乾燥させた傘は、下駄箱内にしまうと玄関がすっきり。傘立てをわざわざ買わなくても、プラスチックの収納ケースに立ててまとめるだけでOK。

お出かけグッズ

マスクはドア裏に
マグネットシートで
箱ごと固定

ドアにマグネットがつくなら、マスクを箱ごと固定。切って使える粘着タイプのマグネットシートを箱の裏に貼るだけ。

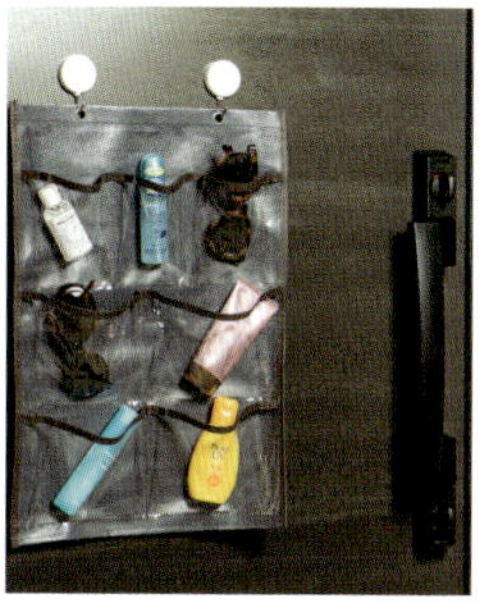

小物は
ウォールポケットで
スリムに分類

日焼け止めや虫よけスプレー、制汗剤、サングラスなど、外出時や外出前に使うアイテムはウォールポケットに分類収納。

入校証などの
学校グッズも
まとめて玄関に

入校証や携帯スリッパなど、園や学校に行くとき必要なものも置いておくと◎。靴をはいてからでも、玄関ならすぐ取れて便利。

スリッパ

タオルハンガーで
扉裏に収納

下駄箱の扉裏にタオルハンガーを取りつけ、スリッパラック代わりに活用。玄関が手狭なお宅にぴったりなアイデア。

見栄えのいい
カゴにまとめる

専用ラックがないなら、カゴにまとめておけばOK。人目にふれる場所なので、見た目のいいカゴをチョイスしよう。

靴のケアグッズ

ケースにまとめて
下駄箱内に

汚れに気づいたときこまめにお手入れできるよう、ケアグッズや防水スプレー、消臭スプレーなどはカゴにまとめ、下駄箱内に置き場を確保して。

洗面所・浴室・トイレ収納

汚れがたまりやすい水まわりスペースは、置くものを厳選し、掃除がしやすい環境を整えることがカギです。

水まわりは使いやすさと掃除のしやすさを両立させる

つねに清潔な状態をキープしたい水まわりスペースは、使い勝手と掃除のしやすさを兼ね備えた収納が理想です。そのためには、じか置きするものをできるだけ減らしたり、汚れたときにすぐ拭いたり、洗ったりできる収納グッズを使うことがポイントになります。

特に、手洗い、洗顔、歯磨き、ヘア・メイク、洗濯、脱衣など、多目的に利用する洗面所は、収納するものの種類が多いのでしっかりジャンル分けし、動線がスムーズなものの配置を考えましょう。また、汚れが気になる浴室やトイレは、掃除が面倒にならないような収納法を選択することが肝心。掃除しやすいようにすっきり収納することは、リラックスできる空間づくりにもつながります。

洗面所収納のコツ

キャビネットの小物はケースなどで分類

コスメや衛生用品など、細かなアイテムを収納する洗面台のキャビネットは、カゴやケースで分類してそれぞれの指定席を明確にする。

洗濯機の上や横は収納用品で収納力を増やす

洗濯機用のラックを使って上や横の空間を収納スペースにしたり、洗濯機と洗面台の間に収まるすき間家具をセットするのも手。

洗面台下は空間を仕切って収納する

排水管があって使いにくい洗面台下の収納スペース。パズル感覚でケースやラックを組み合わせ、最大限活用できるように工夫を。

知っておこう!

洗面所・浴室・トイレ収納の基本

1 収納が少ないので置くものを厳選する

手狭な空間で収納スペースが限られていることが多いので、置くものを厳選すること。それぞれの場所で、実際に使うものだけをコンパクトに収納するのが鉄則。

2 収納用品を活用し、収納力をアップする

もともとある収納スペースでは足りない場合が多いので、ラックや棚などの収納用品をプラスすることを検討。どこにどう配置すると使いやすいか考えてみよう。

3 掃除しやすい配置や収納法を実践する

つねに衛生的な空間にしておくためには、掃除のしやすさが重要。掃除が面倒にならない収納法や、必要なときサッと取れる掃除道具の置き方などもポイントに。

トイレ収納のコツ

オープン棚は見た目にもこだわる

生活感が出るものは布で目隠ししたり、見栄えのいいケースに入れたり。来客も使う場所なので、見た目のよさを意識。

じか置きするものを最小限にする

トイレの床は飛び散りなどで汚れやすいので、じか置きするものは最小限に。床置きが少ないと掃除もしやすくなる。

掃除グッズはコンパクトにまとめる

掃除グッズはカゴやケースなどにコンパクトにまとめ、棚の中にしまったり、人目にふれにくい場所に置いておく。

浴室収納のコツ

置くものを厳選する

ものが多くごちゃついていると、掃除しにくいだけでなく、リラックスできない。収納も少ないので、置くものは使うものだけに。

つるし収納でじか置きを減らし、掃除しやすく

浴室の壁はマグネットが使えることが多いので、マグネットフックにかけたり、タオルバーにフックでつるし、じか置きを減らして。

洗剤・掃除グッズ

掃除グッズは
バケツにセット

掃除グッズはバケツを収納ケース代わりにすると、そのまま持ち運べて◎。洗面台下の収納などにスタンバイさせて。

洗剤はプラスチック
ケースやトレーに

液だれが気になる洗剤類は棚などにじか置きせず、汚れても丸洗いできるプラスチックのケースやトレーにまとめて。

ストックは
スペースを決めて管理

シャンプーや洗剤などのストックはそれぞれ1つに。なくなったら買い足すようにすれば、余計なスペースは不要。

ヘア・メイクグッズ

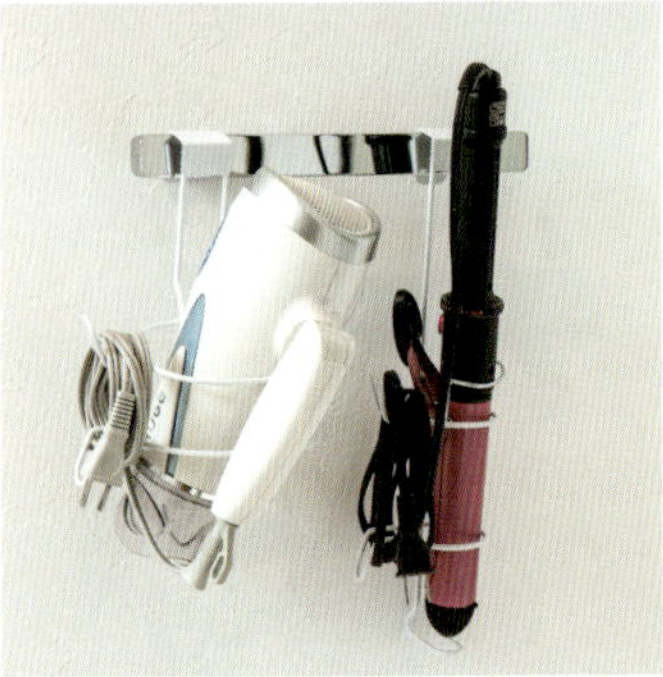

ドライヤーやヘアアイロンは
ホルダーで引っかけ収納

収納しにくいドライヤーやヘアアイロンは専用ホルダーを使って、収納扉の取っ手やタオルバーなどに引っかけて収納するとスマート。

キャビネット収納は
人別にゾーン分け

身支度の際、1つの扉を開ければ、必要なものをすべて取れるのが理想。右が夫、左が妻など、人別にゾーン分けするのがおすすめ。

小物は仕切りつき
ケースで分類

こまごました化粧品や髪飾りなどは、立てて収納するのがベスト。仕切りつきのプラスチックケースを使って分類しよう。

check!

排水管がじゃまな洗面台の下は
100円グッズで攻略

排水管やパイプを避けるようにプラスチックのカゴやケース、コの字ラックなどを組み合わせて。空間を四角く区切ってゾーン分けするのがコツ。

四角く区切る！

タオル

check!

一番奥に戻せば均等に使える

タオルは手前にあるものだけを使いがち。立てて収納しているなら一番奥、並べているなら一番下に戻すことを習慣づけると、まんべんなくローテーションできる。

つっぱり棒とカゴで空中収納

洗濯機の上などの空間につっぱり棒を渡し、S字フックでワイヤカゴをつるすデッドスペース収納。タオルなど軽いものにぴったり。

折り山を上や手前にして収納

引き出しにしまうときは、折り山を上にして立てて収納。棚に重ねる場合は折り山を手前に向けて並べると、取りやすくなる。

浴室グッズ

イスや洗面器も浮かせる

イスや洗面器もつるすと掃除しやすくなる。フックでタオルバーや浴室内の物干しざおにつるしたり、マグネットフックなどで壁面にかけても。

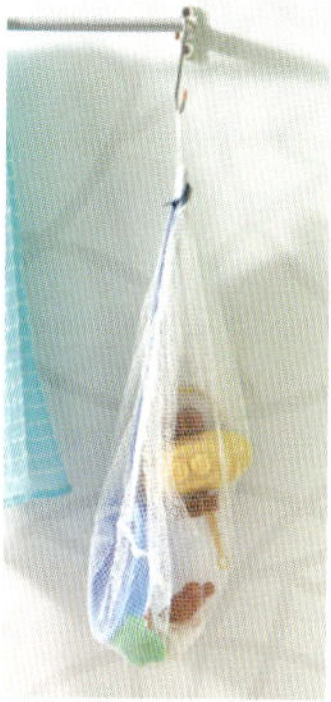

子どものおもちゃは洗濯ネットに

浴室用の子どものおもちゃは、洗濯ネットにまとめてフックでつるしておくとＧＯＯＤ。洗濯ネットは中身が見えるものを選んで。

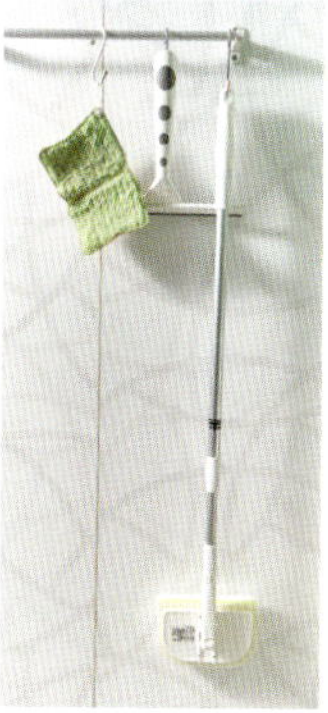

掃除グッズはS字フックでつるす

じか置きするとカビやぬるつきの原因になるので、タオルバーなどを利用してS字フックでつるそう。買うときはつるせる形状のものを選んで。

トイレグッズ

生理用品は袋から出して使いやすく

生理用品はパッケージから出して、カゴなどにまとめておくと使いやすい。オープン棚の場合は目隠し布をかけて。

掃除グッズは丸洗いできるケースに

トイレ洗剤や掃除クロスはケースにまとめて、目立たない位置に。ケースは汚れたとき丸洗いできる素材がベスト。

レンタルやシェアをフル活用し、「持たない暮らし」を始めよう

さまざまなものやサービスをレンタルやシェアできる時代となり、必要最低限のもので暮らすライフスタイルに注目が集まっています。「持たない暮らし」を実践することは、「今の自分たちに本当に必要なものは何か」を考え、ものとのつき合い方を見直すきっかけにもなります。

【「持たない暮らし」のコツ】

コツ 1　エンターテインメントは定額の「○○放題」サービスで楽しむ

音楽や雑誌、映画、アニメなどのエンターテインメントは定額制の「○○放題」サービスなら、ものを所有せずにデジタルで楽しめる。

コツ 2　ハイブランド品やトレンド服はレンタルが今どきスタイル

洋服やブランドのバッグは、レンタルサービスを利用して気軽にクローゼットをアップデート。定額制の借り放題サービスなどもある。

コツ 3　短期間だけ使う子ども用品はレンタルやシェアリングで賢く

ベビーベッドやベビーカー、チャイルドシートなど、一定期間だけ必要なアイテムは、レンタルやシェアリングサービスを検討しても。

コツ 4　場所をとる布団やレジャー用品もレンタルでおうちスッキリ

1年に1回出番があるかどうかの大物アイテムは思いきって手放し、必要なときにその都度レンタルする方法もあり。収納の悩みから解放され、収納スペースにも余裕が出るはず。

収納が足りないならトランクルームやレンタル倉庫という手も

今は収納スペースもレンタルできる時代。トランクルームやレンタル倉庫を活用する人が増加するなか、荷物の出し入れを業者がしてくれる宅配型トランクルームも、人気上昇中。

5章

住まいの修繕の基本

監修　嶋﨑都志子

DIYアドバイザー、インテリアコーディネーター。ハウスメーカーなどでの現場施工経験を生かし、メディア関連のDIY監修、住宅の修繕アドバイスなどを行なっている。
https://hetaumasha.jimdofree.com/

住まいの修繕

壁と床の修繕

壁紙のはがれや床の傷は、小さいうちなら自分で簡単に補修できることがあります。

傷が広がる前に補修材でケアする

家具を引きずって床に傷がついたり、経年劣化や湿気で壁紙がはがれてきたり。住んでいるうちに、家のあちこちに傷ができるものです。

小さな傷やはがれなら、専用の補修材を使って自分で修理ができます。放っておくと広がってしまうことがあるので、早めに修理をしましょう。

大きな穴

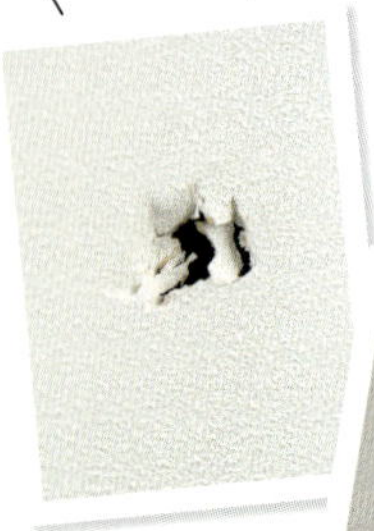

小さな穴

壁の小さな穴

画びょうや釘を抜いたあとの、小さな穴。白い壁だと意外と目立ちます。

使用するもの

- スプーン
- 補修キット

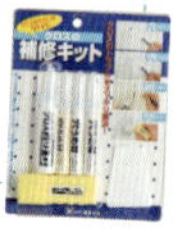

❶ 飛び出た部分を押し込む

穴のまわりの飛び出した部分を、スプーンの背を使って穴の中に押し込む。

❷ 補修材を注入する

穴埋め用の補修材を、穴に注入する。はみ出した補修材は乾いた布で拭き取り、なじませせる。

+more

シールタイプの補修材

穴のある箇所の油汚れ、水分、ホコリなどを拭き取り、補修シールをカットして重ねて貼る。

壁紙のはがれ

そのままにしておくと、見た目が悪いだけでなく壁も傷んできます。

使用するもの

- 壁紙用ローラー（またはガムテープ）
- 布
- 壁紙接着材

❶ ホコリを拭き取る

ぬらして固く絞った布で、壁紙の汚れやホコリを拭き取り、十分乾かす。

❷ 壁に接着材を塗る

壁のほうに均一に接着材を塗る。壁紙を貼りつけ、手でしばらく押さえる。

❸ ローラーで圧着させる

壁紙用ローラー（またはガムテープ）を強く押しつけながら何度も転がす。

壁の大きな穴

**家具をぶつけたりして開いてしまった穴。
コツさえ押さえればきれいに補修できます。**

使用するもの

- マスキングテープ
- カッター
- 金定規
- 壁紙（シールタイプ）
- 補修キット

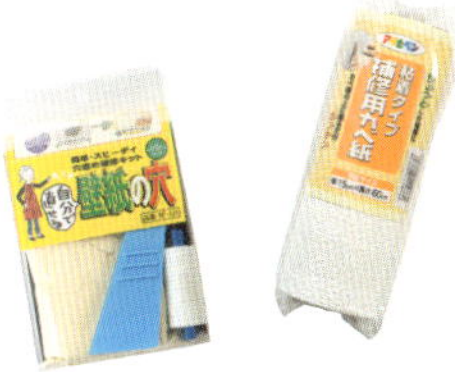

1 穴の上に壁紙を仮留めする

新しい壁紙を、穴よりひとまわり大きめにカットし、上に重ねてマスキングテープで仮留めする。

2 下の壁紙と一緒にカッターで切り抜く

金定規をあてて、新しい壁紙と下の壁紙を、一度にカッターで四角くくり抜く。

3 メッシュテープで穴を覆う

付属のメッシュテープ（粘着式）を、穴を覆うように貼りつける。

4 石こうを塗り込んでいく

補修キットの説明書に沿って、石こう（パテ）を水で練る。付属のヘラで、メッシュテープに押し込むようにたっぷり塗る。

5 サンドペーパーで表面を整える

10分以上置いて、石こうが乾いて固まったら、付属のサンドペーパーで磨いて、壁紙が盛り上がらないように表面を平らにする。

6 新しい壁紙を貼る

テープで留めていた枠を外す。❷で切り抜いた新しい壁紙のはくり紙をはがし、四角く空いた部分にぴったりはめ込むように貼る。

+more

砂壁がボロボロ落ちるのを止める

触るとボロボロ落ちてくる砂壁やせんい壁。スプレーするだけで、はがれ落ちを防いでくれる下塗り用のスプレーがある。

床のへこみ

ものを落としたときについてしまった、小さなへこみ。補修してかなり目立たなくできます。

スプーンの背でささくれを押す

へこんでいる部分のささくれを、スプーンの背を使って平らにならす。

使用するもの

- スプーン
- ヘラ（カードなど）
- ドライヤー
- 布
- 補修材

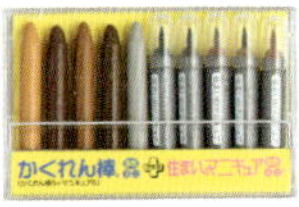

ドライヤーで補修クレヨンを温める

フローリングに近い色のクレヨンを選び、ドライヤーの温風をあててやわらかくする。

クレヨンをへこみに押しつける

へこみの部分にクレヨンを押しつけるようにして、へこみの部分を埋めていく。

ヘラで表面をならす

ヘラや、不要になった固めのプラスチックカードなどを使って、表面を平らにならす。乾いた布でこすってクレヨンをなじませる。

補修ペンで木目を描く

少し濃いめの補修ペンを使って、クレヨンで埋めた部分の上に木目を描いていく。乾いたら布でこすってなじませる。

Check!

紙を置いて描いてみると色を選びやすい

フローリングの上に紙を置き、何種類かのペンで線を描いてみて、フローリングに一番近い色を探す。

床の傷

家具を引きずったときについてしまった、浅い傷。自分で簡単に目立たなくできます。

床と色が近いペンで傷を塗る

マニキュアタイプのペンで、傷の部分を塗っていく。木目に沿って塗るのがコツ。傷に垂直になるよう、何度も塗り重ねる。

乾いた布でこすってなじませる

乾いた布でこすってなじませる。ペンで塗り、布でこする、という作業を何度か繰り返す。

使用するもの

- 布
- 補修材

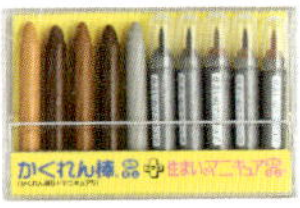

畳のささくれ

ストッキングなどを引っかけて嫌な思いをする前に、
早めに直しておきましょう。

1 飛び出た部分をカット

畳の、ささくれて飛び出した部分を、はさみの先でカットする。

2 接着剤を塗る

つまようじの先に木工用接着剤をつけて、ささくれの部分を寝かせるように塗る。

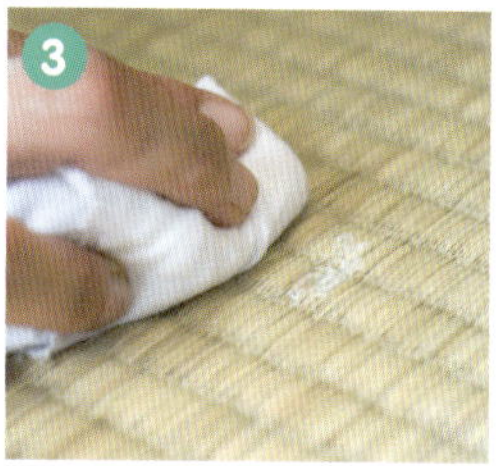

3 乾いた布でたたく

乾いた布で軽くたたいて、なじませる。

使用するもの

- はさみ
- つまようじ
- 木工用接着剤
- 布

カーペットの焼け焦げ

線香やたばこの火でうっかり焦がしてしまった
カーペットは、カッターで直せます。

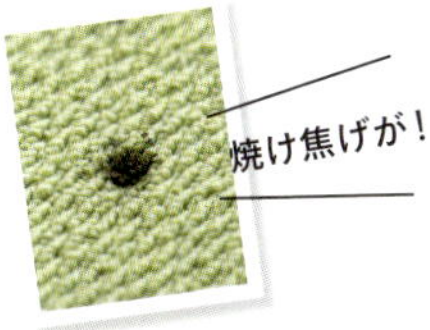

1 焦げた毛をカッターで取り除く

焦げて変色した繊維を、カッターやはさみの先を使ってきれいに取り除く。

2 他の部分の毛をそぎ取る

家具の裏など、目立たない部分のカーペットの毛をカッターでそぎ取る。刃を長めにして、寝かせて少しずつそぐ。

3 穴に木工用接着剤を入れる

焦げ穴に、木工用接着剤を少しだけ注ぎ込む。

4 ②の毛を穴に埋め込む

②でそいだ毛を、つまようじの後ろなどを使って焦げ穴に埋め込んでいく。毛がそろうようにならす。

使用するもの

- カッター（またははさみ）
- 木工用接着剤
- つまようじ

+more

へこみはアイロンで直せる

家具の跡のへこみは、アイロン（中温）で直せる。畳のへこみも、同様に（ブラシはかけない）。

ぬれタオルの上からアイロンを押しあてる。

洋服ブラシで、ブラッシングしてなじませる。

住まいの修繕

建具の修繕

長年使っていて、滑りが悪くなったり、ガタついたりするサッシやふすまは、お手入れをしましょう。

ガタつきや滑りの悪さを解消する

サッシ窓のレールは、掃除がしにくい場所。つい汚れやホコリをためてしまうと、すべりが悪くなります。また、長年使っているうちに戸車がずれてガラガラと音がするようになることがあります。

ふすまも、木枠がゆがんで傾いてしまうと、すき間が空いてしまいます。すべりが悪くなったり、立てつけが悪くなってガタガタと音がすることも。

毎日何度も開け閉めするたびに、開けにくかったり音がすると、ストレスがたまります。お手入れをしてすべりがよくなり、スムーズに開け閉めできるようになると、思った以上に暮らしが快適になります。

サッシ・網戸のガタつき

サッシの種類によって動かすネジが違うので注意して。ホコリを掃除するのもガタつき防止に。

1 ブラシでレールのホコリを取る

サッシブラシや歯ブラシを使って、レールのゴミをかき出す。掃除機で吸い取るのもよい。

2 戸車の高さを調整する

サッシの下のほうの２つのネジのうち、どちらかが調整用ネジ。ドライバーで少し回して戸車の高さを調整する。

3 シリコンスプレーを吹きつける

すべりがよくなるように、戸の下の部分にシリコンスプレーを吹きつける。

使用するもの

- サッシブラシ
- ドライバー
- シリコンスプレー

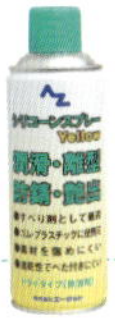

+more

外れる戸は外してから戸車をメンテナンス

外れる網戸などは外して、戸車を掃除する。戸車がすり減っていたら交換し、ドライバーで高さを調整する。

古い戸車は歯ブラシで掃除。

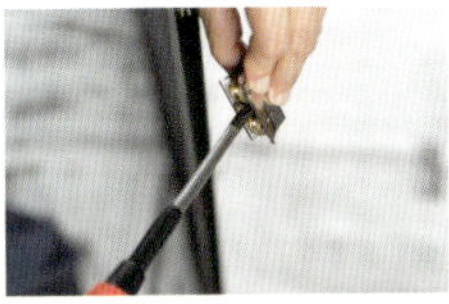

新しい戸車は、高さを調整。

ふすまのゆがみ

ゆがんですき間ができてしまったふすまは、スライダーピンを使って直すことができます。

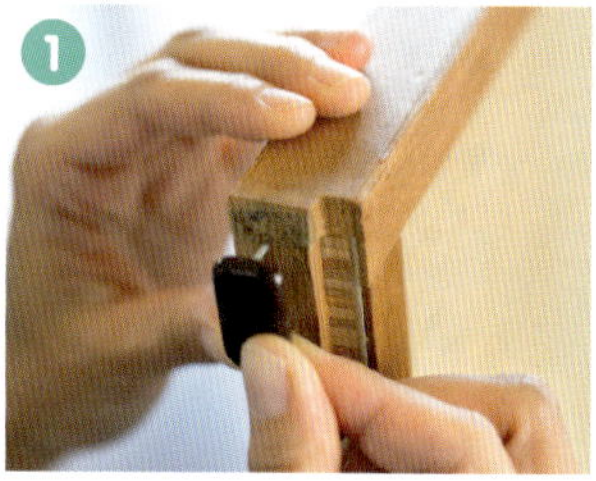

ピンで印をつける

ふすまを外し、ふすまの下の端に、スライダーピンのピン先で小さい穴を開ける。

キリで下穴を開ける

❶で印をつけた部分に、キリを差し込み下穴を浅く開ける。こうしておくと、木が割れるのを防ぐことができる。

金づちでピンを打ち込む

スライダーピンを、金づちを使って打ち込む。ピンを打つ位置は、右のcheck!を参考に。

使用するもの

- キリ
- 金づち
- スライダーピン

check!

スライダーピンを打つ場所

ふすまが全体的にすり減って外れやすくなっている場合は、両端に。傾いている場合は、すり減っている側の端にピンを打ち込む。

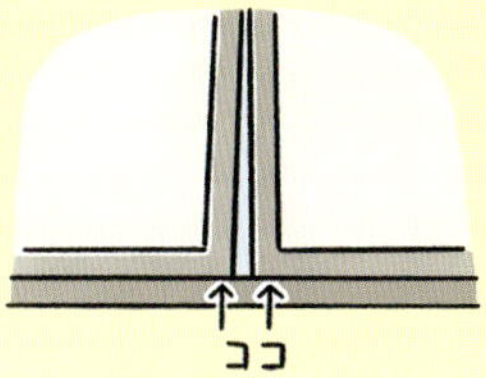

玄関ドアのスピード調整

ドアの閉まるスピードが速くなって、「バタン！」と大きな音がする場合は、この方法で改善を。

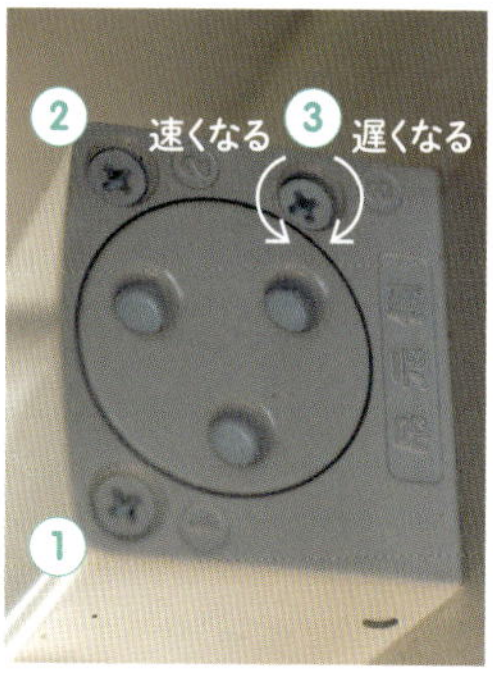

ドアによって調整弁の数や位置は異なるが、回す方向は同じ。右に回すとスピードが遅くなる。複数弁の数字の①は閉まり始め、②、③は閉まり終わりのスピードの調節ができる。1㎜くらいずつ回すこと。

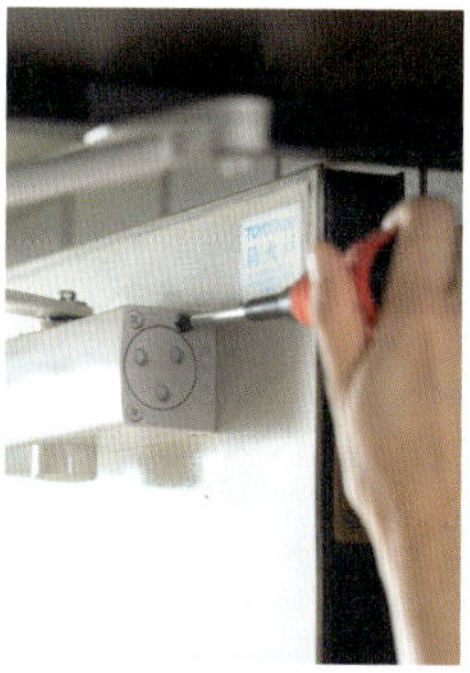

使用するもの

- プラスドライバー

ドライバーで調整弁を少し回す

ドアの開閉スピードは、ドアクローザーの調整弁をほんの少し回すことで調整できる。ドライバーで、右（時計回り）に回すとスピードが遅くなる。

扉のガタつき

ドアや収納棚の開き戸が、ガタついたりギーギー音がする場合は
自分で直してみましょう。

丁番をドライバーで外す

丁番のネジ穴が大きくなって、ぐらついているところを見つける。そのネジを、ドライバーを使って外す。

つまようじに接着剤をつける

つまようじの先に木工用接着剤をつける。穴の大きさによって、つまようじの本数を増やす。割り箸を削って使ってもよい。

使用するもの

- 木工用接着剤
- つまようじ
- ペンチ
- キリ
- プラスドライバー

ネジ穴につまようじを刺す

大きくなっているネジ穴に、つまようじを差し込む。力を入れてぐいぐいと押し込む。

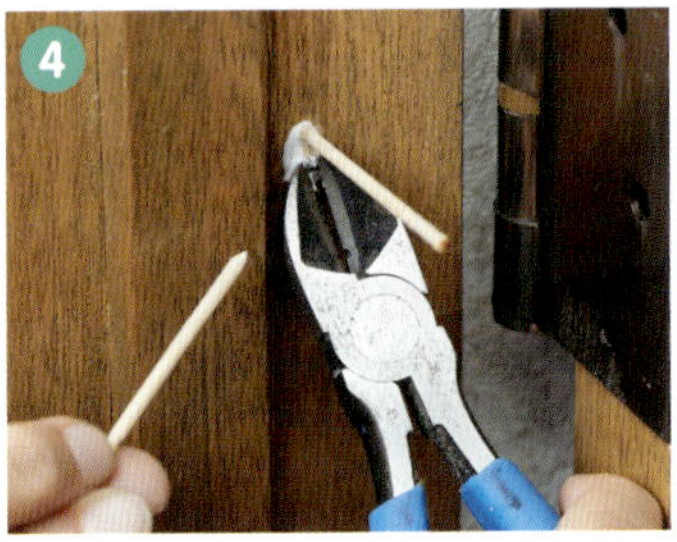

はみ出し部分を切り落とす

接着剤が乾いてから、ネジ穴からはみ出しているつまようじの部分を、ペンチを使って切り落とす。

下穴を開ける

もう一度ネジを入れるために、キリを使って下穴を開ける。位置がずれないよう、ネジ穴の中心を狙って。

ネジを締め直す

ネジを差し込み、ドライバーを使ってしっかりと締め直す。

+more

ギーギー音がなくなる

ギーギー音はシリコンスプレーで改善

上部にアームがついているドアが、開け閉めの際に「ギーギー音」がする場合は、アームの接合部分にシリコンスプレーを噴射するとよい。

幅木の欠け

**欠けてしまった部分をそのままにしていると、みすぼらしい印象に。
修理用のパテを使って早めに直しましょう。**

まわりにマスキングテープを貼る

欠けている部分のまわりにマスキングテープを貼り、パテなどがつかないように保護をする。

欠けてしまった

使用するもの

- マスキングテープ
- カッター
- 木部補修用パテ
- 補修マーカー

補修用パテをカットして練る

埋める部分の大きさに合うように、パテをカットする。二重構造になっているので、よく練り合わせる。これにより硬化が始まる。

欠けた部分にパテを塗る

欠けている部分に、パテを埋めていく。少し盛り上がるくらいがよい。

ヘラでならし、整える

付属のヘラで表面をならしながら、余分なパテを取り除き、形を整える。固まり始める前にマスキングテープをはがし、24時間置く。

サンドペーパーをかける

完全に固まったら再びマスキングテープを貼り、ていねいにサンドペーパーをかけて表面をなめらかにする。その後テープをはがす。

補修マーカーで色をなじませる

上から補修マーカーを塗る。塗り込むほど濃い色にできるので、建具の色に合わせて調整する。

布で拭き取る

最後に、布で拭き取って色をなじませる。

住まいの修繕

網戸の張り替え

網戸の破れは、小さいうちなら応急処置でも間に合いますが、大きくなったら張り替えましょう。

押さえゴムの入れ方がポイント

網戸は破れやすいものです。破れや穴からは虫が入ってくるので、早めの補修が必要です。小さいうちなら、専用のシールを貼るだけでも間に合います。しかし穴が広がってきたり、破れが大きくなった場合は、思いきって張り替えを。アルミサッシの網戸なら、難しくありません。コツを押さえれば、1人でもできます。

使用するもの

- ドライバー
- はさみ
- 押さえゴム
- 張り替え用ローラー
- カッター
- 新聞紙
- 歯ブラシ
- ピンチ
- 網戸用の網

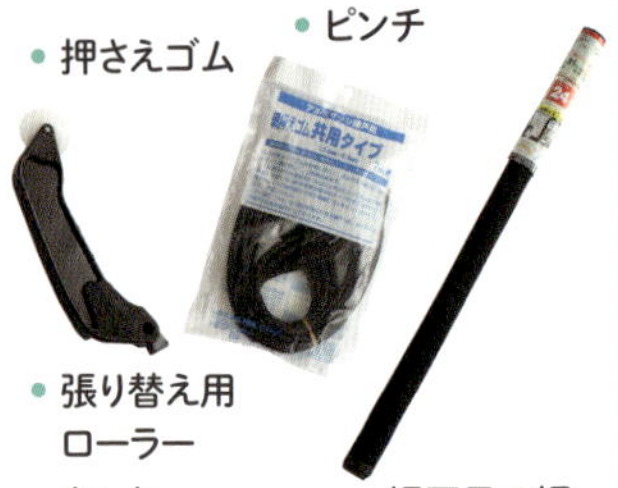

check!

溝に合った太さのゴムを選ぶ

ホームセンターなどで押さえゴムを購入するとき、太さが合ったものを選ぶのが大切。今使っているゴムを切り取って持っていくと間違いない。

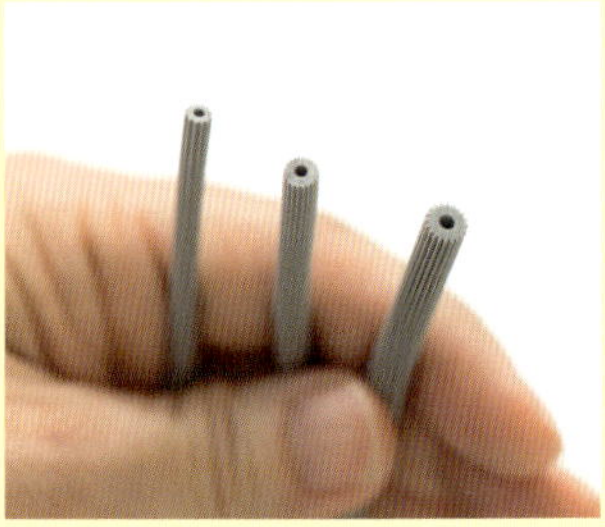

1 網戸を外す

網戸を留めているネジをドライバーでゆるめて、網戸を外し、広げた新聞紙かブルーシートの上にのせる。

2 押さえゴムを外す

マイナスドライバーを使って、古い押さえゴムを引っかけ、外に引っ張り出すようにして外していく。

3 網を取り外す

ゴムが外れたら、古い網を取り外す。

溝のホコリを取る

古い歯ブラシを使って、網戸の溝のホコリを掃除する。枠も雑巾で拭き、汚れを取る。

新しい網をのせてカットする

新しい網を、網目が枠に平行になるようにのせる。枠より5㎝ほど外側を、はさみでカットする。

網をピンチで固定する

網の上下を、ピンチで枠に固定する。網がずれないので、作業しやすくなる。

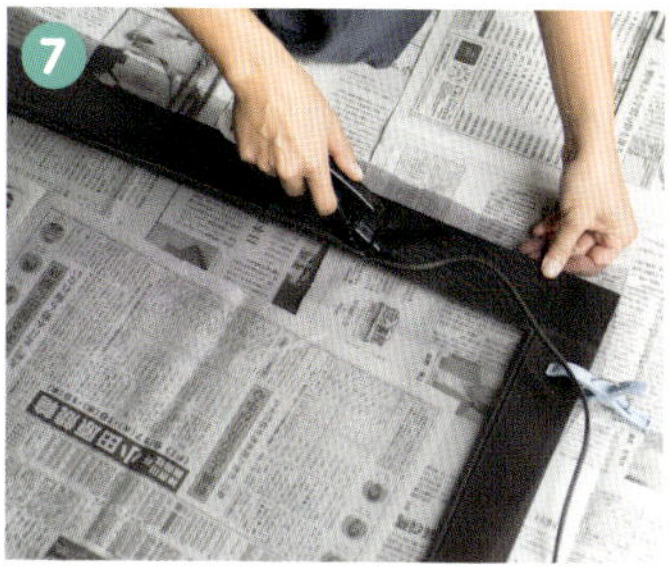

押さえゴムを仮留めする

全体にきっちりゴムを入れる前に、仮留めをする。ローラーを使って、押さえゴムを約30㎝間隔で押し込んでいく。

押さえゴムをしっかり入れる

仮留めが終わったら、全体に押さえゴムをしっかり入れていく。溝にぐいぐい押し込むようにして、仮留めを外しながら、少しずつローラーを動かしていくのがコツ。

はみ出した網をカットする

ゴムを入れ終わったら、はみ出した網をカッターでカットする。刃を寝かせるようにして、ゴムを切らないように気をつける。

check!

押さえゴムを押し込む順番

下の図の順番で、2本の押さえゴムを溝に押し込んでいく。角の部分は、ローラーについている突起部分を使っててていねいに押し込む。

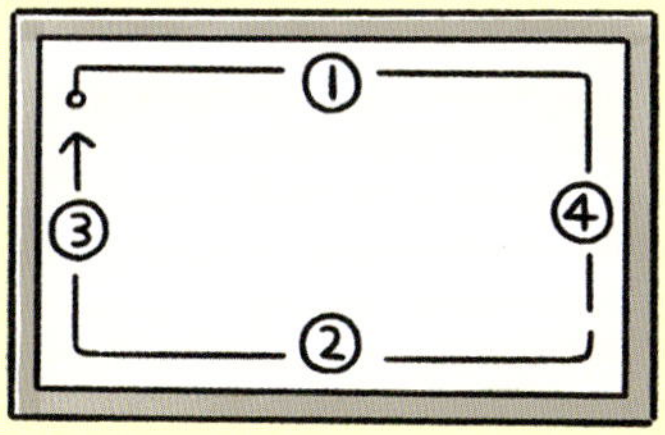

check!

ゴムは角の少し手前から入れる

押さえゴムは、ちょうど角のところから始めてしまうと外れやすくなるので、角から少しずらして、手前から入れ始める。

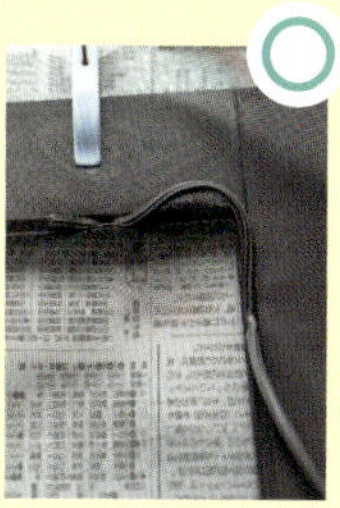

住まいの修繕

障子の張り替え

黄ばんだり破れたりした障子を、新しく張り替えてみませんか。アイロンタイプの障子紙なら手軽です。

アイロンタイプなら破れにくい

古くなったり破れたりした障子を新しくすると、部屋が明るくなります。張り替えは面倒と思うかもしれませんが、のりを使う和紙の障子ではなく、プラスチック製の障子紙なら、アイロンで簡単に張れます。破れにくいし、失敗しても、何度でも張り直しができるので安心です。次に張り替えるときにも、アイロンを使ってきれいにはがすことができます。

使用するもの

- 作業用シート
- 新聞紙
- スポンジ
- アイロンタイプの障子紙
- アイロン
- 金定規
- カッター

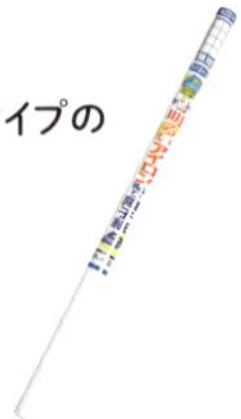

1 障子を外し、スポンジでぬらす

（のりで張った障子の場合）作業用のシートの上に新聞紙を重ね、障子を置く。ぬらしたスポンジで、紙の上から桟の部分にたっぷりと水をつける。

check!

アイロンタイプの障子なら、アイロンをあててはがす

アイロンタイプの障子紙をはがすときには、桟に沿って中温のアイロンをあてて、温めながら少しずつはがしていく。（4に進む）

2 古い障子をはがす

しばらく置いてのりがゆるんできたら、障子紙をゆっくりとはがす。桟に残ったのりは、スポンジの固い面でこすって落とす。

日陰で乾かそう

3 木枠をよく乾かす

日のあたらない風通しのいい場所に立てかけて、木枠を十分に乾かす。

+more

和紙障子とプラスチック障子の違い

のりで張る和紙の障子は通気性がよく、畳との相性もいいとされているが、破れやすく汚れやすいのが難点。アイロンで張るプラスチック製の障子は、価格は高いが破れにくく、水拭きもできる。

4

新しい障子紙の四隅を仮留めする

新しい障子紙をのせて、中温のアイロンで四隅を押さえて仮留めする。全体にたるみがないかを確認する。

5

全体にアイロンをあてる

紙の端を引っ張りながらあてると、シワになりにくい。桟に沿って中央から外側へ、放射状に動かしていき、際はアイロンの先で押さえる。

+more

手軽な補修シールもある

障子の小さい穴や汚れは、上に貼るだけでカバーできる補修シールを利用すると便利。色や柄がついたタイプも。

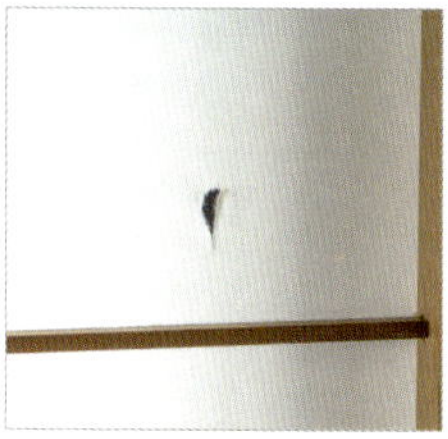

6

障子紙を切り、切り端をはがす

金定規をあてて、枠の内側ギリギリでなく少し余裕を残してカッターで切る。切り取った部分は、アイロンをあてながらはがしていく。

7

もう一度全体にアイロンをあてる

再度、全体にアイロンを軽くゆっくりとあてて、障子紙を木枠にしっかり接着させる。6の切り端は、部分補修用に保管しておくと便利。

家具の補修

机や椅子がガタガタしたり、ギシギシと音がするのは不快なもの。ちょっとした作業で、快適になります。

テーブルのガタつき

脚の長さが微妙に違うと、テーブルがガタガタします。フェルトパッドを使って簡単に調整が可能。

1

脚のホコリを取る

乾いた布で、椅子の脚についた汚れやホコリを取る。ぬれた布で拭いた場合は、よく乾かす。

2

フェルトパッドで脚の長さを調整する

床から浮いている脚（短い脚）を見つけて、脚の底にカットしたフェルトパッドを貼る。

使用するもの

- 布
- フェルトパッド

椅子のぐらつき

椅子がぐらつく原因は、接合部分にすき間が空いたり、ネジがゆるんだりしていること。

1

すき間に補修材を入れる

木の接合部分にすき間があるところを探す。すき間の両側にマスキングテープを貼り、補修材をすき間に注入する。

2

麻ひもと木片で締めつける

麻ひもを椅子に巻きつけて締めつけ、丸一日置く。木片に麻ひもを巻きつけてねじると、力が入りやすい。

使用するもの

- ぐらつき補修材
- マスキングテープ
- 麻ひも
- 木片

+more

ドライバーでネジを締め直す

椅子の裏のネジがゆるんでいたら、締め直す。

動きの悪い引き出し

引き出しのすべりが悪くなり、引き出すのに力が必要になったら、
ろうを塗ってみます。

使用するもの

- サンドペーパー
- 布
- ろう

1 側面にサンドペーパーをかける

引き出しの両側面に、ていねいにサンドペーパーをかける。サンドペーパーは木片に巻くと使いやすい。

2 から拭きをする

乾いた布で、木の粉などをきれいに拭き取る。

3 側面と底面にろうを塗る

引き出しの両側面と、家具にあたる底面の部分に、まんべんなくろうを塗っていく。

家具の傷

家具の色がはげたり、傷がついた部分は、
補修マーカーで目立たなくできます。

使用するもの

- 補修マーカー
- 布

1 傷の部分をマーカーで塗る

家具の色に近いマーカーを選び、色がはげた部分を塗る。何度も塗り込むほど色が濃くなる。

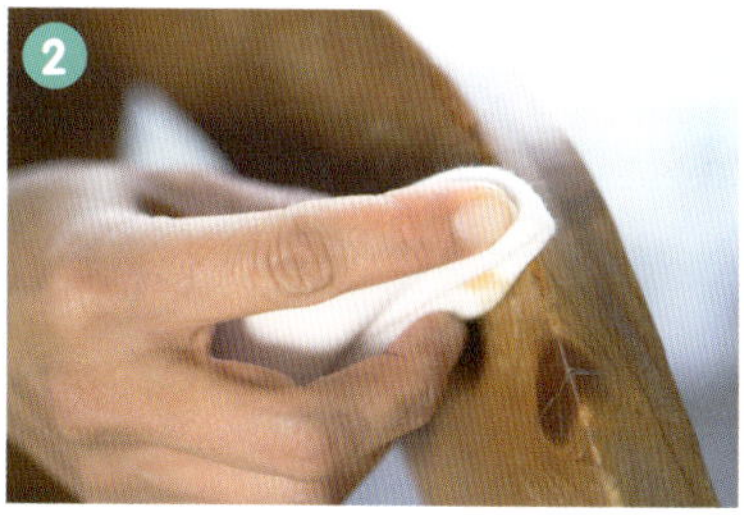

2 布で拭いてなじませる

塗った部分を、乾いた布で拭いて周りになじませる。ちょうどいい色になるまで、❶〜❷を繰り返す。

収納扉のシート貼り

手アカや油汚れがついた収納扉は、粘着シートを上から貼るだけで簡単にリフレッシュすることができます。

こんなに変わる！

使用するもの

- ドライバー
- 布
- インテリア用粘着シート
- はさみ
- 針
- ヘラ
- カッター
- キリ

ネジを取る

❶ 扉を外す

内側の丁番のネジをドライバーでゆるめ、扉を外す。ネジは、なくさないようにとっておく。

❷ つまみを外す

扉の裏からドライバーでネジをゆるめて、つまみを外す。取っ手がついている場合も同様に、裏からドライバーを使って外す。

水拭きする

❸ 布で汚れを拭く

水拭きで、扉の表面の汚れを取る。裏側、側面も忘れずに。油汚れがついている場合は、薄めた中性洗剤で拭いたうえで、水拭きする。

粘着シートをカットする

インテリア用粘着シートを、扉の大きさよりひとまわり大きくはさみで切る。シートは、裏が方眼紙になっているものがおすすめ。

はくり紙を少しはがす

初めに、粘着シートの裏のはくり紙を、10cmほどはがしておく。

端から貼っていく

扉の上部に粘着シートの端を合わせ、貼り始める。裏のはくり紙を少しずつはがしながら、シワにならないように。

布でこすりながら貼る

片手ではくり紙を少しずつはがしながら、もう片方の手で乾いた布を使って表面をこすり、空気を追い出しながら貼っていく。

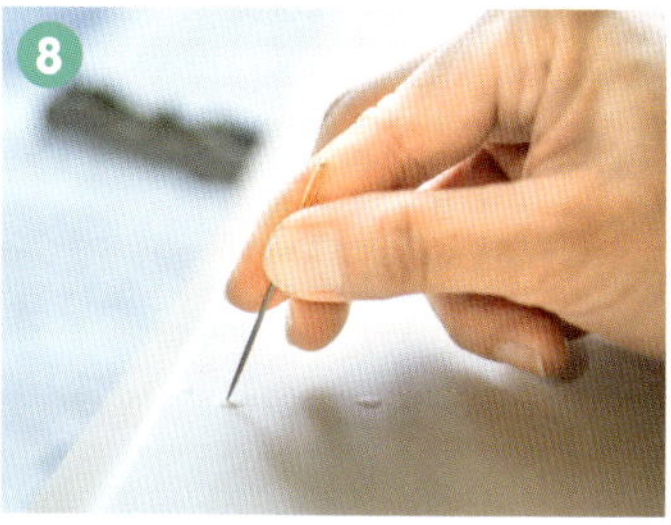

針で穴を開け空気を抜く

扉と粘着シートの間に空気が入ってしまった場合は、針でつついて穴を開け、空気を抜く。

ヘラで空気を押し出す

穴を開けたら、ヘラを使って空気を押し出す。

端を折り込む

粘着シートを扉の端まで貼り、裏に巻き込む。はさみで切れ込みを入れて端を折り、側面も巻き込んで貼る。はみ出しはカッターで切る。

つまみの部分に穴を開ける

つまみがついていた部分にキリで穴を開ける。

つまみを取りつける

つまみを差し込んで、裏からネジを回して取りつける。取っ手の場合も、2カ所に穴を開けて同様に。

住まいの修繕

ランプの交換

一般電球は、省エネで長寿命のLEDランプに取り換えましょう。光の種類を知って選ぶと、暮らしが豊かに。

よく確認してから購入しよう

電球の種類は増えて、性能も上がっています。LEDは省エネで寿命も長いので、一般電球からLEDに替えるだけで、電気代の節約になったり、取り換えの手間を省くことができます。

しかし、いざ取り換えようと思っても、種類が多すぎて何を選べばいいかわからない。そんな人も多いのではないでしょうか。電球の種類を理解すれば、取りつけたい場所に合った照明を見つけることができます。また、サイズを間違わないようにすることも大切。取りつける場所に対応していないLED電球もあるので、注意しましょう。

食事や勉強、くつろぎの時間など、暮らしの場面に合わせて光の色を変えられるランプも人気です。

よく確認して!

ランプの選び方

購入時の価格は高いものの、
耐久時間が長く省エネになるLEDに取り換えましょう。

光の量

ルーメンの値が高いほど明るい

LEDランプは、ルーメンの数値が高いほど明るい。下の表を参考に選ぶとよい。

一般電球	電球形LEDランプ
60形	810ルーメン以上
40形	485ルーメン以上
30形	325ルーメン以上
20形	170ルーメン以上

※口金E26タイプの場合。代表的なルーメン値のみ掲載

口金のサイズ

2種類のサイズから選ぶ

一般的に家庭で使う口金には、おもに2種類のサイズがある。一般電球やボール電球なら26㎜、ミニクリプトン電球なら17㎜。今まで使っていた口金のサイズの確認を。

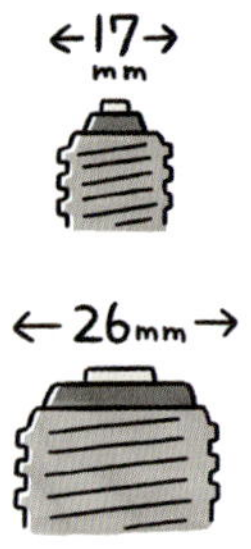

光の広がり

迷ったら全方向タイプを選ぶ

光の広がり方にも種類がある(メーカーによって異なる)。迷ったら、一般電球に近い広がりの「全方向タイプ」を選ぶとよい。「下方向タイプ」は、トイレや廊下などに向いている。

光の色

3種類から選ぶ

[電球色相当] 電球に似た暖かみのある色。落ち着いた雰囲気に。

[昼白色相当] 生き生きとした自然な光。白くやわらかい雰囲気に。

[昼光色相当] すがすがしいさわやかな光。クールな雰囲気に。

ランプの交換の方法

ランプを交換する前には、必ず電源を切ります。
交換は手順を守り、ゆっくりと。

ドーナツ型

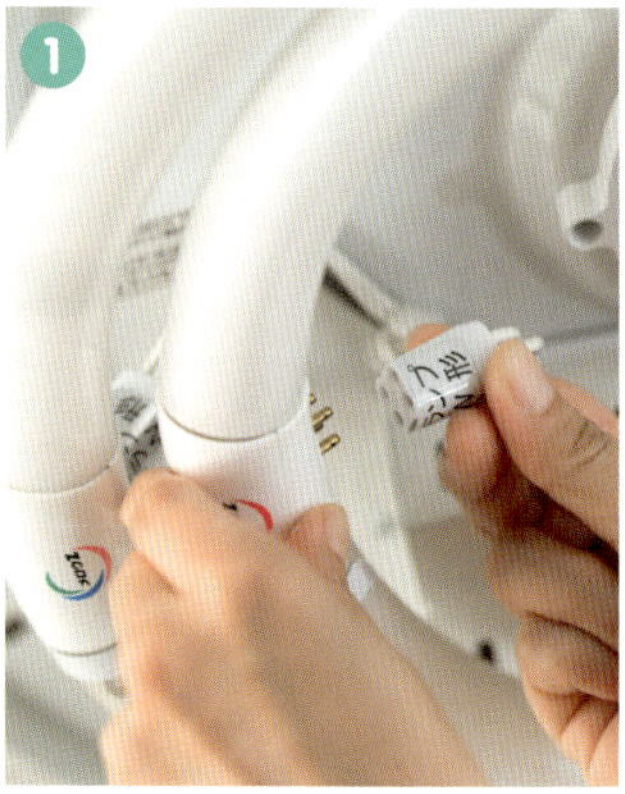

フードを外してソケットを抜く

電灯のフード（カバー）を外す。回して外すタイプが多い。ランプと本体をつないでいるソケットを抜いて外す。

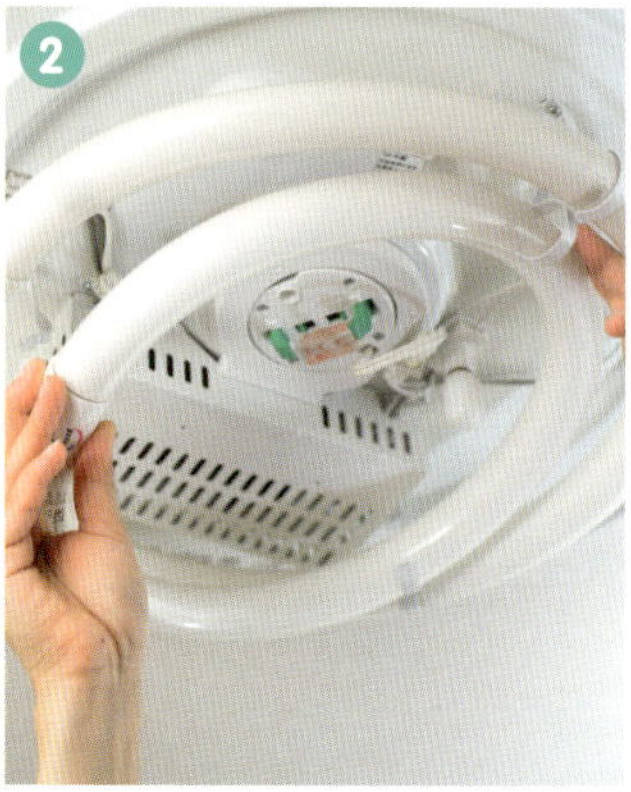

ランプを留め金から外す

ランプを止めている金具を、手で引っ張るようにしながらランプを外す。新しいランプを取りつけて、ソケットを差し込む。

直管型

片方ずつ外す

直管型のランプは、左右どちらかに押しあてるか回転させることで外れるので、そっと引き抜く。新しいランプを取りつける。

球形

ゆっくり回しながら外す

古いランプを、ゆっくり回しながら取り外し、新しいランプを取りつける。外したランプは、割れないように梱包して処分を。

ケガに気をつけて

+more

安全に行うポイント

ランプの交換の際にやけどをしたり、転落してケガをすることのないよう、気をつけて。

作業前に電源を切る

ランプの交換は、電源を落としてから行う。また、点灯していたランプを外すときは、ランプが冷えてから触ること。

しっかりした台を使う

回転椅子などに乗って作業をすると、座面が回って危ない。脚立や踏み台など、しっかりした台に乗って行うこと。

住まいの修繕

排水口のつまり解消

排水口のつまりは、自分で直せることもあります。試してみて直らないなら、専門の業者に相談を。

自分で直せない場合は業者に相談を

キッチンや洗面所の排水口は、ゴミを流さないようにし、ときどき掃除をしてつまらせないように気をつけます。それでも、うっかり大きな固形物を流してしまったり、年数が経過した家では、長年蓄積したものが原因でつまることもあります。もしつまってしまったら、いきなり業者に電話する前に、自分でできる方法を試してみましょう。洗浄剤やラバーカップを使って、簡単に解消できる場合があります。全く水が流れなくなってからではなく、水の流れが悪くなってきたり、遅くなったと感じたときに処置をすると、解消しやすくなります。

薬品を使うときは、ゴム手袋をするのを忘れずに。自分で解消できないようなら、専門の業者に連絡しましょう。

排水口のつまり

ゴミ受けにたまったゴミは、こまめに取り除きます。
もしつまってしまったら、市販の洗浄剤をまずは試してみて。

1

ゴミ受けを外す

作業の前に手袋をする。排水口のゴミ受けを外し、ゴミ受けにたまったゴミは、取り除く。

▼

2

パイプ洗浄剤を注ぐ

パイプ洗浄剤の説明をよく読んで、適量を排水口に注ぎ込む。

▼

3

時間を置いて水を流す

パイプ洗浄剤の指定通りに、しばらく時間を置いてから、水を流す。

使用するもの

- ゴム手袋
- パイプ洗浄剤

+more

ワイヤつきブラシも便利

市販の長いワイヤつきブラシで、排水パイプの中を掃除する方法もある。できるだけ奥まで差し込み、ワイヤを細かく上下に動かしながら引き抜く。

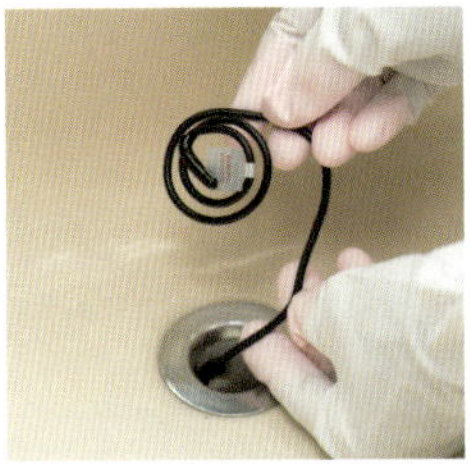

あわてず試して

トイレのつまり

ラバーカップはホームセンターなどで400円前後で買えるので、
まずはこの方法を試してみて、直らなければ専門の業者に連絡を。

1 ビニールシートでカバーをする

便器内の水位が高い場合は、バケツなどにくみ出す。周囲に汚水が飛び散らないよう、ビニールシートの中央に穴を開け、ラバーカップの柄を通す。

2 ラバーカップを押し引きする

便器の排水口にラバーカップを密着させ、ゆっくり押しつけてから勢いよく引く。これを、排水が引き込まれるようになるまで何度か繰り返す。

3 バケツで水を流してみる

つまりが取れたようなら、バケツで水を流して、スムーズに流れるかどうか確認を。いきなりタンクで水を流すとあふれる場合があるので、まずはバケツで。

使用するもの

- ビニールシート
- ラバーカップ
- バケツ

まずは水を止めて！

+more

トイレの水が止まらないとき

まずは止水栓を締める。タンクの中が空になれば、水は止まる。次に、タンクのふたをそっと外して、以下の部品の確認を。

[ゴムフロート] ゴミがはさまっていたら取り除き、外れていたらかけ直す。劣化して、傷んでいたら、新しいものと取り換える。

[浮き球] ヒビ割れして中に水がたまっていたら、新しいものに交換する。

その他の原因の場合は、水道業者に相談する。

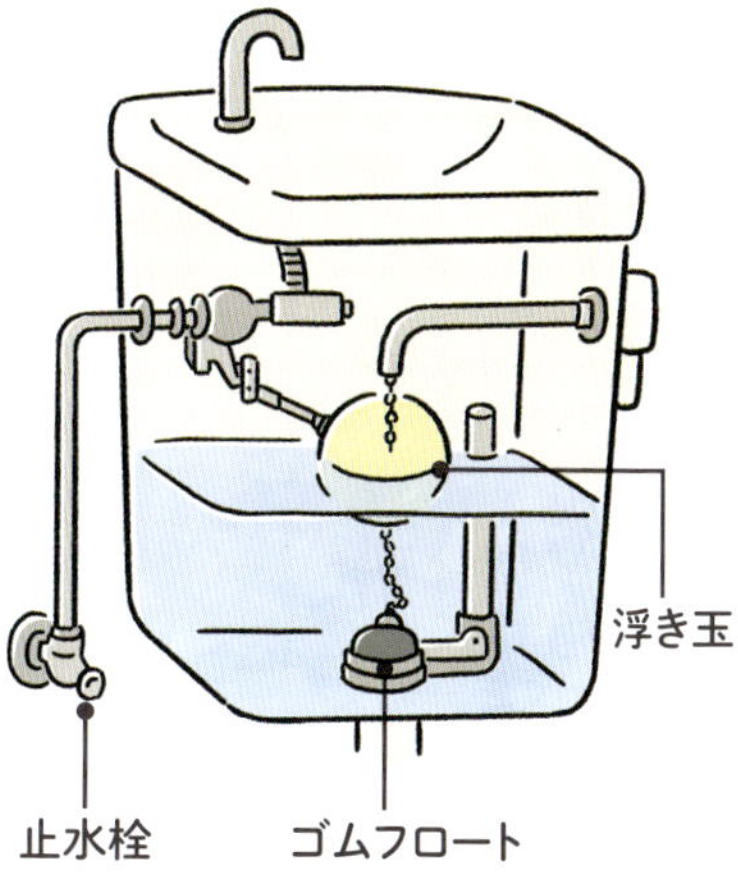

住まいの修繕

衣類の修繕

ボタンつけや裾上げなど、簡単なことは自分でできると便利。基本をおさらいしておきましょう。

そろえておきたい裁縫道具

ケースにまとめておき、使いたいとき
サッと手に取れる場所に置いておきましょう。

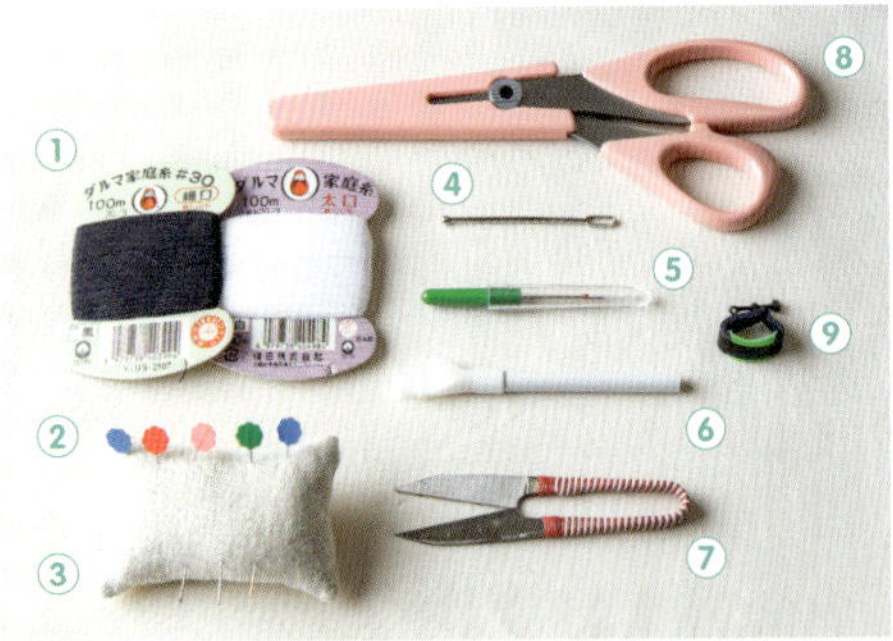

① 手縫い糸
② 針、待ち針
③ 針山
④ ゴム通し
⑤ 糸切りリッパー
⑥ チャコペンシル
⑦ 糸切りばさみ
⑧ 裁ちばさみ
⑨ 指ぬき

おさらいしよう！

裁縫の基本

まずは糸の通し方、玉結び、そして縫い終わりの玉どめの仕方を確認します。

玉結び

人差し指に巻きつけて引く

糸の端を人差し指の先に1回巻きつけて、親指と人差し指で糸をねじりながら、人差し指から糸を外し、中指でしっかり押さえながら引っ張る。

糸通し

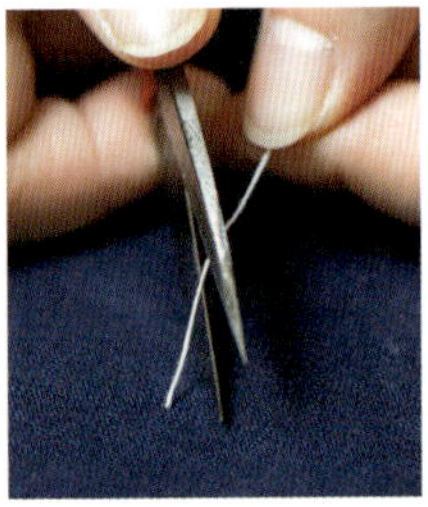

糸を斜めに切って通す

糸切りばさみで糸を斜めに切ってとがらせる。糸の先をなめて湿らせ、針に垂直に持ち、針穴にまっすぐ入れる。

玉どめ

1 **布地に針をあて糸を巻きつける**

縫い終わりのところに針をあて、糸を針に2～3回ぐるぐると巻きつける。

2 **巻いた糸から針を引き抜く**

巻いた糸を親指でしっかり押さえながら、針を引き抜く。糸切りばさみで糸を切る。

+more

1本どりと2本どり

糸の片方の端を玉結びにして、1本の糸で縫うのが「1本どり」。糸を目立たせたくないときに使う。糸の両端を一緒に玉結びにした状態で縫うのが「2本どり」。しっかり縫いつけたいときに使う。

ボタンつけ

ボタンがぐらぐらしていたら、なくなる前に早めにつけ直しましょう。
生地にシワが寄ったり、すぐ取れたりしないよう、ていねいにつけます。

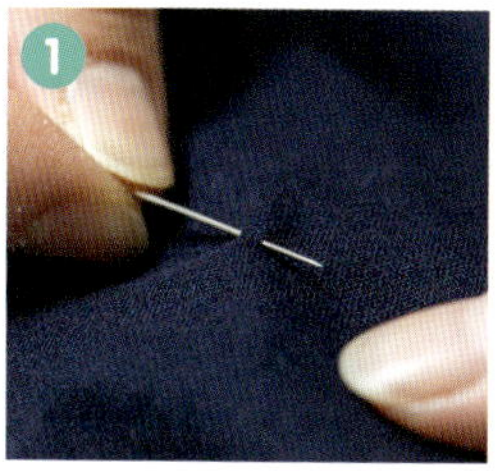

① つけたい場所を小さくすくう

糸は2本どりにして、玉結びにする。ボタンをつける場所に表から針を入れ、少しだけすくう。

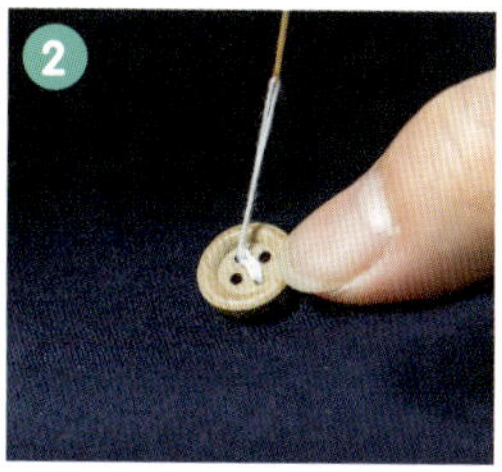

② ボタン穴に通して縫う

ボタン穴に針を通し、布を少しすくう。これを3～4回繰り返す。

③ つけ根に糸を巻きつける

ボタンのつけ根に糸を3～4回、固く巻きつけて糸足にする。

④ 裏で玉どめをする

裏側に針を出し、玉どめをしてから、再び表に針を出して糸を切る。

裾上げ

ズボンやスカートの裾のほつれは、放っておくと大きくなります。
洗濯する前に、必ず縫っておきましょう。

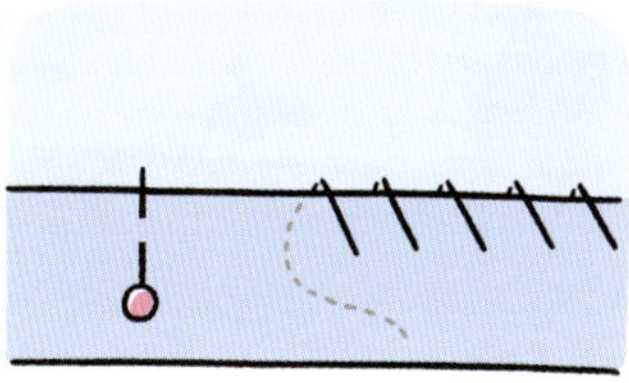

① 糸の端のしまつをする

ほつれている糸を引っぱらないように注意しながら、2～3㎝残して切り、裾の折り返しの中に入れ込む。

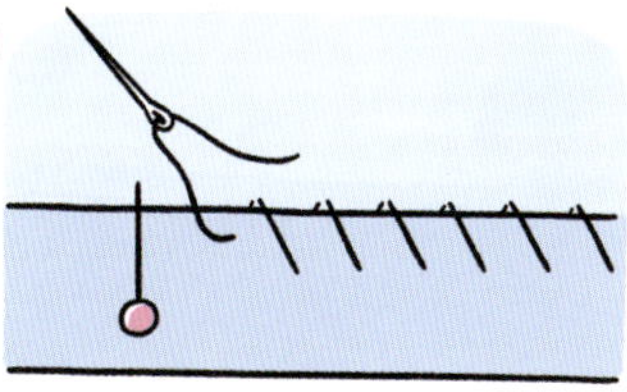

② まつり縫いをする

糸を1本どりにして玉結びにする。ほつれの手前3～4㎝のところで裏側から表側を浅くすくい、5～8㎜間隔でまつり縫いをする。

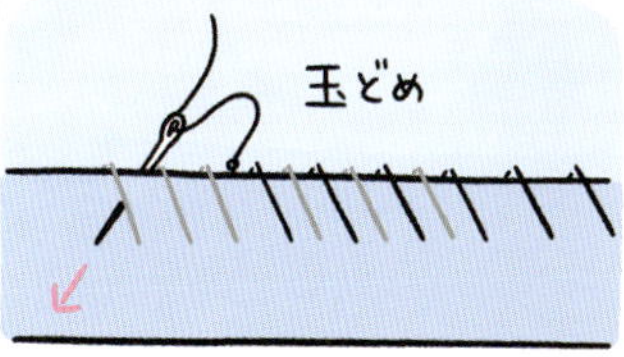

③ 玉どめをして切る

ほつれていない部分に入って、3～4㎝ほどまつり縫いをしたところで玉どめをし、折り返しの布の端に針を出して、糸を切る。

縫わずに裾上げ

+more

アイロンを使って裾上げもできる

裾上げテープを使うと、裾上げが簡単にできる。テープの接着面を下にして、折り上げた裾に半分重なるようにのせ、あて布をして、中温のドライアイロンで上から押さえる。

住まいの修繕

革靴のお手入れ

きれいな靴を履いている人は、それだけで好感が持てます。こまめにお手入れをして、長く大切に履きましょう。

手入れ次第で長く履ける

本革の靴は湿気にも乾燥にも弱いものです。仕事で毎日履いている場合は、とくに傷みやすいので、こまめなケアが必要。雨や汗、泥などでダメージを受けた靴は、その日のうちにケアをして、リフレッシュしてあげましょう。

履いているうちにすり減ってしまったかかとは、軽いうちなら市販のキットを使って自分で修理ができます。思ったより簡単なので、トライしてみて。

革靴は高価ですが、きちんとお手入れをすれば、長い間履き続けることができます。また、服よりも靴で印象が決まるという人もいるほど、身だしなみにおいて靴は大切なアイテムです。お手入れを忘れないために、お手入れグッズはひとまとめにして、目につく場所に置いておきましょう。

ふだんのお手入れ

❶、❷の汚れ落としは、できれば毎日行いたいものです。
❸以降の作業は、2週間に1回程度で十分。

❶ ブラシで汚れを落とす

靴用のナイロンブラシを使って、ホコリや泥などをよく払い落とす。

❷ クリーナーで靴全体をこする

やわらかい布に靴用クリーナーを適量つけ、靴全体をやさしくこすって汚れを落とす。

ツヤを出す

❸ 靴クリームを全体に塗る

時々ツヤを出すための靴クリームを塗る。靴に合った色を選び、やわらかい布やブラシにつけ、全体に伸ばしながら塗り込む。

使用するもの

- ナイロンブラシ
- クリーナー
- 布
- 靴クリーム
- 防水スプレー

check!

クリーナーは靴でなく布につけること

クリーナーは直接靴につけず、布につけてから使うこと。クリーナーをつけすぎると、革の表面が傷み、ツヤがなくなることがある。

ブラッシングする

ブラシを使って、毛先を細かく動かしながら靴クリームをなじませる。

布で磨く

やわらかい乾いた布で、余分なクリームを拭き取りながら靴全体を磨く。

防水スプレーをする

最後に防水スプレーをかける。乾いてから収納する。

靴底の修理

前底の修理は難しいですが、かかとのすり減りなら、市販のキットを使って自分でも簡単に修理できます。

使用するもの

- 靴底補修材

未修理　修理済み

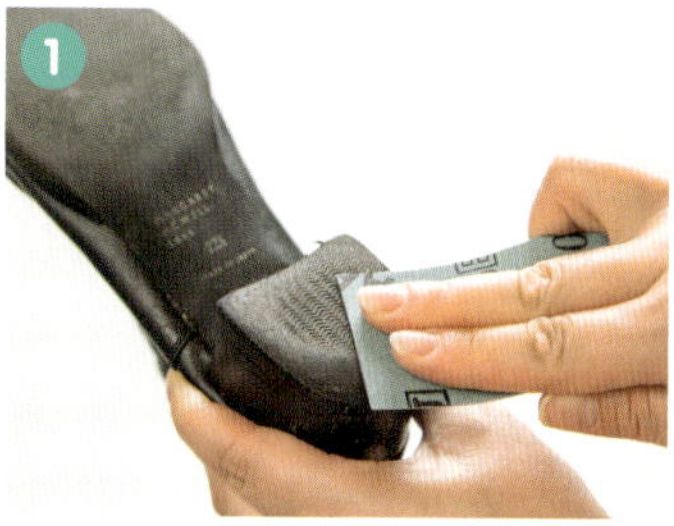

靴底をヤスリがけする

靴底の汚れを取り、ぬれていたらよく乾かしてから、付属のサンドペーパーをかける。

型取り用のプレートを貼る

補修したい高さに合わせて、かかとの側面に沿って型取りプレートを取りつける（プレートは、必要な長さにカットする）。

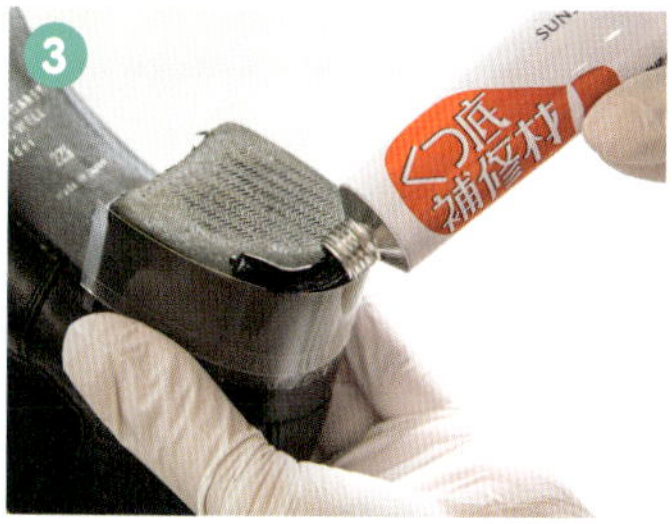

補修材を埋めていく

ゴム手袋を着用する。補修材を、靴底の減っている部分を埋めるようにのせる。

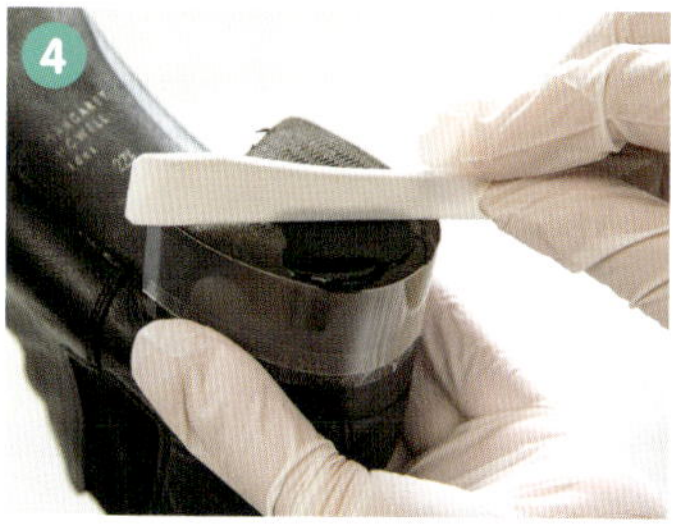

ヘラでならす

ヘラを使って、水平になるようにならす。

湯につける

ケースにクリップで固定し、補修部分を湯につける（補修材の種類によって方法は異なる）。

リフォームしなくてもできる暑さ対策で、健康＆エコロジー

年々厳しさを増す、夏の暑さ。熱中症を防ぐためにやむを得ないとはいえ、毎日エアコンをフル回転だと、電気代が気になるし、エネルギーのムダ使いに。そこで、お金をかけずに自分で簡単にできるアイデアをご紹介。エアコンの効きがよくなったり、室温を少しだけ下げられます。

【室内温度を下げる簡単DIY】

1 グリーンカーテンで見た目も涼しく

窓際でつる性の植物を育てることで、カーテン代わりになり、日光をやわらげることができる。緑や花が目に入ると涼しく感じるし、実がなる植物だと、収穫して食べる楽しみも。

2 カーテンを断熱カーテンに変える

カーテンを買い替えるのは大変だが、「断熱カーテンライナー」を活用すれば、手持ちのカーテンを断熱カーテンに変えられる。長さを合わせてカットし、カーテンの裏側にフックで取りつけるだけ。冬は暖房効果がアップ。

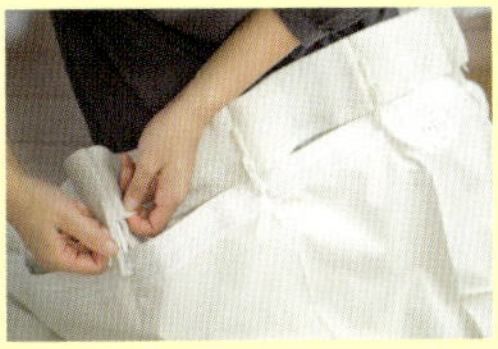

ライナーの種類は、UVカットタイプなどさまざま。

3 ベランダに日よけを設置する

昔ながらのすだれも、強い日差しを遮ってくれる。ホームセンターで「サッシ用取りつけ金具」を入手すると簡単。金具にすだれをひっかけて吊るし、ブロックを2つ、すだれの下2カ所にロープでくくりつけておもりにする。

サッシの外側の枠に金具を2～3カ所取りつける。

穴あきブロックに、すだれをロープでくくりつける。

6章

安全に、健康に暮らす基本

防災・防犯

監修　鈴木ひろ子

DIY彩女代表。DIYアドバイザー、防災士、福祉住環境コーディネーター2級。地域生涯センターDIY講師。生活に役立つDIYを目指している。
https://blog.goo.ne.jp/suzurinn-diy
https://diysaijyo.jimdofree.com/

健康

監修　本村良知

九州大学大学院医学研究院成長発達医学分野（小児科）。九州大学病院グローバル感染症センター助教授。小児感染症診療および院内感染対策を担当。

防災の基本

いつ、どこで起こるかわからない災害。「いざ」というときのために、日頃から備えておきましょう。

大切なのは日頃から備えておくこと

地震や台風、水害など、日本では毎年のようにさまざまな災害が起こります。しかもそれらは、いつ、どこで起こるかわかりません。だからこそ、起きたときのことを考え、日頃から備えておくことが大切です。いざというときにあわてないように、避難場所や、非常時の際の連絡の仕方など、基本のことから押さえておきましょう。

災害の心がまえ3カ条

1. **防災グッズを用意しておく**
   外出時には最低限のものを持ち、自宅には非常持ち出し袋を用意し、数日分の食料などを備蓄しておく。
2. **避難場所を確認しておく**
   自宅はもちろん、勤務先や学校にいるときに被災した場合、避難できる場所を確認し、家族で共有しておく。
3. **自宅を安心な場所にする**
   便利なグッズを使って室内の家具の転倒を防止したり、家具の配置を工夫して危険を減らす。

避難場所の主な種類

避難場所は、市町村が指定した緊急避難場所のほか、安全な場所にある親戚・知人宅が考えられます。あらかじめ相談しておきましょう。

指定避難所

一時的な滞在に

避難指示を受けた人、災害を受けた人、受ける可能性がある人が避難し、一時的に生活する場所。

指定緊急避難場所

命を守るために

切迫した災害の危険から緊急に逃れ、身の安全を確保できる場所。地震や洪水、大火災などの種類ごとに指定されている。

ご近所づきあいも大切

自分が「ここに住んでいる」と近所の人に知ってもらうことも防災の第一歩。積極的にあいさつをしたり、町内で開催される防災訓練などがあれば参加しよう。

ハザードマップの確認

近くにある避難場所は、国土交通省の「ハザードマップポータルサイト」で確認できる。合わせて、地震・洪水・土砂災害などの災害別に、自分の住む地域の危険度がわかるようになっている。

+more

帰宅困難になったら無理に帰らない

災害で公共交通機関がストップしたときは、無理に自宅まで帰ろうとしないこと。建物や道路が損壊している場合、二次災害に巻き込まれる可能性もある。災害が起きたときどう行動するか、事前に家族で確認しておこう。

連絡方法の確認

**災害時は携帯電話がつながりにくくなるなどの障害も。
家族でどのように連絡を取るのか確認しておきましょう。**

SNS
（ソーシャル・ネットワーク・サービス）

東日本大震災のときは安否確認に役立った。日頃から使い慣れておこう。

Eメール・携帯メール

過去の災害の際には、いずれも、音声通話に比べるとつながりやすかった。

公衆電話

災害時は回線が優先確保され、被災地では無料になる場合がある。近くにある公衆電話の場所を確認しておこう。

災害用伝言板

各携帯電話会社のサービス。地震など大きな災害時に伝言を入力したり読んだりできる。各社やり方に違いがあるので事前に確認を。

使い方

携帯電話各社の指定サイトにアクセス
↓
災害用伝言板を開く
↓
- 登録を選択：状況やコメントを入力する。
- 伝言を聞く：確認したい人の携帯電話番号を入力する。

災害用伝言ダイヤル（171）

NTT東日本・西日本のサービス。地震などの災害時に被災地への電話がつながりにくくなった場合に、伝言を残したり聞いたりできて、安否確認に便利。

使い方

171をプッシュする
↓
録音は1をプッシュ ／ 再生は2をプッシュ
↓
被災地の人の電話番号を入力

被災地の人は自分の番号、それ以外の人は連絡を取りたい被災地の人の番号を押す。自宅の電話番号でも、携帯電話の番号でも登録可能。

↓
1をプッシュする
↓
伝言を残す ／ 伝言を聞く

Check!

被災者との連絡は中継地を使って

災害時、外から被災地への電話や、被災地どうしの電話はつながりにくくなるが、被災地からそれ以外への電話は比較的つながりやすい。遠隔地の知人などを中継点にして、情報伝達ができるようにしておこう。

災害用伝言板（web171）

インターネットで「web171」のサイトにアクセスして、伝言の登録や確認ができる。

※「171」と「web171」は毎月1日、15日、毎年1月1～3日、防災週間（8月30日～9月5日）、防災とボランティア週間（1月15～21日）に体験利用ができる。

防災グッズ

安全に、健康に暮らす

防災グッズは、避難するときのことや家の備蓄スペースを考えながら、必要なものを吟味して備えましょう。

いつも持っておくもの

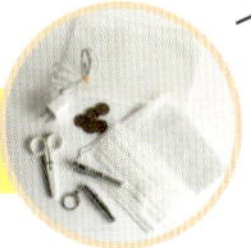

バッグの中に

☑	ライト	小型のものを。存在を知らせるシグナルライトにもなる。スマホでも代用可能。
☑	笛	自分の居場所を知らせたり、他人に危険を知らせることができる。
☑	はさみ	小さく、カバーつきのものが便利。
☑	ポリ袋	大きめのものが1枚あると防寒着や簡易トイレに使える。
☑	マスク	ホコリや煙、感染症の対策に。
☑	小銭	公衆電話用に10円玉が10枚ほどあると便利。
☑	筆記用具	ペン、メモ。
☑	携帯電話の充電器	ソーラータイプのものがあると便利。

家に備蓄しておくもの

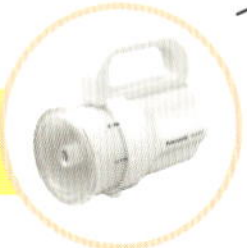

家族の人数に応じて

☑	ライト	ランタン、ヘッドライトなど。
☑	ハザードマップ	国土交通省HPを見たり、市区町村に問い合わせて入手しておく。
☑	飲料水	目安は1日3ℓ×3日分×家族の人数分。
☑	食品	無洗米やレトルト食品、即席麺、缶詰、乾物など。目安は1日3食×3日分×家族の人数分。
☑	調味料	常温で保存できる塩、しょうゆ、酢、みそなど。スープやだしの素などもあると便利。
☑	お菓子	チョコレートや飴、ドライフルーツなど。
☑	調理用具	アウトドア用のものがあると便利。
☑	簡易食器	割り箸、紙皿、紙コップ。ラップやアルミホイルなど。
☑	寝具	毛布、タオルケット、寝袋があると便利。
☑	ポリタンク	水の備蓄用に。
☑	工具類	ロープ、バール、スコップなど。下敷きになったときの救出用にも。
☑	消火器	初期消火に備えておく。
☑	その他	女性なら生理用品、子どもがいるならおむつ、ミルクなど。
☑	燃料	カセットコンロ、ボンベ。

非常持ち出し袋に入れておくもの

時々点検・入れ替えを

☑	飲料水	1人1日分3ℓが目安。
☑	ラジオ、ライト	最近は一体化したものも。コンパクトで防滴防水、手回し充電、太陽光充電などができると便利。ライトは長持ちするLEDがおすすめ。
☑	電池	ラジオ、ライト用に。
☑	身分証明書、通帳	運転免許証、健康保険証など本人確認ができるもの2種類のコピー、口座番号のメモも。
☑	現金	公衆電話用の10円玉×10枚ほか、2～3日過ごせる現金があるとよい。
☑	食料品	すぐに食べられる乾パン、栄養補助食品、缶詰など。
☑	衛生用品	常備薬（持病名と薬名のメモ）、ばんそうこう、包帯、ガーゼ、生理用品、殺菌スプレーなど。
☑	洗面用品	歯ブラシセット、石けん、水なしで洗髪できるドライシャンプーなど。
☑	笛	自分の居場所を知らせたり、他人に危険を知らせたりできる。
☑	軍手、マスク	倒壊家屋、散乱した家財道具から手を守る。マスクは防じん対策にも。
☑	ポリ袋、ラップ、アルミホイル	ポリ袋は40ℓ以上の大きめをそろえる。ラップやアルミホイルは1本ずつ。
☑	紙類	ティッシュペーパー、ウェットティッシュ、トイレットペーパーなど。
☑	文房具	ペン、メモ、はさみ、カッターなど。
☑	ライター、マッチ、ろうそく	電気が使えないときのために。
☑	タオル	防寒にもなるので大きめのものを含め数枚用意。
☑	着替え	荷物になるので下着など最低限のものを。
☑	雨具	コンパクトになるレインコートがあると便利。
☑	新聞紙、ビニールシート	防寒や雨よけなどに使える。
☑	トイレ関係	携帯トイレ、紙おむつ、紙パンツなど。
☑	保温・冷却グッズ	使い捨てカイロや保温シート、冷却シートなど。
☑	ヘルメット	折りたたみタイプのものもある。
☑	靴	スニーカー、スリッポンなど着脱しやすいものがおすすめ。
☑	その他	赤ちゃん用品、眼鏡、コンタクトレンズ、ペット用品など。

年に1回は見直しを

飲料水や食料の賞味期限、電池が切れていないかなど、1年に1回は中身を見直してリセットを。

+more

車のシガーソケットを家庭用の電源に

車には、家庭用の電源に変換してくれる専用のソケットがある。利用するためには増設ソケットなどが必要になる場合があり、消費電力の制限があるので使用時は確認を。

台風・豪雨に備える

天気予報などで、ある程度予測することができる台風、豪雨。事前に備え、被害を最小限に抑えましょう。

自分でできる対策はやっておこう

毎年、日本各地を襲う台風・豪雨。特に梅雨の時期、また7～10月にかけての台風シーズンには、災害が起きる可能性が高まります。浸水などの被害を最小限に抑えるために、事前に自分でできる範囲で家を守る対策を施しておきましょう。命を守るために、避難を早めに判断することも大切です。

5段階の警戒レベルと防災気象情報

自分のいる地域が今どんな状況で、どう行動すべきかの目安になる。

警戒レベル	避難情報等	警戒レベル相当情報(例)	避難行動等
1	早期注意情報		災害への心構えを高めましょう。
2	洪水注意報 大雨注意報 等		避難に備え、ハザードマップ等により、自らの避難行動を確認しましょう。
3 (高齢者等は避難)	避難準備・ 高齢者等避難 開始	氾濫警戒情報 洪水警報　等	避難に時間を要する人（高齢者、障害のある方、乳幼児等）とその支援者は避難をしましょう。その他の人は、避難の準備を整えましょう。
4 (全員避難)	避難勧告 避難指示 （緊急）	氾濫危険情報 土砂災害警戒情報 等	速やかに危険な場所から避難先へ避難しましょう。公的な避難場所までの移動が危険と思われる場合は、近くの安全な場所や、自宅内のより安全な場所に避難しましょう。
5	災害発生情報	氾濫発生情報 大雨特別警報 等	既に災害が発生している状況です。 命を守るための最善の行動をとりましょう。

※内閣府・消防庁作成　※各種の情報は、警戒レベル1～5の順番で発表されるとは限らない。状況が急変することもある。

台風・豪雨がくる前にやるべきこと

1. 自宅まわりの排水溝を掃除する。
2. カーテンをしっかり閉じる。
3. 底のしっかりした靴を用意しておく。
4. 家の外の植木鉢などは室内に片づける。
5. 室内側から窓に飛散防止フィルムを貼り、さらに段ボールで覆い、ガムテープを窓枠から貼って固定する（右図参照）。
6. 室内に入らないものはロープで固定する。
7. 床上浸水になる前にブレーカーを落とす。

※ブレーカーを戻すときは、すべての電気器具のコンセントを抜いてから戻す。また、水にぬれた電気器具は使用不可。

浸水に備える

川の近くや低い土地に住んでいる人は浸水対策も万全にしておこう。

check!

土嚢の積み方

土嚢は、玄関など水の侵入が心配なところに、結び目が家側になるように置き、下に折り込む。2段以上積む場合は、下の段とずらすようにしながら積み上げる。

土嚢がないときは

ゴミ袋に半分くらい水を入れて口を縛ったものを段ボール箱に入れて並べたり、水の入ったペットボトルやポリタンク、プランターをビニールシートでくるんで並べてもよい。

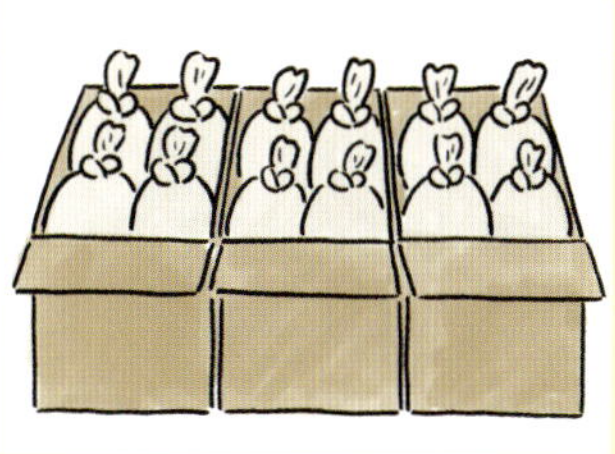

1. 土嚢を置く。最近は水分を含むと土嚢になるものもある。
2. 貴重品や電化製品は2階以上の高いところに移動させておく。
3. 住宅の基礎部分の換気口をふさいでおく。
4. テーブルやボードなど、長い板状のものを横にして出入り口に設置し、すき間をふさぐ。

避難するときの格好

棒を持つ

杖代わりや危険箇所回避に使える。できれば長い棒がよい。傘でもよい。

雨よけにはコート

上下に分かれたレインコートが便利。

荷物は軽く

両手が空いて動きやすいリュックで。重いと動きが取れず転びやすいので、荷物は軽めにする。

足元はスニーカー

長靴はぬかるみにはまって脱げてしまうことがあるので、底がしっかりしているスニーカーがおすすめ。ひもはしっかり結ぶ。

+more

停電への備えも必要

マンションや地域によっては、停電で水が出なくなることがある。飲料用やトイレ用に、浴槽ややかん、バケツに水をためておくとよい。スマホなどは十分に充電しておく。冷凍庫には保冷剤をたくさん入れて、できるだけ満杯にしておくと温度が上がりにくい。

地震に備える

地震が起きたとき、避難よりまず大切なのは、けがをしないこと。そのためにできる限りの対策をしておきましょう。

家の中を安全な状態に整えておく

「地震への備え」というと、避難後のことを一番に考えがちですが、それよりもけがをしないこと、命を守ることのほうが大切です。

家の中に、避難経路をふさいでしまったり、けがのもとになってしまうような家具・家電はありませんか？ 近年の地震でけがをした人の原因の多くは、家具の転倒や落下、ガラスの飛散によるといわれています。寝室には背の高い家具は置かないようにして、家具は倒れないように固定をします。窓や食器棚のガラスは、飛び散りを防ぐフィルムを貼るなどの対策を。

今のうちに家の中をチェックして、少しでも不安がある箇所には、さまざまな地震対策用グッズを活用しながら対策を施しましょう。

部屋別の安全のポイント

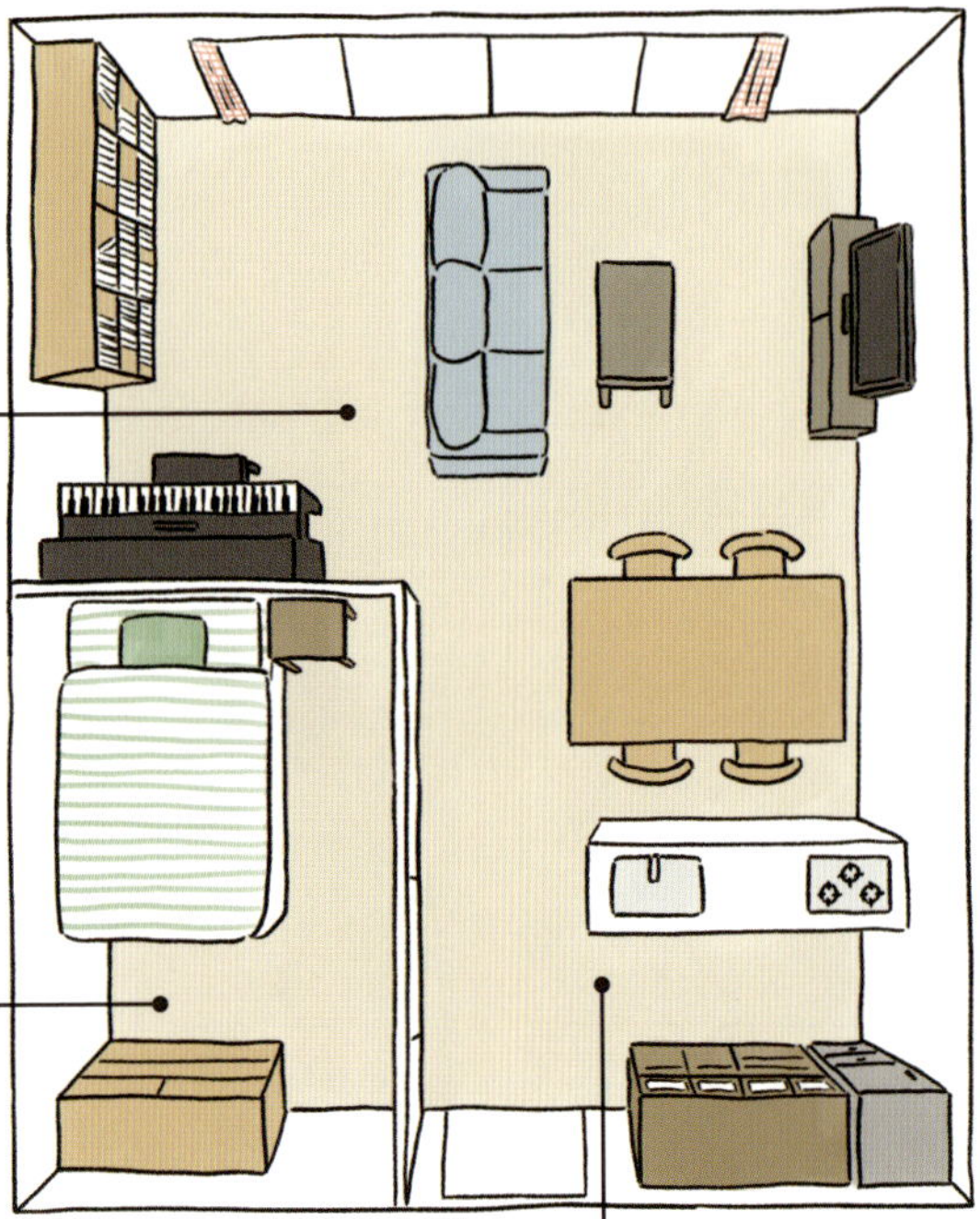

リビング

- テレビは転倒防止のため、専用のベルトや粘着マットで固定。
- 本棚は壁や柱などに固定する。重い本は下部に保管を。
- ピアノは転倒しやすいので専用の転倒防止具を活用する。

寝室

- 背の高い家具はできるだけ置かない。
- 家具を置く場合は固定し、就寝位置に倒れてこないように配置する。

キッチン

- 鍋やグラス、包丁など、危険なものは低い場所に保管する。
- 食器棚は固定し、中の食器が落ちてこないように工夫する。
- 冷蔵庫は専用のベルトで固定する（ベルトはメーカーに問い合わせを）。
- 火災を防ぐため、コンロのそばに燃えやすいものを置かない。

check!

避難経路を確保する

廊下や玄関、部屋のドア付近には荷物を置かないこと。家具が倒れて避難経路をふさぐ心配がないかどうかもチェックを。

家の中の対策

家電を固定する

粘着マットを貼る

テレビは専用のベルトが付属されていることが多いが、脚に粘着マットをつけるとより安心。パソコンなどにも応用を。

+more

床上はすっきりと

床が散らかっていると、避難時にものを踏んでけがをしたり転んだりする可能性がある。小さなおもちゃなども要注意。

棚の中のものの落下を防ぐ

扉をロックする

揺れても扉が開かないようなストッパーをつけて、棚からものが飛び出さないようにする。揺れを感知して作動するタイプが便利。

すべり止めシートを敷く

棚板に敷くことで、食器や置物が落下するのを防いでくれる。スペースに合わせてカットして使う。

家具を固定する

耐震突っ張り棒で固定

ネジや釘を使わず、棒を突っ張ることで家具と天井を固定する。器具の上下（とくに上）に板をはさむとさらに効果的。

転倒防止シートを敷く

家具の幅に切ったシートを家具の手前部分に入れるように敷く。L字金具や突っ張り棒との併用がおすすめ。

L字金具で固定

L字金具で家具を壁に固定する。ネジを使うので、取りつけ場所は壁の芯材や柱などがあるしっかりした部分を選ぶ。

+more

段ボールで家具の転倒予防

天井と家具の間にぴったりサイズの段ボールを置くことも転倒予防になる。すき間ができてしまう場合は、新聞紙などをつめて固定しよう。

ガラスの飛び散りを予防

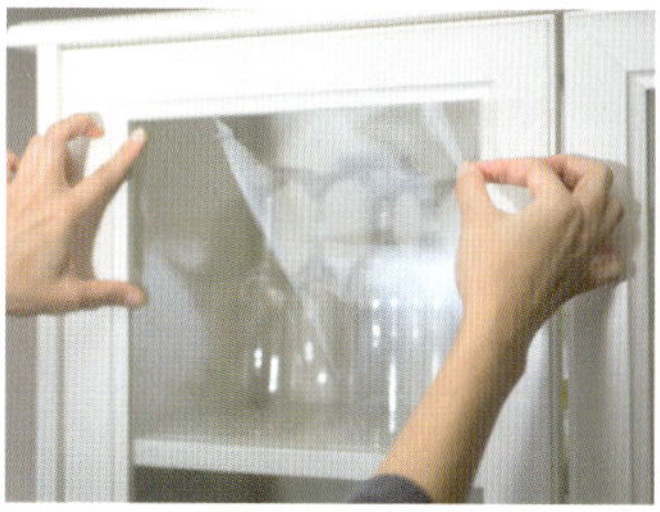

飛散防止フィルムを貼る

窓や食器棚のガラス部分に貼る。両面に貼ると効果が高くなるが、片面の場合は人のいる面（窓は内側、食器棚は外側）に貼る。

安全に、健康に暮らす

地震から身を守る

地震が発生したとき大切なのは、パニックにならないこと。決めていた段取りに従って、身の安全を確保しましょう。

二次災害を防ぎ落ち着いて避難する

地震による揺れを突然感じたときには、何をすればよいかをあらかじめ知っておけば、パニックにならずにすみます。まずは身の安全を確保して、火を止めたり避難するのは揺れがおさまってから。地震発生から避難するまでの行動をシミュレーションしておきましょう。

地震が起きてから避難するまで

地震の直前

緊急地震速報が流れる

地震波が2点以上の地震観測点で観測され、最大震度5弱以上が推測される場合、テレビ、ラジオ、携帯電話などで速報が流れ、数秒～数十秒後に地震が起こる。

※ただし、緊急地震速報が間に合わないこともあるし、地震が起きないこともある。

地震が発生

まずは身の安全を確保する

家具の転倒や落下物から身を守るため、ものが少ない部屋に移動したり、テーブルの下に避難する。

※津波や崖崩れの危険がある地域にいる場合は、揺れがおさまり次第安全な場所に避難する。

1～2分後

火元を確認し、避難の準備をする

揺れがおさまったらすぐに火元を確認し、出火していたら消火。ドアや窓を開けて、避難経路を確保する。

※火が天井まで達していたら無理せずにすぐに避難する。

3分後

情報を収集し、非常持ち出し袋を手元に置く

ラジオなどで情報を収集し、家屋倒壊の恐れがあればスニーカーを履き、持ち出し袋を持って避難の準備をする。

5～10分後

ブレーカーを落として、避難する

火災を防ぐため、ブレーカーを落としてから避難。家族や隣近所の安全も確認し、必要があれば消火活動や救出活動に参加する。

こんな場所で地震にあったら

在宅時

キッチン

コンロの近くにいる場合は火を消し、食器棚や冷蔵庫の転倒に注意する。余裕があれば包丁をしまう。

浴室

すぐドアを開ける。窓ガラスや鏡の落下に注意。風呂のふたなどで頭を守ってもよい。

トイレ

すぐドアを開ける。便器の水の逆流、タンクの落下に注意し、揺れがおさまったら避難する。

外出時

エレベーター

すべての階のボタンを押して、最初に止まった階で降りる。

川べり

氾濫の危険性があるので、流れに対して直角方向に素早く避難する。

電車やバス

立っていたらつり革や手すりをしっかり握り、乗務員の指示に従う。

道路

ブロック塀、電柱、自動販売機など倒壊の危険のあるものから離れる。

地下街

比較的安全な場所。60mごとに設置された非常口より避難する。

オフィス

大きな窓や、OA機器、書類棚など重量のあるものの倒壊から身を守る。

+more

運転中に被災したら

減速し、左に寄せて停車するのが基本。ハザードランプを点灯して徐々に減速する。避難するときはキーをつけたまま、ドアロックはせず、連絡先メモを残す。

避難するときの注意

- 二次災害を防ぐため、電気のブレーカーを落とす。
- 玄関先などに、行き先や避難所を知らせるメモを貼る。
- 二次災害の恐れがあるので、一度避難したらむやみに家に戻らない。
- 万が一閉じ込められたときは、笛を鳴らすか、身近にあるものをたたいて音を出す。

※日本気象協会「トクする！防災」より

火災に備える

出火原因になるポイントをチェック。火災発生のときに被害を広げないための行動も、確認しておくと安心です。

出火原因を減らす

家のまわり

- 段ボールや古新聞など燃えやすいものを置かない。
- 郵便受けにものをためない。

ストーブ

- 上に洗濯物を干さない。
- 洗濯物やカーテン、本など燃えやすいもののそばに置かない。

コンセント・プラグ

- 1つのコンセントから複数の配線をつなぐ「たこ足配線」にしない。
- ホコリがたまると火災の原因になるので、乾いた雑巾で取り除く。

コンロ

- 燃えやすいものをそばに置かない。
- 使っているときは離れないようにする。

タバコ

- 灰皿以外の場所に捨てない。
- 寝タバコはしない。

※建物火災の原因は1位たばこ、2位たき火、3位コンロ、4位放火、5位放火の疑い、となっている（消防庁防災情報室「令和元年版 消防白書」より）。

火災の発生から消火まで

火災の発生

大声で周囲に知らせる

「火事だ!」と大声で叫んで隣近所に知らせ、助けを求める。非常ベルがあれば鳴らす。

すぐに

119番に通報する

初期消火などで自ら119番ができないときは、誰かに頼む。

次に

初期消火をする

出火直後に行う。火が天井まで達していたら逃げる。煙を吸い込まないように注意する。

check!

初期消火の仕方

1. 炎が出たら消火器を使う・水をかける
2. 油の火災に水は使わず、バスタオルやタオルをぬらして全体を覆う。
3. 消火器がなければ毛布をぬらして火元にかけ、空気を遮断する。

※消火活動は、2分をタイムリミットとして行う。それ以上の消火活動は個人では難しい。

消火器の使い方

粉末消火器が一般的

① 安全弁を引き抜く

本体を軽く押さえて、上部にある黄色い安全弁を引き抜く。

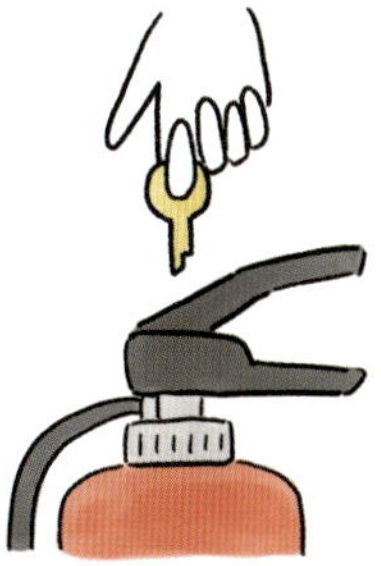

② 火元に向ける

片手でレバーを持ち、ホースを火元に向ける。ホースがない場合は、ノズルを火元に向ける。

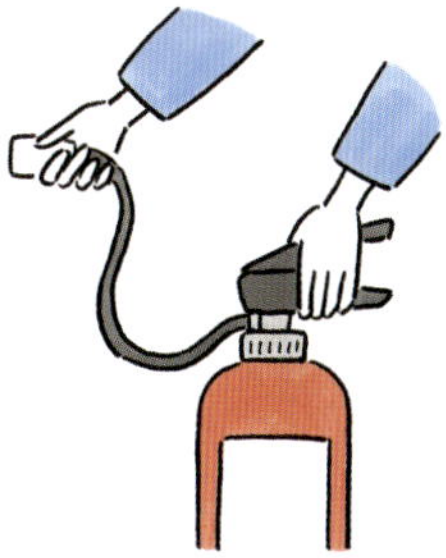

③ レバーを握る

レバーを力強く握り、薬剤を放射する。重くて持ち上げられない場合は地面に置いて使用する。

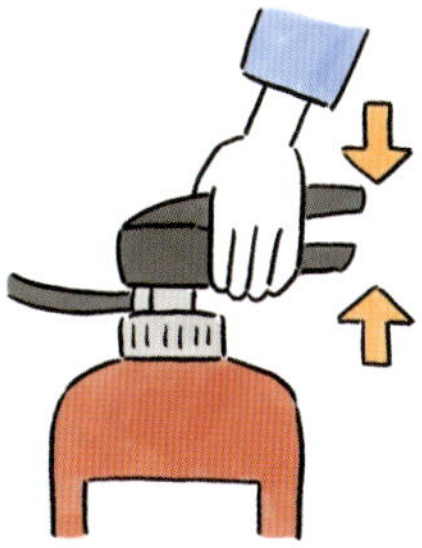

消火器の種類

住宅用粉末消火器
炎の抑制効果が高く、素早い消化ができる。粉が充満することがある。

住宅用強化液消火器
冷却と抑制効果で消化し、再燃焼を防止。特に油の火災に効果がある。

エアゾール式簡易消火具
スプレータイプで素早く使える。適応火災のマークを確認する。

+more

もしも煙に巻き込まれたら

逃げる際、煙に巻き込まれそうになったら、床付近（下部）のきれいな空気を大きめのゴミ袋などに入れ、顔を袋に入れて、首元で抑えて素早く避難する（窒息の危険があるので注意が必要）。さらにぬれたタオルを上から巻くと、なおよい。

火災警報器を設置する

設置は消防法などで義務づけられている

火災警報器の設置場所は、国としての規定（消防法）と自治体としての規定（条例）により定められている。国全体の消防法で設置が義務づけられている場所は、寝室と寝室がある階段上部。自治体の規定は、ホームページなどで確認を。

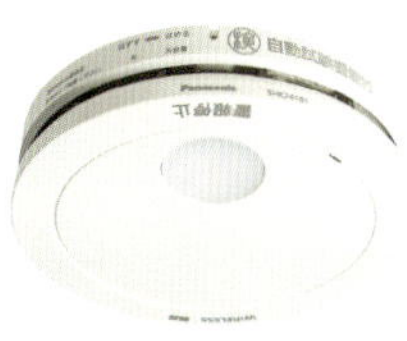

+more

放火を防ぐために

「放火」や、「放火の疑い」による火災は、全火災原因の1割以上を占めている。家のまわりに燃えやすいものを置かないのはもちろん、物置や車庫に必ずカギをかける、バイクには防炎のカバーを使う、ゴミは決められた日の朝に出すなどを徹底しよう。

もし被災したら

地震や台風などで被災した場合にやるべきことを知っておくと、いざというときにあわてずにすみます。

被災したら

避難生活が落ちついたら市区町村の窓口へ出向き、再建のための手続きに取りかかりましょう。

● 写真を撮っておく

全壊、大規模半壊、半壊などの被害程度を判断してもらうために、家の損壊した部分（浸水具合、焼失部分など）、自動車や家財などを、いろいろな角度から撮影して「被災した証明」にする。

● 「り災証明書」の申請をする

「り災証明書」は、自宅の被害の程度を「全壊」「大規模半壊」「半壊」「一部損壊」などに認定し、公的に証明する書類で、申請が必要。各種被災者支援制度の受給や保険金の申請にも必要。

片づけの前に確認を

避難所から戻って家の片づけをする前には、次のようなことに注意します。いきなり通電すると火災の原因になるので、復旧は慎重に。

片づけの服装、持ちもの

マスク、長袖、長ズボン（肌の露出を避けるもの）、タオル、厚底で脱げにくい靴、軍手の上にゴム手袋、ヘルメット（場所によっては帽子）、ゴーグルは必須。夏は保冷剤や飲み物も。

ブレーカー

まずはブレーカーをすべて「切」にして、大もとのブレーカーを入れてから、小さいブレーカーを1つずつ入れていく。入れてもすぐ切れてしまう場合は、故障の可能性があるので電気工事店に依頼を。

電気製品

ぬれた電気製品には触れず、ブレーカーを入れる前にすべてプラグを抜く。再通電はしない。

ガス

ニオイを確認し、ガス漏れのおそれがある場合は窓を開ける。換気扇や火は使わない。プロパンガスは、ガスボンベが元の位置から動いてしまっていた場合、復帰する前にガス業者に点検してもらう。ガス漏れや異常がなければ、マイコンメーター（※）でガスを復帰。方法は日本ガスメーター工業会のホームページで確認できる。

※震度5相当以上の大きな揺れを感知すると、自動的にガスを止めるガスメーター。

下水道

風呂の残り湯などでトイレに水を流し、自宅敷地内であふれ出ることがないかを確認。集合住宅の場合は、下階への影響にも配慮する。

自分でできる掃除や補修

家が損壊したり浸水した場合は、自分だけでなんとかしようとせず、行政やボランティア、民間業者の助けを借ります。とりあえずの対処法を知っておきましょう。

掃除

❶ 室内を換気する

自宅を数日空けていた場合は、屋内にカビが発生していることもある。

❷ 汚泥や飛散したガラスを取り除く

手袋やマスクをして、けがに注意しながら行うこと。

❸ 床や壁、家具、食器などを消毒する

汚染の程度がひどい場合や、長時間浸水していた場合は、できるだけ次亜塩素酸ナトリウムを使用する。使用できない場合はアルコール、塩化ベンザルコニウムを使う。薄めて（希釈して）使用するものがあるので、使用上の注意事項をよく確認して。

ゴミの処理

災害ゴミ

自治体による収集があるまでは、できるだけ家の敷地内で保管。どうしても急いで捨てたいものは、道路に置いたりせず、自治体が指定する「仮置き場」やゴミ処理施設に持っていく（自治体によりルールが異なる）。危険物などを包んだ場合は、中身がわかるように明記すること。

汚物や生ゴミ

収集が始まるまでは、ニオイや感染などを抑えるため、漂白剤や消臭剤をかけてしっかり密閉しておく。生ゴミは、新聞紙にくるんで水分を吸収させるとよい。

※詳細は、各災害および各自治体により異なる。

屋根の補修

- 高い屋根の補修はプロに任せる。
- 低い屋根の場合はブルーシートで応急処置を。2人以上で命綱をつけて行うこと。

❶ブルーシートを屋根にかけ、土嚢2個をひもで縛り屋根にかける。

❷風で飛ばないように四隅を固定する。

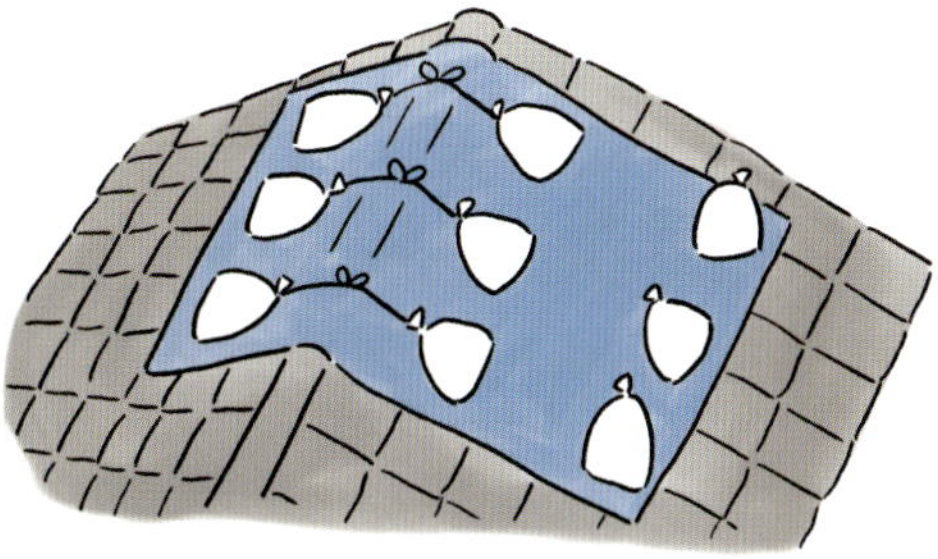

- 室内が何カ所も雨漏りしていたら、ブルーシートで応急処置をする。

❶部屋の奥2カ所にフックをつけ、ブルーシートを高い位置で引っかける。

❷さらに部屋の手前2カ所に、❶よりも少し低い位置にフックをつけて、ブルーシートを張ると、水が手前に流れてくる。

❸できれば外に水が出ていくようにする。出せない場合はバケツで受ける。

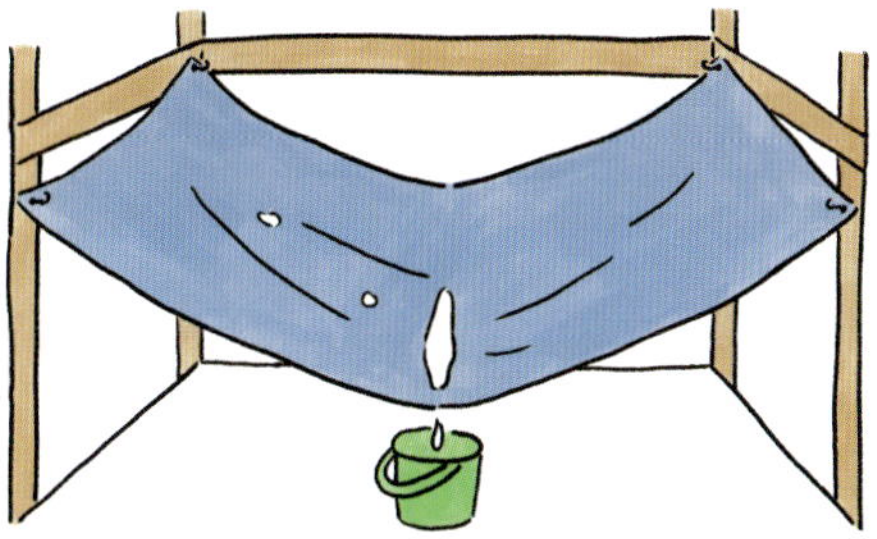

安全に、健康に暮らす

防犯

「侵入されやすい家」を知ることで、とるべき対策がわかるはず。防犯グッズも活用して、家を守りましょう。

侵入されにくい家にする

「玄関のカギをかけ忘れた」「窓を閉め忘れた」など、一瞬の気のゆるみが、空き巣をはじめとする犯罪の的になります。犯人側の心理として、侵入するのに5分以上かかりそうな家の場合は、犯行をあきらめるといわれています。つまり日頃から、侵入されにくい家にしておくことが大切。改めて家のまわりをチェックして、防犯グッズも活用しながら、危険な箇所を減らしましょう。被害を防ぐためには、家族や近所の人と協力し合うことも大切です。

油断禁物！

侵入されない家づくり

周囲の目が行き届くようにする

犯人は下見をしている。ゴミ集積所のゴミが放置されるなど、ご近所の連帯がうまくいっていないように見えたり、お互いに不審者を監視する意識が低そうなエリアは要注意。

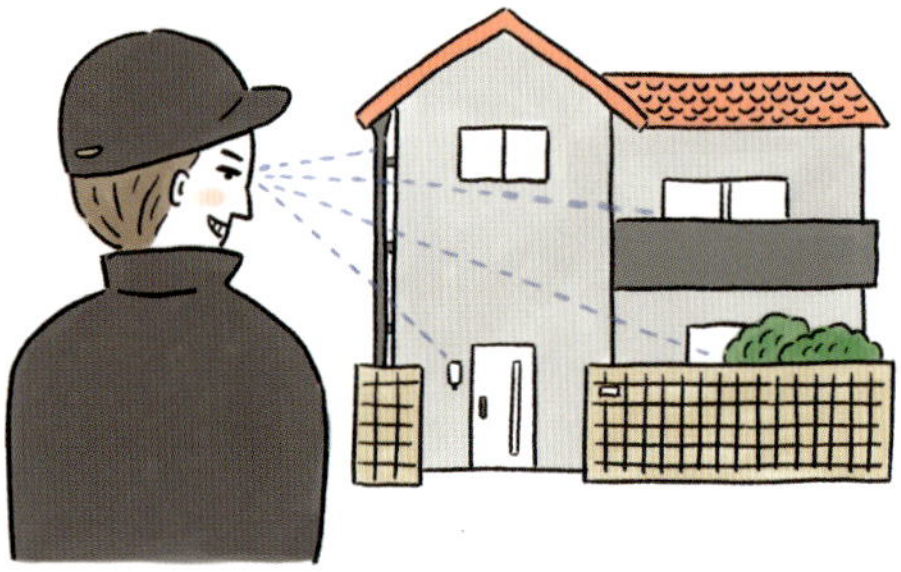

カギをかける

「ちょっとそこまでだから」などと油断し、施錠しないで出かけるのは禁物。またガスメーターボックスの中などの「置きカギ」もやめよう。

足場をつくらない

家のまわりに小屋や道具箱などが置いてあると、それを足場に侵入されるおそれがある。

不在にするときの注意

帰宅が遅いとき

帰宅が遅くなるとわかっているときは、あえて室内の照明をつけておいたり、タイマーやリモート操作で点灯する照明を使うのもよい。洗濯物の干しっぱなしは避けて。

長期間留守にするとき

郵便受けに新聞や郵便がたまっていると不在とみなされやすい。旅行などで長く家を空けるときは、郵便物は郵便局に、新聞も販売店に連絡をして配達をストップしてもらう。

防犯グッズの活用

窓

防犯フィルムを貼る

窓ガラスに貼って犯人の侵入を防ぐ。とくに、ハンマーなどでクレセント錠のまわりのガラスを壊されることが多いので、その部分だけでもフィルムを貼る。

補助錠をつける

補助錠をつければ、窓ガラスが破られてクレセント錠を外されても窓は開けられない。窓の枠、サッシのレールに両面テープで簡単に取りつけるタイプもある。

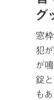

音で知らせるグッズを利用

窓枠などにつけておくと、侵入犯が窓を開けようとしたとき、音が鳴って警告してくれる。補助錠とセットになっているタイプもある。両方つけるとより安心。

ドア

1ドア2ロックにする

侵入に時間がかかるように、主錠＋補助錠の1ドア2ロックを基本にする。補助錠が外側から見えていると、侵入の抑止にもなる。勝手口にも導入しよう。

サムターンカバーをつける

サムターン（室内のつまんで回すカギ）にカバーをつけて、ドアのすき間やのぞき穴から針金で回して開ける手口を防止する。

こじ開けを防止する

ドアと、ドアの枠のすき間に専用のプレートを取りつけて、バールでドアをこじ開けようとするのを防ぐ。

+more

電話詐欺を防ぐには

「オレオレ詐欺」に代表される電話詐欺にも注意。予防には、知らない人からのお金の話には受け答えをしない、合言葉を決めておく、電話のそばに注意書きを貼っておく、電話機の留守番機能を使う、などが有効。家族とふだんからこまめに連絡を取り合うことも防犯の第一歩に。

相談用ダイヤル（警察相談専用電話）：#9110

外まわり

防犯砂利を敷く

人が上を歩くと、じゃりじゃりと音がする砂利は、目立ちたくない侵入犯にプレッシャーを与える。玄関や勝手口など侵入が考えられる出入り口のまわりにまいておくとよい。

センサーライトをつける

侵入犯は明るい家を嫌う。人が通ると反応するセンサーライトを、玄関やガレージなどの外まわりに設置して、夜間も暗くならないようにする。

安全に、健康に暮らす

感染症

近年、暮らしを脅かしている感染症。正しい知識を身につけることが、予防につながります。

ウイルス性の感染症には抗生物質は効かない

感染症とは、ウイルスや細菌などの病原体が体に侵入して、症状が出る病気のこと。感染経路は、病原体によって、接触感染、飛沫感染、空気感染などがあります。病原体が体に侵入しても、感染力と免疫力のバランスで、症状が現れる人と現れない人がいます。

誤解している人が多いのですが、抗生物質（抗菌薬）は細菌を殺すためのものなので、風邪や新型コロナ、インフルエンザ、ノロなどのウイルスには効果がありません。抗生物質には下痢などの副作用が出ることがあるので、注意が必要です。

日頃から免疫力を上げる生活を送ることを心がけ、感染を予防しましょう。心配な症状があったら、いきなり病院に行かず、まずはかかりつけ医に電話で相談します。

感染症を予防するには

1. 手洗い、うがい、マスクの徹底
2. ワクチンの接種
3. 食品衛生に注意
4. 人混みを避ける
5. 乾燥を避ける（ウイルス性の場合）

受診の仕方

感染症が疑われる症状（発熱が数日続く、ひどい咳や呼吸苦、けん怠感、おう吐、腹痛など局所の痛み、発疹など）がある場合は、いきなり病院に行かないこと。まずはかかりつけ医に電話して、症状や接触歴を伝えて。

免疫力を上げる習慣

- **規則正しい生活を心がける**

  夜は早めに休み、食事はできるだけ決まった時間に取る。

- **バランスのよい食事**

  野菜中心に、栄養バランスを考えた食事を。発酵食品なども積極的にとり、腸内環境を整える。

- **十分な休息**

  無理をしすぎない。ストレスをためないようにすることも大切。

- **体温を上げる**

  適度な運動や入浴の習慣をつけて体を温めよう。

- **よく笑う**

  笑うことで免疫細胞が活性化しやすくなるといわれている。

知っておこう

おもな感染症と症状

新型コロナウイルス

一般的に、飛沫感染、接触感染で感染する。軽症で治癒する人も多いが、ふつうの風邪症状が出てから約5～7日程度で症状が急速に悪化し、肺炎に至る人もいる。

主な症状

- 息苦しさ（呼吸困難）
- 強いだるさ（倦怠感）
- 高熱 等

治療

2020年8月現在、特効薬はなく、一定期間の入院や療養をしながらウイルスによる熱や咳などの症状の緩和を目指す治療を行う。

インフルエンザ

風邪の症状に加え、38℃以上の発熱や全身倦怠感等の症状が比較的急速に現れる。日本では12月～3月が主な流行シーズン。お年寄りや免疫力が低い人は重症になることもある。

主な症状

- 38℃以上の発熱
- 頭痛
- 関節痛
- 筋肉痛
- 全身倦怠感 等

治療

抗インフルエンザウイルス薬が存在するが、服薬する場合は医師の判断を仰ぐこと。

ノロウイルス

手指や食品などを介して経口で感染し、感染症胃腸炎や食中毒を引き起こす。一年中発生し、主に冬季に流行する。子どもやお年寄りなどは重症化する場合もある。

主な症状

- おう吐
- 下痢
- 腹痛 等

治療

現在、効果のある抗ウイルス剤が存在しないため、対症療法が行われる。水分と栄養の補給を十分に行う。

+more

マスクが足りないときのアイデア

1 キッチンペーパーを使って

手で簡単に切れる向きで約半分に切り、引っ張っても切れない方向を横にしてじゃばら折りする。折った両端を折り曲げて（折る位置は、顔の幅に合わせる）、輪ゴムをはさみ、顔側に針の端があたらないようにホチキスで留める。

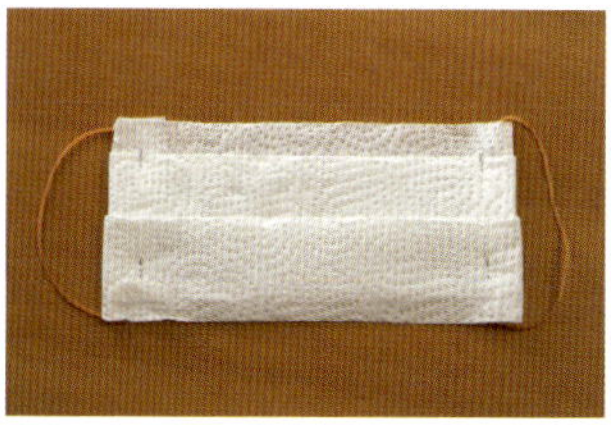

2 ハンカチを使って

ハンカチを三つ折りにし、両端を内に向かって折る（鼻と口を覆う大きさの四角を作る）。両端を折ったところに、輪にしたゴム（使い捨てマスクなどのゴムを利用）をかける。

子どもにはタオル地のハンカチを使って

小さなタオルハンカチを三角形に折り、両端を折りたたんでゴムをかける。

健康管理・病気・事故

けがや病気になったときにあわてないように、近所の医療機関の確認や最低限の医薬品の準備をしておきましょう。

こんなときは…の対処法

落ちついて処置を

けが・病気	対処法	注意点
切り傷・すり傷	洗い流す、血を止める	• 皮膚表面の傷は流水や石けんでよく洗い、汚れを落とす。 • 血が出ていたら清潔なガーゼや布で圧迫し、止める。 • ばんそうこうを貼るか、清潔なカーゼをあて、包帯を巻く。 • ガラスの破片やトゲが残っていそうなときは、消毒したピンセットで抜くか、不安を感じたら病院へ。
やけど	流水で冷やす	• 水を流しながら15～30分冷やすのが基本。 • 衣服の上から熱湯などでやけどを負った場合は、無理に脱がすと皮膚まではがれてしまうので、そのまま水で冷やす。 • 水ぶくれがある場合や痛みがひどい場合はすぐに受診する。 • 軽いやけどの場合はワセリンを塗って様子を見てもよい。
異物がのどにつまった	吐かせる	• 異物を飲んだ人に変化がなければ、そのまま急いで病院へ行き、取り除いてもらう。 • 呼吸が止まったりぐったりしているようなら、すぐに飲んだものを吐き出させる。 ［子どもの場合］ 逆さにつり上げて、平手で背中を強くたたく。 ［大人の場合］ 後ろから手を回し、両手をみぞおちの下に組んで腹を持ち上げる。 異物を吐き出しても呼吸していないときは、胸骨圧迫（P.253）をしながら救急車を呼ぶ。
熱中症	涼しいところで寝かせる	• 風通しのいい涼しい場所に、足を少し高くして寝かせる。 • 経口補水液を飲ませる。 • 脇、首、足のつけ根を冷やす。 • おう吐があったり様子がおかしい場合は、急いで病院へ連れていく。
おう吐・下痢	腹部を温め水分をとる	• 安静にして腹部を温める。 • 経口補水液などの塩分と糖分を含む飲み物で水分をとりながら様子を見る。 • おう吐がおさまれば、おかゆややわらかい麺類など消化のいいものを食べる。 • 発熱時は、温かくして休養する。おう吐や腹痛がひどいときや、血便が出た場合は受診する。
風邪による発熱	休養	• 温かくして休養する。 • 消化がよく栄養のある食事を少しずつ取る。 • ひんぱんにうがいをし、水分補給をする。 • 3日以上熱が続くときは他の病気の可能性があるので、かかりつけ医に相談を。
咳がひどい	水分をとる、加湿する	• 体を温めたり、体を起こしたり、水分を多くとり加湿するとラクになる場合もある。 • 咳が数日続く場合、ひどい場合、息苦しい場合はかかりつけ医に相談を。

病院の選び方

かかりつけ医は、家の近くの通いやすいところで探す。近所の人に評判を聞いたり、インターネットの口コミサイトなども参考に、話をよく聞いてくれて自分と相性のいいところを選ぼう。夜間や休日に救急診療をしてくれる病院も調べておくと安心。

救急は119番

重いやけどやけが、動けない、意識がない、激痛などの場合は、迷わず119番を。まずははっきり「救急です」と伝えること。救急車を呼ぶかどうか迷うときは、まず救急安心センター事業（＃7119）に電話を。

救急箱に備えよう

軽いケガや不調の場合に対応できる薬品をそろえておきましょう。
薬の使用期限に気をつけて。

外用薬	内服薬	備えておきたい衛生用品
• 湿布薬 • 傷薬 • 抗ヒスタミン軟膏（虫さされなどに） • じんましん、かぶれ用などの軟膏 • 目薬 • ワセリン	• 解熱、鎮痛剤（風邪などの発熱時や頭痛、歯痛に） • 咳止め、鼻水止め • 胃腸薬（1種類だけなら総合胃腸薬を。その他、消化剤や制酸剤など必要なものを備える） • 整腸剤 • 乗り物酔い止め	• 包帯、ばんそうこう • 体温計 • 氷枕、氷のう • ガーゼ（10㎝×10㎝くらいにカットしておくと便利） • 綿棒 • マスク • はさみ、ピンセット

傷病者の呼吸が止まっている場合

AEDや救急車を待つ間に、胸骨圧迫（心臓マッサージ）をします。

1
大きな声をかけ、肩を軽くたたき、反応（意識）を確認。まわりの人と協力して、119番通報とAEDの手配を。

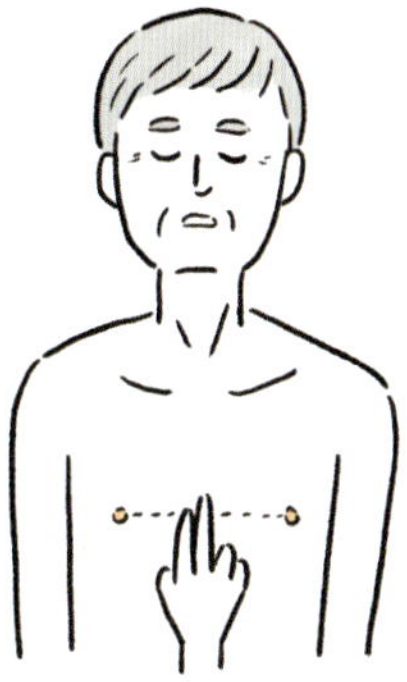

2
呼吸していないと感じた場合は、上向きで寝かせて胸骨圧迫を行う。胸骨の下半分（胸の真ん中）に手を重ねる。

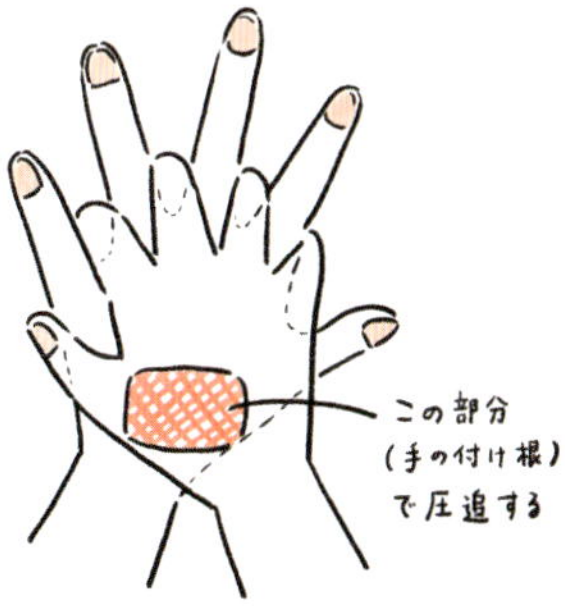

3
両肘を伸ばし、上の手の指で下の手の指を引き上げるようにしながら、脊柱に向かって垂直に体重をかけ、胸骨を5㎝（成人の場合）ほど押し下げる。すぐ力をゆるめて元の高さに戻す。

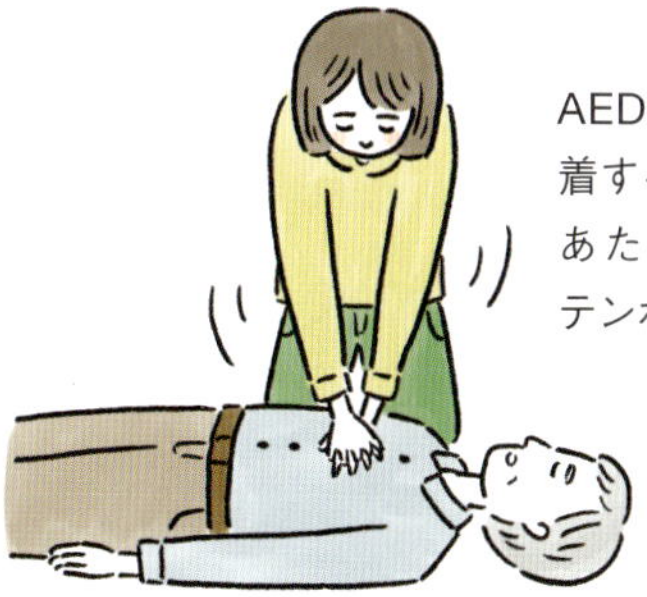

4
AEDまたは救急車が到着するまで、3を1分間あたり100〜120回のテンポで続ける。

“名もなき家事”を減らす 家事のしくみづくり

毎日の家事の中には、「料理」「洗濯」などとひと言で言えないような、たくさんの「名もなき家事」が埋もれています。意外に大変なのに、やっても誰も気づいてくれないし、感謝されることもない。やってもやっても終わらない……。そんな家事を減らすしくみをつくりましょう。

【家事の手間を減らすアイデア】

1 取り込んだ洗濯物は人別にカゴに分ける

洗濯物はたたむのも面倒ですが、片づけるのも面倒。そこで、「洗濯物は自分でたたむ」というルールにして、1人に1つずつカゴを用意。洗濯物を取り込むときに、それぞれのカゴに放り込むだけでOK。

2 「ボトルのつめ替え」をやめる

ボディシャンプーや液体洗剤は、つめ替える作業が面倒。つめ替え用パックにフックと口をつけられるグッズを活用して、そのままつるす方法にすれば、手間が省ける。

3 マットを減らす。洗わないマットにする

キッチンやトイレに敷いているマットは、洗濯するのが面倒。思い切ってやめるというのもひとつの手。バスマットは珪藻土に替えれば洗う手間がいらなくなり、たまに干すだけでOK。

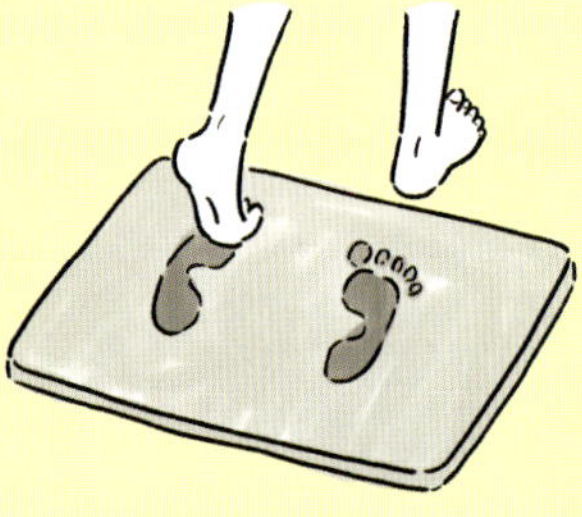

7章

おつきあいの基本

監修　近藤珠實

「清紫会」新・作法学院学院長。伝統的な作法を大切にしつつ、現代に合ったマナーの創造と普及に努める。テレビ、雑誌などの監修、企業研修、学校教育、講演など幅広く活躍。
http://www.seishikai.co.jp

結婚祝い

思いやりのあるマナーが、祝福する気持ちを伝えます。
人生の門出を気持ちよくお祝いしましょう。

招待状の返事

招待状の返事は速やかに 喪中のときは相手に確認を

招待状が届いたら、1週間以内には返事を。遅くなったら電話で出欠を伝え、急いではがきも投函する。また喪中（四十九日まで）は出席しないのが礼儀。先方が出席を強く望み、自分も心の整理がついていれば出席も可。

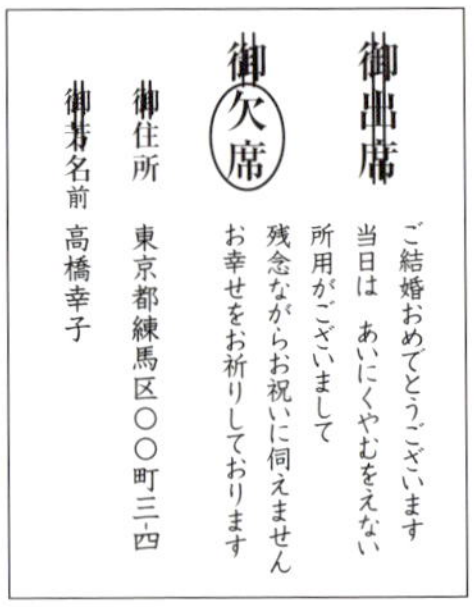

欠席の場合

理由も添えるが、「多忙につき」は失礼。弔事や病気でも「所用があり」「先約があり」とあいまいに。

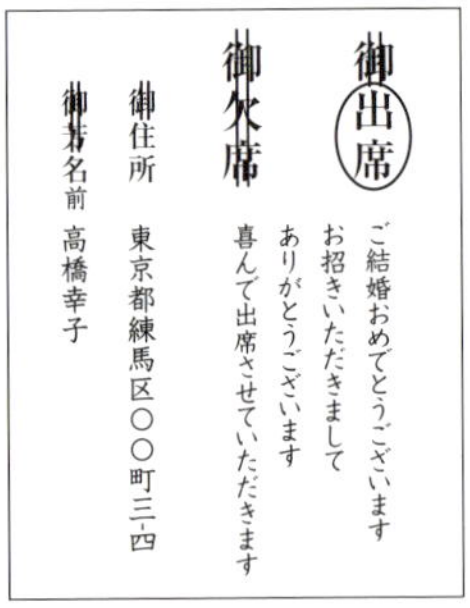

出席の場合

「御」「御芳」などこちらへの敬語を二本線で消し、余白にお祝いの言葉を書き添える。

返信用はがきの表面

「行」や「宛」の文字を斜めの二本線で消し、横に「様」と書き添える。

祝い金

新しい門出を祝う お祝い金は新札で用意

以前は偶数の金額は「割り切れる」=「別れる」と避けたが、今は2万円（=ペア）、8万円（=末広がり）は縁起がいいともいわれる。4は「死」、9は「苦」を連想させるので避ける。新札を用意し、当日は祝儀袋をふくさに包んで持参。ふくさは縁起のいい柄の小風呂敷や大判のハンカチでも代用可。

結婚祝い金の目安

友人・知人・同僚	2～3万円
部下	3～5万円
きょうだい・姪・甥	5～10万円
いとこ	3～5万円
孫	5～10万円

＊地域によって異なる。その土地の知人などに相談を。

夫婦で出席するときの金額

1人3万円を包むつもりなら、自分の立場や相手との関係を考えて、夫婦で5万円に。

祝儀袋

お祝いの金額に見合った ご祝儀袋を用意する

ご祝儀袋は紅白や金銀の、上に結び上げた「結びきり」の水引がかかり、のしつきのもので、贈る金額に見合ったデザインを選ぶ。2万円まではシンプルなものにし、金額が大きいほど、豪華なものを選んで。

裏面

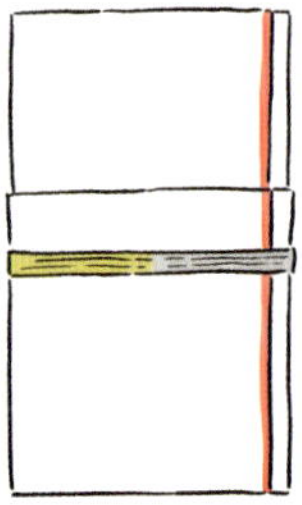

裏の重なりは「慶びを受ける」などを意味し、下側を上側にかぶさるように折り返して水引をかける。お札を入れる中包み（中袋）には、金額、住所、氏名を書き記しておく。

表面

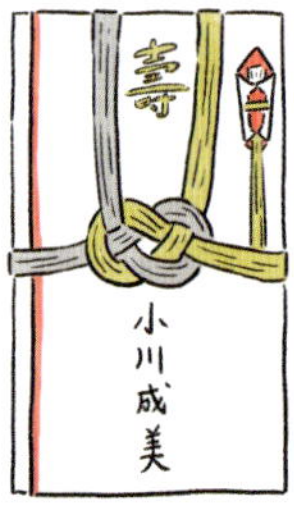

「寿」「御結婚御祝」などに。自分の名前はフルネームで。連名の場合は、右側が目上の人。4名以上なら代表名と「他〇名」「外一同」とする。筆、筆ペン、太めの水性ペンで書く。

結婚式や披露宴の装い

礼服が基本。「平服で」でもカジュアルすぎる服装は避けて

祝福の場にふさわしい礼装が基本。「平服で」とは、正式なフォーマルでなくていいという意味で、カジュアルすぎるのは失礼。両家に失礼にならず、周囲にも好感が持たれるものにしたい。会場の格も考慮した装いを心がけて。

招待客・夜

夜は肩や胸元が開いたドレスなどを

夜の披露宴の場合は、肩、胸元、背中が出たドレスがフォーマル。サテンなど光る素材もOK。丈はロングからノーマルまで可。アクセサリーやバッグも光る華やかなものを。

招待客・日中

昼はワンピースやアンサンブルなどで

光沢はなくエレガントな素材のきれいな色のワンピース、アンサンブル、スーツで。露出の多い服は避けて。ボレロやショールをはおる。パールなど控えめなアクセサリーで。

親族

洋装は格式を親族同士で確認

披露宴での親族はゲストをお迎えする側。昼はワンピースやアンサンブル、夜はイブニングドレスが正礼装だが、親族同士、正礼装か準礼装か確認するとよい。

親族

着物は既婚・未婚で違う

着物着用の場合、親族や媒酌人で、既婚女性の正礼装は五つ紋の黒留袖。未婚女性なら振袖か色留袖を。招待客なら、親族より一段格式を下げ、訪問着か色留袖を。

一般参列者	正礼装・準礼装・略礼装	男性	洋装	昼 ブラックスーツ 夜 ブラックスーツ *ネクタイは白、シルバーグレー、白黒の斜め縞 *胸元に白のポケットチーフ
		女性	和装	三つ紋・一つ紋の色留袖、訪問着
			洋装	昼 セミアフタヌーンドレス ワンピース、アンサンブル、スーツ 夜 カクテルドレス セミイブニングドレス
親族・媒酌人	正礼装（きょうだい、いとこなどなら準礼装）	男性	和装	五つ紋の羽織袴
			洋装	昼 モーニングコート 夜 燕尾服、タキシード
		女性	和装	五つ紋の黒留袖（既婚） 振袖、色留袖（未婚）
			洋装	昼 アフタヌーンドレス 夜 イブニングドレス （あるいは、それぞれに準ずるもの）

***こんな装いは避けて**

白い服/黒一色/新郎新婦より目立つ服/木綿、ニットなどカジュアルな素材/爬虫類の小物、ファー、ブーツなど

披露宴の開宴15分前には受付をすませる

当日、会場では、化粧室で身だしなみを整え、余分な荷物はクロークへ預け、開宴の15分前には受付をすませる。

↓

受付の人に「本日はおめでとうございます」と笑顔で伝える。バッグからふくさに包んだ祝儀袋を出し、ふくさをたたんでから、改めて祝儀袋を相手に向けて両手で差し出す。芳名帳に書いたら、一礼し、案内に従って披露宴会場などへ。

↓

通路や控室で新郎新婦や、ご両親に会ったら、お祝いやお礼の言葉を述べるなどあいさつを。

お葬式

悲しみの気持ちを伝えるためには、適切なふるまいが大切。形式の裏にある意味を踏まえると心もこもります。

訃報を受けたら

危篤の知らせを受けたら

危篤の際の知らせは、本人や家族が「会いたい」「会わせたい」と思う場合なので、できるだけ早く駆けつける。遠方なら喪服の準備もしておくが、臨終後、家人などに宅配便で送ってもらうか、持参するなら、気づかれないようにする心配りを。

確認事項

- 亡くなった方の名前（漢字も）
- 通夜、葬儀・告別式の日時・場所
- 宗教
- 喪主の方の名前（漢字も）
- ほかに連絡する人がいるか

まずお悔やみの言葉を述べ、その後必要事項の確認を

お悔やみを述べ、手短に必要なことを確認する。通夜・告別式への参列は、故人への思いや遺族とのつきあいなどを考えて判断を。本来、通夜は親しい人だけが弔問したが、今は各自の都合で決めてよい。またお悔やみの言葉はハキハキせず、語尾があいまいなくらいでよい。心を込めて黙礼するだけでもよい。供花・供物は、親戚、ごく親しい間柄、会社関係などが出すもので、一般の弔問客は必要ない。遺族が辞退することもあるので、確認してから、担当葬儀社に手配を。

香典

裏面

裏の重なりは、上側を下側にかぶせるようにして水引をかける。中包みには、金額、住所、氏名を書く。

表面

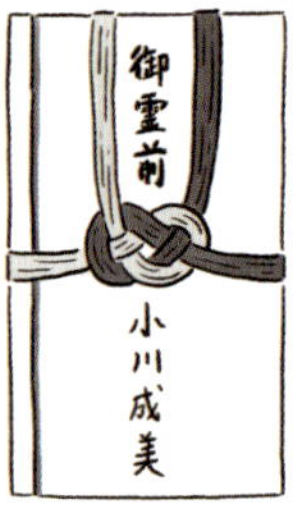

「御霊前」はどの宗教でも、通夜、告別式ともに使える。名前はフルネームで書く。できれば薄墨で。

香典の金額の目安

友人・知人	3千～1万円
職場関係	3千～1万円
ご近所	3～5千円
祖父母・親戚	5千～3万円
両親	5～10万円
きょうだい	3～5万円

＊地域によって異なる。親戚や地元の人に相談を。

通夜に参列するなら、香典はそのときに持参する

通夜、告別式両方に参列するなら、香典は通夜に持参。不祝儀袋は、白黒か銀の「結びきり」の水引のものを選び、故人の宗教に合わせる。以前はNGだった新札も、現代ではよいとされているが、一度折り目をつけてから入れるとベター。古すぎて汚いお札はNG。

仏式

「御霊前」「御香典」。袋に蓮の花の絵がついているものは仏式でのみ使用できる。

神式

「御霊前」「御神前」「御榊料」「玉串料」。銀か白の結びきりの水引のもので。蓮の花の絵はNG。

キリスト教式

「御花料」「御霊前」。水引がついたものは白黒の結びきり。水引のかかっていないものもある。

お葬式の装いとマナー

男性の装い

慶事、弔事ともに使用する黒の略礼服（ブラックスーツ）が一般的。通夜では濃紺などのダークスーツでも。弔事はシャツは白無地、ネクタイは黒、靴下は黒無地。靴は光沢のない黒の革靴を履く。

女性の装い

ストッキング（タイツは不可）、靴、バッグは黒。光沢がなく、金属の飾りなどがついていないもので。サンダルは避ける。アクセサリーは一連の真珠と結婚指輪はよい。長い髪はまとめる。

服装は派手にならないよう心がけ、光るものはNG

悲しみを表す装いとして、黒一色を選ぶが、光沢のない生地のもので、派手にならないように。基本的に肌の露出が少ないもので。夏も長袖がよいが、半袖に長袖をはおる形でも。

通夜の装い

通夜は略式喪服で、黒か、紺、チャコールグレーなど暗い色のスーツなどにし、黒い靴、バッグを合わせる。喪服でもよい。

告別式の装い

喪服か黒一色のスーツ、ワンピース、アンサンブルなど。喪服でなくても喪服と同じタイプならよい。女性の化粧はノーメイクは避け、ただし控えめに。

子どもは制服などで

子どもは幼稚園、学校の制服でよい。もしくは紺、チャコールグレーなど黒っぽい色のスーツやワンピースなどに。シャツは白でよい。

通夜、告別式でのふるまい

通夜ぶるまいと香典返し

通夜ぶるまいは故人への供養なので、すすめられたらひと口でも箸をつけよう。斎場を出る前には香典返し（会葬御礼）を受け取る。お礼は言わず、黙礼程度で。香典を預かってきた人の分も、申し出て受け取る。後日、香典返しを受け取っても、お礼は不要。不祝儀が繰り返される意味になり、失礼にあたる。

受付

お悔やみのあいさつをし、ふくさから香典を出し、ふくさをたたみ、不祝儀袋を相手に向けて両手で差し出す。通夜で香典を出していたら、告別式では「お通夜にお伺いしました」とひと言添えて記帳を。

↓

神式、キリスト教式の拝礼

神式では、玉串を祭壇に供え、少し下がって二拝。音を立てずに二拍手。最後に一拝。キリスト教では、祭壇に献花をして合掌か黙祷。

↓

仏式の拝礼

遺族、僧侶、遺影の順に一礼。抹香を親指、人差し指、中指でつまみ、おじぎをしながら抹香を目の高さまで捧げ、香炉に落とす。1～3回。遺影に合掌。僧侶、遺族の順に一礼。

+more

“3密”を避けるために

感染症が心配な時期には、人と時間を合わせたりせず、自分だけかごく少人数で参列。お別れがすんだら速やかに退席を。式場でも、遺族に対して多くは声をかけず、参列者との会話も最低限を心がけて。

おつきあい

お祝い・お見舞い

人と人は心配りの連続でつながるもの。節目をともに祝ったり、困っているときの支え合いはとても大切です。

出産祝い

出産祝いに行くなら、訪問する日程に配慮が必要

出産のお祝い品は、かつては「お七夜」（生後7日目）に届けたものだが、今は訪問は控え、お祝い品を配送するか、ご祝儀を送るのが一般的。ごく親しい間柄でも、ママの体調などを気づかって予定を聞き、訪問は産後2週間以降にする配慮を。

出産祝いの訪問で気をつけること

- 相手の体調や都合を聞く
- 長居をしない
- 赤ちゃんを抱いたりほおずりしない
- 自分の体調が悪いときは控える

出産祝い金の目安

友人	5千～1万円
親族	1～2万円

子どものお祝い

お祝い	内容	贈るものの例
初節句	女の子は3月3日、男の子は5月5日の初節句を祝う	節句飾りやその購入費用の一部として祝い金など
七五三	11月15日前後に3歳、5歳、7歳の成長を祝う（以前は数え年だったが、今は満年齢も多い）	食事会などの代金や祝い金
入園祝い	幼稚園、保育園に入園した子どもを祝う	園生活に必要なものや、祝い金
入学祝い	小中学校～高校、大学まで、それぞれの入学を祝う	文具、図書カード、ランドセル、学習机、辞書、図鑑など学用品、祝い金
成人式	20歳になり、成人の仲間入りを祝う	祝い金
卒業・就職祝い	社会人としてのスタートを祝う	手帳、名刺入れ、時計、万年筆などのペン。記念になるもの

お返し（内祝い）

赤ちゃんのお祝い

お七夜（生後7日目）

奉書紙や半紙に赤ちゃんの名前を書いて飾る。
*法律上は14日以内に役所に届ければよい。

お宮参り（生後1カ月頃）

赤ちゃんを連れて、神社でお参りし、健やかな成長を祈る。

お食い初め（生後100～200日）

祝い膳を用意し、箸で赤ちゃんの口につける。

初誕生（満1歳の誕生日）

一升餅を赤ちゃんに背負わせて歩かせるなど、地方によってそれぞれ。

自分が出産したら「内祝い」はお宮参りの頃に

出産のお祝いをいただいた方へは、生後1カ月頃のお宮参りのときに「内祝い」としてお返しを送る。名披露目の意味もある。表書きは「内祝」とし、下には赤ちゃんの名前を書く。内祝いの品で多いのは、タオル、石けん、紅白の砂糖など。紅白餅や赤飯を送る地方もある。

内祝い（お返し）の目安

いただいた金品の3分の1程度

お見舞い

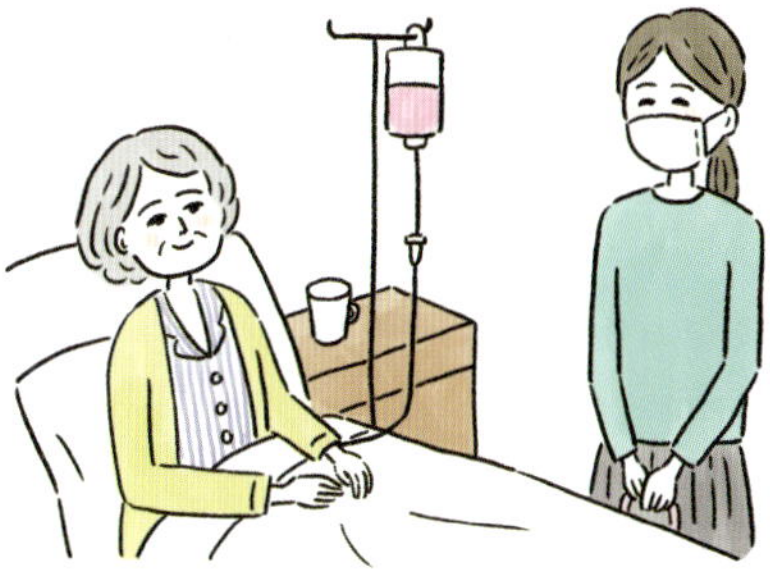

相手の状況を確認し、負担にならぬよう15～30分程度に

お見舞いの目的は、元気になってほしいという思いを相手に届けるため。相手を気づかってご家族に状況を聞き、お見舞いの了解を得ることが基本。服装は明るい色の清潔感のあるもので。1～3人程度で伺い、面会時間を守り、病人を疲れさせないよう15～30分程度で退席を。乳幼児の同行は控える。病状を聞いたり、病院の悪口などはNG。大声は慎み、「ゆっくり静養して」という言葉も避ける。

見舞い金の目安

5千～1万円

紅白結びきりの水引の、のしなしの祝儀袋で、表書きは「御見舞」。白一色の封筒は弔事を連想する。

お見舞いの品は本や雑誌、療養に役立つタオルなどを

お見舞いの品は相手の病状と気持ちを考える。本人の趣味に合う雑誌、本、パズル本、タオルなど療養生活に役立つものはよい。食べ物は、食事制限の確認を。花も禁止のところがある。百合、菊、椿や、香りの強いもの、赤い花、鉢植えは避ける。

+more

自然災害などのお見舞いは相手が求めることに応じる

自然災害や火事など、被害の規模、状況によって欲しい助けは違ってくる。できるだけ情報を集め、相手が必要としていることに応えるのが一番のお見舞い。話を聞いてあげることも支えになる。

長寿祝い

最初のお祝いは60歳の還暦。今は満年齢でのお祝いが多い

長寿祝いは「賀寿（がじゅ）」ともいう。数え年で行うが、最近は満年齢で行うことも。現代の最初の賀寿は満60歳の還暦祝いだが、以前より平均寿命が伸び、現役の人も多い。老人扱いするより、本人の気持ちも聞いて、記念の食事会や旅行、好みに合った祝い品を選ぶとよい。

還暦	かんれき	60歳
古希	こき	70歳
喜寿	きじゅ	77歳
傘寿	さんじゅ	80歳
米寿	べいじゅ	88歳
卒寿	そつじゅ	90歳
白寿	はくじゅ	99歳
百寿	ひゃくじゅ・ももじゅ	100歳

check!

お祝いやお見舞いは相手に配慮を

自分がお祝いやお見舞いに行きたいという気持ちよりも、相手の都合や気持ちに配慮することが大切。迷ったら、まずは相手に電話をして様子を伺い、訪問してもよいか相談を。お見舞いの場合は、入院している病院にも問い合わせをする。直接会うのを遠慮する場合は、手紙を添えたお祝いやお見舞いの品を送る。

ご近所づきあい

近所づきあいが薄れがちな現代ですが、気持ちよく暮らし、いざというとき助け合うためにも上手につきあいましょう。

ご近所づきあいの基本

快適な住環境のために日ごろからいい関係を築いておく

「遠くの親戚より近くの他人」というように、何かあったとき、助け合うためにも近所づきあいは大切に。顔見知りなら、災害時にも協力しやすい。日ごろの適度なつきあいが、お互いを大事にする気持ちを生み、快適な住環境につながる。また、近所づきあいがある地域は防犯力も高い。

基本 1

あいさつは必ずしよう

あいさつは相手を認めている表れで、おつきあいの基本。目を合わせ、「おはようございます」「こんにちは」などと声をかけよう。それが笑顔ならば、あいさつをされた人は、さらにうれしく感じるもの。相手や状況によっては、会釈程度でもいい。自分が先にするつもりで。

基本 2

地域のルールは守る

ゴミ出しのルールなど、地域のルールはきちんと守る。ゴミ当番なども忘れずに。やむを得ずできないときは、早めに相談。地域の会合や清掃なども参加する。参加できない場合は、責任者におわびをひと言。地域の一員として自分ができそうなことも伝えたい。

基本 3

生活音には注意を払って

生活音が騒音に感じられ、トラブルに発展する場合があるため、気づかいと工夫は必要だ。朝10時前や、夜8時以降は、とくに注意。テレビやオーディオ、楽器の音なら窓を閉めるなど工夫を。足音、ドアを閉める音、洗濯機の振動音など、意外に響く生活音にも気配りを。

基本 4

プライバシーに立ち入らない

親しくなっても、相手の生活を尊重し、節度を持って接したい。仕事、お金、子育て方針、人生観、価値観、宗教などに関することは意見しないように。うわさ話も、聞かない、言わない。聞いてしまったら、「そうですか」と言う程度にして、さらっと流そう。

転居

お世話になった人たちには引っ越すことを早めに伝えて

親しい人、お世話になった人、両隣や前の家には、早めに引っ越すことを伝える。荷物の搬出などで迷惑をかけるおわびも忘れずに。粗大ゴミの回収は余裕を見て手続きを。引っ越し後に何かあった場合のために、誰かに携帯番号など連絡先を伝えておく。お世話になった人などには、1000〜3000円程度の菓子折りなどを持参（のしはなくてもいい）して、引っ越し2〜3日前に改めてあいさつを。

転入

引っ越したらすぐ両隣や向かいの家にあいさつを

引っ越し先に着いたらすぐ、両隣や向かいの家には荷物の搬入で迷惑をかける旨を伝えておく。「ご迷惑をおかけしています。本日引っ越してきました○○と申します」と伝えておけば、トラブルを回避できて印象もぐんとよくなる。搬入し終えたらその日のうちに、両隣や前の家、マンションなら管理人などに、家族みんなであいさつに行こう。

check!

あいさつの品は1000円程度で、「御挨拶」ののし紙をつける

近所へあいさつに行くときは、タオル、石けん、乾麺など1000円程度のものを持参。のし紙もつけて「御挨拶」とする。留守がちな家には、簡単なあいさつ状と手土産をポストに入れておき、あとで顔を出す。実家に住む場合は、親に一緒に回ってもらう。

リフォーム工事

前もって期間などを伝え気持ちの品を渡す

自宅のリフォームや修繕など、規模にかかわらず工事をする場合は、騒音などで迷惑をかける近隣の人たちに、着工前にあいさつを。忙しい平日は避け、土日の午前10〜11時ごろに行くのが理想的。洗剤など1000円程度の粗品を持参し、工期日程を伝える。

知っておきたいご近所マナー

路上駐車は管理人を通じて注意

管理人などに伝えてもらうのがベスト。直接伝える場合は、「こういう決まりになっているみたいですよ」と明るく、感じよく注意する。

清掃は1mほど余分に行う

門の前を掃き掃除するときなどは、自分のところだけではなく、1mほど余分に隣のところまで掃くようにしよう。

ペットを飼うなら近所に気配りを

鳴き声、フン、抜け毛、ニオイなど、人によっては迷惑に感じるもの。気を配ろう。迷惑をかけていないか、ときおり声をかけて聞いてみて。

長く留守にする場合は連絡先を伝える

旅行、帰省などで、3日以上家を空ける場合は、隣人に携帯番号など連絡先を伝えておく。日ごろのつきあいを通じた信頼関係が大事。

長話は「別に用があって…」と切り上げる

相手との長話に困ったら、「あら、こんな時間」などと言って用事があると伝える。「また今度」と言い添えて、印象を和らげるのも手だ。

境界線トラブルは専門家を入れて解決

敷地の境界線など、難しい問題は自分たちだけで対処せず、「一度見てもらおう」と相手に提案して、自治体や専門家を入れて確認する。

+more

エレベーターに同乗するときはひと声かけて

マンションなどでエレベーターに乗ろうとしたとき、先に人が乗っていた場合は、「よろしいですか?」と声をかけること。混んでいる場合は、同乗は遠慮する。

相手の騒音は直接言わない

近所の家の騒音が気になったら、自治会や管理組合に伝え、個人が特定されないように、回覧板などでみんなに配慮を促す形がよい。

集合住宅のマナー

+more

うるさい足音は、真上とは限らない

足音がうるさいとき、真上からの音を疑うが、そうでない場合もある。コンクリートは非常に音が伝わりやすいうえ、マンションの場合は複雑な伝わり方をするので、上の上の階など、ほかの家の場合も。思い込みにとらわれず、慎重な行動を。

子どもの声や足音、ドアの開閉など生活音には要注意

朝10時前、夜8時以降は音に配慮を。早朝や深夜はとくに注意。風呂、トイレ、洗濯、掃除機、ドアの開閉の音、足音などの振動音は、隣や階下だけではなく、壁や配水管を伝わって意外な部屋まで響く。小さな子どもがいるなら、防音性の高いマットを敷くなどの工夫が効果的。

+more

新しい生活様式の中で知っておきたいマナーとは

感染症対策についての価値観は人それぞれ違うので、マンション内でのマスク着用のエチケットには気を配って。マスクで顔の表情が伝わりにくくなるので、していないときより一層意識して笑顔であいさつをするよう心がける。複数人での長話も避けて。

外廊下や階段などの共有スペースに私物は置かない

外廊下、階段などの共有部分には私物は置かない。避難通路でもあり、美観を損ねるうえ、他の住民とのトラブルの原因に。ルールに従おう。宅配食材の箱、ベビーカー、三輪車などは、室内に段ボールを敷くなどして保管を。

ベランダでの喫煙や布団たたきは上下左右の住人へ配慮

ベランダは避難通路になるので、じゃまになるものは絶対に置かない。またベランダで喫煙する場合は、副流煙が流れ込むことがあるので、上下左右に人がいないかを確認して。布団をたたくときも、まわりで洗濯物を干していないか注意を。布団たたきではなくブラシを利用して、フェンスの外ではしないように。植物の水やりも、下の階に気をつけて。

知っておきたい暮らしの手続きガイド

暮らしが変わるときや、何かアクシデントがあって困ったときなどに必要な手続きと、届け出先を紹介します。忘れないうちに、早めに行いましょう。

※2020年10月現在の情報です。

	チェック	手続き	内容	届け出先	期日
引っ越し	☑	転出届	現在住んでいる場所から市区町村外へ引っ越す場合、転出証明書を発行してもらう。	引っ越す前の市区町村の役所。	引っ越す日まで。
	☑	転入届	市区町村外より引っ越してきた場合、転出証明書を提出する。	引っ越し後の市区町村の役所。	引っ越した日より14日以内。
	☑	転居届	同じ市区町村内で引っ越す場合も届け出が必要。	市区町村の役所。	引っ越した日より14日以内。
	☑	転校・転入	市区町村によって、手続きの方法が異なるので、引っ越し前、引っ越し後の市区町村の教育窓口に確認する。	学校、市区町村の役所の教育窓口など	引っ越しが決まったらなるべく早めに。
	☑	電気・ガス・水道	旧居の使用停止、新居の使用開始をするときに立ち会いが必要になることがあるので、確認をする。	旧居は検針票、領収書などに記載の事業者。新居は、指定の事業者。	引っ越しが決まったらなるべく早めに。
	☑	電話	NTTを利用する場合、新居、旧居が違うエリアなら、それぞれの東日本、西日本に連絡する。その他の会社の場合は、それぞれに連絡する。	利用している、利用が予定される電話会社。	引っ越しが決まったらなるべく早めに。
	☑	郵便物	旧住所あての郵便物などを1年間、新住所に無料で転送してくれる。	最寄りの郵便局。	引っ越しが決まったらなるべく早めに。
	☑	運転免許	新住所の警察署などで住所変更の手続きをする。身分証明書として他の手続きに使用できるので、早めに変更しておくと便利。	新居の所轄の警察署、運転免許センター。	引っ越し後、なるべく早めに。
	☑	国民年金	国民年金に加入している場合は、住所変更の手続きをする。	新居の市区町村の役所。	引っ越した日より14日以内。転入届などと同時にするとよい。
	☑	国民健康保険	国民健康保険に加入している場合は、住所変更をするために、旧居、新居の両方の市区町村の役所で手続きをする。	旧居、新居の市区町村の役所。	引っ越し前後の14日以内に。

	チェック	手続き	内容	届け出先	期日
転職・退職	☑	失業給付	退職前2年間に通算して12カ月以上の被保険者であることが給付の条件。失業した場合、賃金の50～80%程度が90～150日間支払われる。	ハローワーク。	退職後早めに。給付期間は退職後1年間となる。
	☑	健康保険	再就職しない場合は国民健康保険に加入するか、家族の健康保険の被扶養者となる。退職前の健康保険の任意継続（2年間）も可能。	国民健康保険は市区町村の役所。被扶養者は家族の勤務先。任意継続者は健康保険組合。	国民健康保険は退職後14日以内。任意継続は20日以内。被扶養者は家族の勤務先の規定による。
	☑	年金	再就職しない場合は第1号被保険者として国民年金に加入する。またサラリーマンの配偶者などで被扶養者となる場合は、第3号被保険者となる。	第1号被保険者は市区町村の役所。第3号被保険者は配偶者の勤務先。	第1号被保険者は退職後14日以内。第3号被保険者は配偶者の勤務先の規定による。
	☑	税金	退職した年に再就職した場合は、再就職先に源泉徴収票を提出し年末調整。それ以外は確定申告を行う。	再就職した場合は再就職先。確定申告は税務署。	年末調整は勤務先に従い早めに。確定申告は退職した翌年の2月中旬～3月中旬。
病気・けが	☑	傷病手当金	病気やケガで会社を休み、賃金の支払いがない、あるいは減額された時に、賃金の3分の2程度支給。連続した3日間の休職後、4日目から支給開始となる。	勤務先、または健康保険組合。	1カ月ごとでもまとめてでも申請は可能。2年間はさかのぼって申請できる。
	☑	高額療養費	1カ月の医療費が一定額を超えた場合、超えた分の金額が払い戻される。対象は健康保険が適用される範囲で、差額ベッド代や先進医療費などは含まれない。	国民健康保険は市区町村の役所。会社員は勤務先、または健康保険組合。	治療を受けた翌月の初日から2年以内。
	☑	医療費控除	自分や家族が支払った医療費の負担額が、年間10万円を超えた場合（所得金額が200万円未満の人は所得金額×5%を超えた額）、確定申告時に所得控除できる。	税務署。	翌年の2月中旬から3月中旬。
	☑	保険金	入院日数や手術の種類などによって支給額が異なるので、自分が加入している保険会社に確認。請求時、診断書等の提出が必要。	各保険会社。	保険会社による。
結婚・離婚	☑	婚姻届	婚姻届が受理された日から法律上の効力が発生。新戸籍が自動的に作成される。	本籍地、または所在地の市区町村の役所。	365日24時間届け出可能。届け出日が入籍日となる。
	☑	離婚届	夫婦2人が合意した協議離婚の場合は、離婚届を提出するだけで成立。どちらか一方が応じない裁判離婚は、添付書類などが必要になる。	本籍地、または所在地の市区町村の役所。	協議離婚は離婚届を受理された日が成立日。裁判離婚は裁判確定の日から10日以内に提出。

	チェック	手続き	内容	届け出先	期日
妊娠		母子手帳	妊娠、出産、育児の母子の健康状態を記録するもので、妊娠の届け出をすると、市区町村から交付される。	市区町村の役所、保健所。	医師の診断で妊娠がわかったら早めに。
		妊婦健診費用助成	母子手帳と同時に妊婦健康診査受診票が交付され、健診費用の一部が助成される。	市区町村の役所、保健所。	母子手帳を受け取るときに同時に。
出産		出生届	子どもを戸籍に登録する手続き。医師または助産師の出生証明書が必要。	出生地、本籍地、または所在地の市区町村の役所。	出産した日より14日以内。
		出産育児一時金	出産費用として42万円支給（子ども1人）。加入している各健康保険、または専業主婦の場合は夫が加入している健康保険から支給される。医療機関に直接支払うこともできる。	国民健康保険は市区町村の役所。会社員は勤務先か健康保険組合。	出産した翌日から2年以内。
		出産手当金	産休中に賃金の支払いがない、あるいは減額された場合、賃金（日額）の3分の2程度×産前42日・産後56日分が加入している健康保険から支給される。	勤務先、または健康保険組合。	産休開始日の翌日から2年以内。
子育て		児童手当	子育て家庭を経済的に支援するため、保護者に支給される。0～3歳児は月額1万5千円、3歳児～中学生1万円など。毎年2、6、10月に前月までの4カ月分が支給される。所得制限がある。	市区町村の役所。	子どもが生まれた日の翌日から15日以内。
		育児休業給付金	育休中に賃金の支払いがない、あるいは減額された場合、賃金（日額）×支給日数（原則1年）×50～67%が雇用保険から支給される。	勤務先、またはハローワーク。	育児休業開始から4カ月を経過した月の月末まで。
亡くなったとき		死亡届	戸籍を抹消するための手続き。死亡届の右半分が死亡診断書となっている。死亡届と同時に埋火葬許可申請書を提出し、許可証の交付を受ける。	死亡地、本籍地、または届け出人の所在地の市区町村の役所。	亡くなったことを知った日から7日以内。
		世帯変更届	世帯主が亡くなった場合、届け出が必要。ただし、世帯主以外に世帯内が1人になった場合は、自動的に世帯主になるので届け出なくてもよい。	市区町村の役所。	亡くなった日より14日以内。
		健康保険	故人は被保険者としての資格が喪失するので、勤務先、または健康保険組合、市区町村に健康保険証を返却。故人の扶養者だった家族は他の家族の健康保険の被扶養者となるか、国民健康保険に加入する。	会社員は勤務先、または健康保険組合。国民健康保険は市区町村の役所。	会社員は勤務先に確認。国民健康保険は亡くなった日より14日以内。

さくいん

掃除

洗濯

住まいの修繕の基本

収納・片づけ

料理

おつきあい

暮らしの手続き

安全に、健康に暮らす

[写真提供]

アサヒペン	https://www.asahipen.jp/
アイリスオーヤマ	https://www.irisohyama.co.jp/
ELPA朝日電器	http://www.elpa.co.jp/
ガードロック	http://www.guardlock.co.jp/
グループセブ ジャパン（ティファール）	https://www.t-fal.co.jp/
日本ロックサービス	https://www.lock.co.jp/
ノムラテック	https://www.nomuratec.co.jp/
パナソニック	https://www.panasonic.com/jp/home.html
リンナイ	https://rinnai.jp/

[スタッフ]

デザイン	フレーズ（尾崎利佳、月島奈々子）
撮影	橋本哲　林ひろし　戸高慶一郎
イラスト	たかまつかなえ（1〜5章）　多田景子（6〜7章）
編集・執筆	ペンギン企画室（臼井美伸、大橋史子）　鹿島由紀子　村越克子　鹿田吏子　内田いつ子
取材協力	國場弥生（プラチナ・コンシェルジュ）（P.266〜268）
校正	堀江圭子
企画・編集	成美堂出版編集部

いちばんわかりやすい 家事のきほん大事典

編　者	成美堂出版編集部
発行者	深見公子
発行所	成美堂出版 〒162-8445　東京都新宿区新小川町1-7 電話(03)5206-8151　FAX(03)5206-8159
印　刷	共同印刷株式会社

©SEIBIDO SHUPPAN 2020 PRINTED IN JAPAN
ISBN978-4-415-32914-7

落丁・乱丁などの不良本はお取り替えします
定価はカバーに表示してあります

- 本書および本書の付属物を無断で複写、複製（コピー）、引用することは著作権法上での例外を除き禁じられています。また代行業者等の第三者に依頼してスキャンやデジタル化することは、たとえ個人や家庭内の利用であっても一切認められておりません。